GELEGENTLICHE GEDANKEN
ÜBER UNIVERSITÄTEN

Reclam
Bibliothek

PHILOSOPHIE
GESCHICHTE · KULTURGESCHICHTE

GELEGENTLICHE GEDANKEN ÜBER UNIVERSITÄTEN

von J. J. Engel, J. B. Erhard, F. A. Wolf,
J. G. Fichte, F. D. E. Schleiermacher,
K. F. Savigny, W. v. Humboldt,
G. F. W. Hegel

1990

Reclam-Verlag Leipzig

Herausgegeben von Ernst Müller

ISBN 3-379-00531-2

© Reclam-Verlag Leipzig 1990

Reclam-Bibliothek Band 1353
1. Auflage
Reihengestaltung: Lothar Reher
Lizenz Nr. 363. 340/15/90 · LSV 0116 · Vbg. 20,4
Printed in the German Democratic Republic
Dresdner Druck- und Verlagshaus GmbH
Gesetzt aus Garamond-Antiqua
Bestellnummer: 661 518 2
7,50

JOHANN JAKOB ENGEL[1]

J. J. Engel an den Geheimen Kabinettsrat Karl Friedrich von Beyme[2], Brief vom 13. März 1802

Hochwohlgeborner,
Höchstzuverehrender Herr Geheimer Kabinettsrat,
Seit dem schönen Tage, wo ich so glücklich war, mich einige Stunden an Ew. Hochwohlgeboren Seite zu finden und Ihre Befehle wegen des einliegenden Aufsatzes zu erhalten, habe ich wieder so trübe leidensvolle Tage gezählt, daß ich mit dem besten Willen von der Welt nicht imstande war, mich der übernommenen Pflicht zu entledigen. Ich bin mit dem, was ich endlich zu Papier gebracht, nichts weniger als zufrieden; aber teils, um nicht noch länger dem Verdacht der Nachlässigkeit bloßzustehn, teils, weil ich es doch so bald nicht besser machen würde, wage ich's, Ew. Hochwohlgeboren den Aufsatz, so wie er da ist, zu überreichen.
Zu einer mehr ins Detail gehenden Ausführung des Plans wird es noch immer Zeit sein, wenn man erst der Billigung desselben im Ganzen gewiß ist. Doch erinnere ich sogleich, daß ich für mich, ohne Zuziehung und Mitwirkung mehrerer, schwerlich zustande kommen würde. Es erhellt aus dem vorläufigen Entwurfe selbst, daß zu dem bestimmten detaillierten Entwurfe manches erst vorzuarbeiten wäre; daß z. B. ein Katalog sämtlicher Lektionen, die hier gehalten werden, etwa von einem Manne wie Biester[3]; ein genaues Verzeichnis der vorrätigen und der fehlenden physikalischen Instrumente von dem Direktorium der Akademie der Wissenschaften; ein eben solches Verzeichnis der sämtlichen für die künftige Lehranstalt zu wünschenden besten Gelehrten Deutschlands von einem so kundigen Manne wie Nicolai[4]; eine Angabe der zu Auditorien schicklichen Säle von dem Königl. Oberhofbauamt teils erbeten, teils eingefordert werden müßten. Einen Biester und Nicolai würd' ich nun schon selbst bewegen, das Verlangte zu leisten; die Akademie und das Hofbauamt würden ohne höhere Veran-

lassung sich wohl schwerlich dazu entschließen. Auch kenne ich von den Räten, die bei letzterem angestellt sind, keinen einzigen persönlich.

Ich erwarte das entscheidende Urteil und die ferneren Befehle Ew. Hochwohlgeboren; und werde mich freuen, wenn ich durch eifrige Anwendung meiner wenigen übrigen Kräfte denenselben einen Beweis der innigen Verehrung werde geben können, womit ich bin Ew. Hochwohlgeboren

ganz gehorsamster und verbundenster Diener
Berlin, den 13. März 1802.   J. J. Engel

Denkschrift über Begründung einer großen Lehranstalt in Berlin (13. März 1802)

I. Von den Vorzügen einer großen Lehranstalt in Berlin

Wenn von einer in Berlin zu errichtenden großen Lehranstalt die Rede ist: so muß man zuerst auf den wesentlichen Zweck einer jeden solchen Anstalt sehen. Und so ist die Hauptfrage, mit der ich eben darum anfange: Kann der Jüngling in Berlin mehr als an jedem andern Orte des Landes, oder kann er es besser lernen? Ich behaupte beides, und zwar aus folgenden Gründen.

Es gibt Objekte des Unterrichts, die in Büchern können vorgetragen, aber nie aus bloßen Büchern gefaßt, nie durch bloße Worte gelehrt werden, die durchaus Anblick, Gegenwart, Darlegung wollen. Von dieser Art sind Handwerke, Künste, Fabriken. Will der Jüngling, der sich zum Kameralisten[5] bildet, wissen, wie man Salz macht, so gehe er nach Halle. Will er mehr wissen, so gehe er nach Berlin, dem fabrikenreichsten Ort des Landes. Kupfer helfen hier wenig oder nichts, sie legen die Maschinen nicht auseinander, setzen sie nicht wieder zusammen, zeigen sie nicht in Bewegung, zeigen nicht die Handgriffe der Arbeiter usw.

Ebenso ist alles, was von schönen Künsten in Schriften gelehrt wird, nur toter Buchstabe. Ein paar Raffael, ein paar Tizian oder Guido Reni sehen, unterrichtet mehr als alles, was man davon hört oder liest. Berlin hat auf dem Schlosse eine Galerie, eine größere in der Nähe. Was haben andere Örter und besonders die, wo man die Universitäten anlegte? Nicht einmal eine der schönen Sammlungen, die man hier bei Privatpersonen findet: am wenigsten haben sie solche Kenner der Kunst, die den Jüngling führen und sein Auge auf das Bemerkenswerte hinleiten könnten.

Mit Naturalien ist es ganz derselbige Fall. Auch das beste Kupfer, illuminiert[6] so schön man will, ist doch nicht das Tier, der Stein, die Pflanze, die Konchylie[7] selbst. Die Berlinischen Naturaliensammlungen werden sich in kurzem, wie ich weiß, sehr vervollkommnen: hat Halle, hat Frankfurt deren beträchtliche? Ich weiß davon nichts und zweifele.

Wo mehr Kenntnis von Musik, von Architektur, von tausend andern Dingen durch die Sinne selbst, nicht durch den bloßen gedruckten oder gesprochenen Buchstaben geschöpft werden könne: ob hier oder an den genannten kleinern Örtern? ist nicht die Frage. – Daß manche der genannten Gegenstände nicht eigentlich wissenschaftlich sind, macht keinen Einwurf. Tanzen, Fechten, Reiten sind es noch weniger; es sind bloße Leibesübungen, und doch wird Unterricht darin auf allen Universitäten verlangt. Von den Objekten des Unterrichts, wo zwar zur Not der bloße mündliche Vortrag hinreicht, aber der mitverbundene Anblick doch weit besser ist, nenne ich hier bloß die Literargeschichte.

Ich kann freilich auch zwischen vier nackten Wänden sitzend die Namen von Autoren, die Titel von Büchern, die Formate von Ausgaben usw. ins Gedächtnis fassen: aber wie ganz anders ist es doch, wenn in einer großen reichen Büchersammlung mir der Bibliothekar die Werke selbst vor Augen hinlegt! Welchen Vorzug hat auch hier das *oculis subjicere fidelibus*[8] vor dem bloßen *demittere per aures*[9]! Dieses *oculis subjicere* ist aber nirgends in dem Umfange möglich wie in Berlin, unter dessen Vorzügen auch der große königliche Bücherschatz ist.

Ähnliche Bewandtnis hat es mit vielen anderen höchst wichtigen Objekten des Unterrichtes. Anatomie, Physiologie, Entbindungskunst, Pathologie, Therapie werden auf allen Universitäten gelesen, aber wo wäre ein so stark besetztes Krankenhaus[10], ein so reichlich versorgtes anatomisches

Theater[11], so viel Gelegenheit, wirklichen Entbindungen, Krankenbehandlungen, Operationen aller Art beizuwohnen, als in Berlin? Und von diesen Dingen hängt doch, nächst der Vortrefflichkeit der Lehrer, die Güte des medizinischen und chirurgischen Unterrichts ab. Die Botanik hat hier ihren eigenen, wohl versorgten und unterhaltenen Garten[12]; die Astronomie ihr eigenes, mit vorzüglichen Instrumenten versehenes Observatorium[13], und beide sind gewiß im ganzen Lande eben so einzig als die Männer, die ihnen vorgesetzt sind. Ich schweige von Physik, Chemie und von noch anderen Objekten des Unterrichts, weil ich mich schon zu lange bei der bloßen Gelehrsamkeit aufgehalten habe. Ist denn Gelehrsamkeit alles? Wahrlich! nicht bloß durch sie wird die jugendliche Seele gebildet; mehr noch durch die Menge und Mannigfaltigkeit der Bilder, welche die Imagination, der Eindrücke, welche das Herz, des Stoffs zu Reflexionen, welchen der Geist erhält, und wie unendlich mehr von diesem allen bietet sich einem Menschen von offnen Sinnen und offnem Kopfe an einem großen Orte dar als in einer kleinen geschäfts- und menschenarmen Provinzialstadt! Was in Kollegien vorgetragen wird, mag für den Jüngling an manchen Tagen bei weitem so viel Wert nicht haben, als was er auf den Straßen sieht, in Konversationen hört, in kleineren oder größeren Zirkeln beobachtet. Der Kopf eines Menschen, der nach seinem väterlichen Geburtsflecken nur noch Halle mit seinen Salzkothen[14], seinen Professoren und Stadtbürgern sah, kann doch wahrlich so reichlich nicht ausgestattet, nicht so erweitert und für allerlei Eindrücke so empfänglich gemacht, nicht so frei von tausend kleinen Torheiten und Pedanterien sein, als der Kopf eines anderen, der unter den mannigfaltigsten Menschen-Klassen, die eine an der andern ihre Rauhigkeiten abschleifen, in dem schönen, industriösen, kunstreichen, veränderungsvollen Berlin seine besten Jahre verlebt hat.

II. Von hier zu hoffendem Fleiß und Sitten

Aber eben dieses Berlin mit seinen trefflichen Instituten hat leider! auch ein Theater, häufige Konzerte, Gärten zu Illuminationen[15] und Picknicks; hat obendrein noch Häuser,

8

und eine Menge Häuser, deren Bestimmung man lieber erraten läßt, als angibt. Wieviel Gelegenheit und Reiz zum Müßiggange, zur Geldverschwendung, zur Unsittlichkeit! Ich setze diesen so oft gehörten Einwürfen nur wenige, ganz kurze Bemerkungen entgegen.

Daß ein junger Mensch sich vergnügen will, ist ihm nicht zu verargen, und erwünscht ist es, wenn er Gelegenheit zu feinerem Vergnügen findet. Besser in ein Theater zu gehen, als nach Passendorf zu reiten; besser ein Konzert zu hören, als in schlechter Gesellschaft Studentenlieder zu brüllen. Ob er Maß halten und über dem Vergnügen seinen eigentlichen Zweck, das Studieren, nicht vergessen wird, das hängt an dem größten wie an dem kleinsten Orte von seiner Denkungsart ab. Wer lernen will, lernt überall; wer nicht will, lernt nirgends. Gewiß herrscht zu Berlin unter der Menge sich bildender Ärzte und Wundärzte eben so viel Fleiß als auf der besten der Universitäten, und ich möchte behaupten mehr; denn die Verführung unter den jungen Leuten selbst ist geringer. Sie hängen hier minder zusammen, bilden keinen eigenen Stand, sind mehr unter die andern Menschen zerstreut.

Dieser Umstand, der für den Fleiß bedeutend ist, ist es noch mehr für die Sitten. Wo der Student einen Grad von Wichtigkeit, von Ansehen hat, da sieht er gern auf seine Mitbürger als auf eine geringere Menschen-Klasse hinab, er macht eine eigene Korporation aus, folgt Tonangebern, die insgemein zu dem rohesten, ausschweifendsten, kecksten Haufen gehören, errichtet Landsmannschaften[16], Ordensverbindungen[17], bekömmt einen falschen Ehrgeiz, ein falsches Interesse in die Seele, wird sittenlos in seinem Innern und ungesittet in seinem Äußern. Alles das fällt weg, wo der Student sich unbemerkt unter den übrigen Menschen verliert, wo er noch ebensowenig bedeutet als wirklich ist; wo er sogleich dem öffentlichen Gelächter bloß stände, wenn er sichs einfallen ließe, Figur zu machen, eine eigene Kraftsprache zu reden, eine eigene Kleidertracht anzulegen. Berlin zählt schon jetzt wegen der einzigen hier blühenden Fakultät der studierenden Jünglinge mehr als die Universitäten Greifswald, Rostock, Kiel, Rinteln zusammengenommen; aber wer sieht hier solche Karikaturgestalten, hört hier von solchen Wildheiten und Ausschweifungen, als an jenen kleinern Örtern tagtäglich vorkommen?

Was das Geldverschwenden betrifft, so findet das seine Grenzen in dem bald eintretenden Mangel, in der Verweigerung fernerer Kredits bei ausbleibender oder unordentlicher Bezahlung, in den Gesetzen der Obrigkeit gegen die Wucherer.

Von der Verführung zur Wollust nur das: mehrere Häuser gewisser Art und unter Aufsicht sind besser als wenige oder gar nur ein Haus und ohne Aufsicht. – Genug!

III. Von dem Gewinn des Staats bei einer blühenden großen Lehranstalt in Berlin

Über die Vorteile, welche der Staat unmittelbar gewinnt, wenn er kenntnisreichere, aufgeklärtere, gewandtere Diener in allen Fächern ansetzen kann, sag ich kein Wort. Sie springen von selbst in die Augen.

Aber über diejenigen Vorteile, die hieraus nebenher für den Staat entstehen können, möcht es nicht unnütz sein, einige Winke zu geben.

Was der eine Staat gebraucht, gebraucht mehr oder weniger auch der andere, nur ist nicht jeder in der glücklichen Lage, für seine Bedürfnisse im gleichem Maße zu sorgen. Gesetzt, daß ein kleinerer oder doch minder begünstigter Staat solche Anstalten zum Unterrichte nicht machen kann als ein anderer, so ist natürlich, daß aus jenem in diesen eine Menge Lehrlinge, besonders von der vermögenden Klasse, einströmt; und dieses führt nicht allein zur Bereicherung des letztern Staats, sondern auch dazu, daß bald in die fremden umgebenden Staaten sich eine Menge ihm ergebener, mit dankbarer Liebe an ihn zurückdenkender Einwohner verbreitet.

Frankreich hat die Vorteile beider Art von dem übrigen Europa seit Ludwig dem Vierzehnten so reichlich genossen. Sollte nicht Brandenburg von dem übrigen Deutschlande ähnliche Vorteile genießen können?

Aber nicht von dem übrigen Deutschland allein, auch von den andern Nationen Europens. Während meines Aufenthalts in Leipzig erlebte ich Jahre, wo, angelockt durch den

Ruf einiger vorzüglicher Männer, eines Gellert, Ernesti[18] usf., Engländer, Franzosen, Holländer, Schweizer, Russen, Livländer, Dänen in solcher Anzahl vorhanden waren, daß dadurch äußerst beträchtliche Summen vom Auslande nach Sachsen flossen. Diesen Vorzug aber hatte Leipzig nicht bloß jenen Männern oder der Güte seiner akademischen Einrichtungen, an denen sehr vieles zu tadeln sein möchte, sondern vorzüglich auch seiner Eleganz und seinem ganzen Rufe als Stadt zu danken. Die vornehmen und reichen Gäste des Auslandes wollen nicht allein eine durch vortreffliche Einrichtungen berühmte, alles Wissenswürdige umfassende, mit vorzüglichen Lehrern versehene Lehranstalt; sie wollen auch einen Ort, wo der Aufenthalt durch Bildung der Einwohner, durch Güte der Gesellschaft, durch Ungezwungenheit des Tons angenehm ist; kurz, wo sie sich ebenso gut und mannigfaltig vergnügen als unterrichten können, und welcher Ort des ganzen Deutschlandes könnte hierin Berlin es gleich tun?

Wien etwa? – Man kennt den dortigen Geist und ich schweige.

Noch ein Umstand, der uns mehr Besuch von reichen und vornehmen Fremden als jedem andern Orte verspricht, ist der: daß ein Vater oder Vormund, der seinen Sohn oder Mündel ins Ausland schickt, ihn doch gern an einen Freund, einen Bekannten empfiehlt, wo er sogleich eine gute Aufnahme finden, die erste Verbindung, die dann schon zu mehrern führen wird, anknüpfen und wegen so mancher Dinge, worin ein Fremder nicht Bescheid weiß, sich Rat erholen kann: daß es ferner einem Vater oder Vormund angenehm sein muß, seinen Pflegling unter noch anderer, wenngleich entfernterer Aufsicht als der des unmittelbaren Führers zu wissen und von dem Betragen, den Fortschritten desselben dann und wann noch andere Nachrichten als bloß von dem letztern einziehen zu können. In einer großen Hauptstadt aber finden sich weit eher Freunde, Bekannte, Anverwandte; und wer sonst niemanden hat, an den er sich wenden kann, hat wenigstens den Gesandten des Staats, von dem er Untertan ist.

Doch nicht allein der reiche und fremde, auch der inländische arme Studierende befindet sich besser in einer großen, menschenreichen, geschäftsvollen Stadt als in einer kleinen und menschenarmen. Er gewinnt hier weit eher sein bißchen Unterhalt, teils durch die reichen Mitstudierenden, teils durch die übrigen wohlhabenden Einwohner des Ortes. Was mich zuerst auf diesen Umstand aufmerksam machte, war die Vergleichung zwischen den beiden Kursächsischen Universitäten: Wittenberg und Leipzig. Es fiel mir auf, an ersterm Orte ebensowenig Arme als Reiche, lauter Jünglinge aus den Mittelklassen, Amtmanns-, Prediger-, Bürgersöhne zu finden. Der Aufschluß, den man mir darüber gab, war vollkommen befriedigend. Wovon, hieß es, sollten die Armen, die von Hause keine oder doch nur spärliche Unterstützung zu hoffen haben, leben? In Leipzig verdienen sie so manches durch Abschreiben und Repetieren der Kollegien, in den Buchhandlungen so manches durch Korrigieren und Registermachen; von den übrigen Einwohnern noch weit mehr durch Unterricht der Kinder, teils im Lesen und Schreiben, teils in der Musik, teils in der Religion. Auch spielen die Musikalischen dort mit in Konzerten, auf Hochzeiten, schreiben Noten ab usw. Vorteile gleicher Art würden auch hier in Berlin sich für die ärmern Studierenden finden: aber da es nicht Absicht sein kann, gerade die Armen hierher zu ziehen und die Universitäten von allen Zuhörern zu entblößen, so würde man vielleicht wohltun, wenn man diejenigen, die sich einfänden, durch Benutzung der angegebenen Vorteile für sich selbst sorgen ließe, ohne durch Konviktorien[19], halbfreie oder ganz freie Wohnungen, wie die auf dem Leipziger Paulinum sind, ihnen den Aufenthalt zu erleichtern.

IV. Von den aufzuwendenden Kosten für eine Berlinische allgemeine Lehranstalt

Eine Universität erst errichten, die nach dem jetzigen Zustande der Wissenschaften der Rede wert sein soll, erfordert allerdings große Summen, und ein Fürst bedenkt sich mit allem Rechte, eh' er sich darauf einläßt. Manches ist auch an manchen Orten mit allem Aufwand und allem Fleiß nicht zu machen. Ich erinnere mich noch der Unzufriedenheit der in Rostock studierenden Mediziner, daß wegen Mangels an Leichnamen die Anatomie jahraus, jahrein bloß über Präparate gelesen ward, die noch dazu weder Hunterische noch Waltersche waren.[20]

In Berlin brauchte das, was man anderswo Universität nennt, nicht eigentlich erst errichtet, nur vervollständigt zu werden. Und wie wenig, wenn man gehörig zusieht, wird fehlen! Was wird nicht schon alles gelesen und zum Teil von wie trefflichen Männern gelesen.

Die ganze eigentlich kostbare medizinische Fakultät mit demjenigen Teile der fälschlich sogenannten philosophischen, der ihre Hilfswissenschaften begreift, ist nach allen Fächern da und ist in solchem Grade der Vollständigkeit und der Güte da, daß nur wenig zu wünschen übrig sein kann.[21] Es sind alle nötigen Gebäude, alle nötigen Werkzeuge vorhanden; und was an den letztern noch etwa fehlt, würde mit der Zeit ohnehin müssen angeschafft werden. Nur der Apparat der physikalischen Klasse der Akademie möchte noch sehr mangelhaft sein; sie selbst würde am besten das Fehlende angeben und den Kostenanschlag davon machen können.

Zu einer Menge von Lektionen, als z. B. über alte und neue Sprachen, über Philosophie, Geschichte, Staatswissenschaft wird freilich nur eins erfordert, ein Hörsaal: aber Wohnungen mit großen Sälen sind in Berlin so äußerst kostbar, daß mancher Lehrer sein halbes, wo nicht gar sein ganzes Gehalt dafür hingeben könnte. Da sich dieses nicht fordern läßt, so wäre gar sehr zu wünschen, daß mehrere öffentliche Hörsäle vorhanden wären, die zu gewissen stark besuchten Vorlesungen, dergleichen die logischen, historischen, physikalischen sind, könnten angewiesen werden. Ob das Kosten verursachen würde oder ob solche Säle in königlichen Gebäuden schon vorhanden sein möchten? weiß ich nicht anzugeben.

Ich komme zu der großen, jährlich wiederkehrenden Ausgabe, welche die Anstalt erfordern würde, zu den Besoldungen. Lehrer, die schon bei andern Institutionen angestellt wären und aus irgendeiner königlichen Kasse salariert würden, hätten nichts zu erwarten, wenigstens nichts zu fordern. Sie müßten froh sein, durch die neue Lehranstalt ihre Zuhörer und dadurch ihre Einkünfte so beträchtlich vermehrt zu sehen.

Es käme also nun darauf an, ein genaues Verzeichnis aller

13

derer aufzunehmen, die hier schon Vorlesungen halten, und aller der Objekte des Unterrichts, worüber sie solche halten. Aus der Würdigung der Verdienste von jenen und aus der Beurteilung der Vollständigkeit oder Unvollständigkeit von diesen würde sich ergeben, für was für Fächer man noch eigene Lehrer zu berufen hätte, zu deren Besoldung dann allerdings ein Fonds müßte ausgemittelt werden.

Woran es am meisten fehlen möchte, wären wohl Lehrer der Rechtswissenschaft. Hätte man dann noch für die ältere Geschichte z. B. einen Heeren[22], für die neuere einen Remer[23], für die Philologie einen Wolf[24], den aus Halle hieherzuziehen wenig Mühe machen möchte, für die Philosophie einen Schulze[25] aus Helmstedt, für die Kirchengeschichte einen Mann wie Planck[26] oder Henke[27] oder Martini[27]; so wäre man, dächt ich, schon so ziemlich zu Stande. Nebenlehrer in den hier genannten Fächern, die nur jenen Männern an Ruf nicht gleichkommen, sind teils schon da, teils würden sich ihrer noch künftig bilden.

Die Geschichte hat hier der Prof. Ancillon[28] schon einmal mit vielem Beifall gelesen, der jüngere Delbrück liest sie auf dem Grauen Kloster[29] und, wie ich höre, so vorzüglich, daß er seinen Schülern die historische Stunde zur Lieblingsstunde gemacht hat. Kirchengeschichte las ehemals in Halle der jetzige Professor am Joachimsthal Thym[30]; Kiesewetter[31], Bendavid[32] und andere unterrichten in der Philosophie, in der Ästhetik, im Naturrecht usf.

Ob man auch an eine theologische Fakultät zu denken hätte? wag ich nicht zu entscheiden. In Stuttgart war sie vergessen; aber die dortige Universität ging auch unter.

V. Von der inneren Organisation einer allgemeinen Lehranstalt in Berlin

Bei dem wichtigen Punkte von der Ausführung der angegebenen Idee einer Lehranstalt in Berlin stoße ich zuerst auf die Frage: was von den bisherigen Universitäts-Einrichtungen bleiben könnte, was daran verändert werden müßte.

Die eigene Gerichtsbarkeit, die auf Universitäten viel Unheil gestiftet hat, fiele hinweg; alle Mitglieder der Anstalt, Lehrer und Schüler, ständen unter dem Königlichen Kam-

14

mer- und davon abhängenden Hausvogteigerichte[33]. Ob für Jünglinge die Strenge der Gesetze in gewissen Fälle gemildert werden müßte? stelle ich höheren Einsichten anheim.

Ärzte und Wundärzte, die im Lande angestellt sein wollen, müssen sich strengen Prüfungen unterwerfen und öffentliche Proben ihrer Geschicklichkeit ablegen. Diese Einrichtung ist ohne Zweifel sehr löblich. Doch würde man die übrigen Fakultäten mit diesem Geschäfte verschonen können, da jedes Kollegium im Lande seine Kandidaten selbst zu prüfen gewohnt ist. Sonach würde das ganze Geschäft der Professoren, außer denen der medizinischen Fakultät, sich auf eigenes weiter studieren und Unterricht der Jugend beschränken. Oder wäre etwa der Juristenfakultät zu erlauben, daß sie, eben wie auf Universitäten, fremde ihr zugeschickte Rechtssachen aburteln[34] dürfte?

Akademische Würden möchte derjenige, der Lust dazu hätte, auf den sogenannten Universitäten suchen. Sie verlieren täglich mehr von ihrem vormaligen Ansehen und sind in mehrern Fakultäten bei uns schon ganz herunter. Wir haben gewiß vortreffliche Juristen, ohne daß sie *Doctores juris utriusque*[35]; vortreffliche Prediger, ohne daß sie, wie jeder Landpfarrer in Sachsen, *Magistri christiani*,[36] vortreffliche Pröpste und Generalsuperintendenten, ohne daß sie *Doctores S. S. Theologiae*[37] wären.

Das Disputieren, das ehemals so unaussprechlich wichtig war, ist ebenfalls in tiefen Verfall geraten. In der Medizin hat es wohl nie viel gegolten; desto mehr in der Theologie, die sich aber von dem heillosen Polemisieren immer weiter entfernt; in der praktischen Jurisprudenz war es das eigentliche lebenslängliche Geschäft des Advokaten, der aber damit weniger auf Akademien als vor Gericht, weniger mündlich als schriftlich glänzte. In der Philosophie leider! wird das Disputieren wohl nie ein Ende nehmen, aber, wie ich überzeugt bin, auch nie viel fruchten. Eigene Hörsäle für Disputationen zu bauen, wäre immer der Mühe nicht wert. Auch geschieht das Disputieren fast nur noch bei Gelegenheit des Promovierens, und wo also das Letztere nicht stattfindet, fällt auch das Erstere hinweg.

Einen Rektor mit seiner eingebildeten hohen Würde und den akademischen vergoldeten Zeptern könnte man füglich entbehren. Hingegen müßte ein Aufseher da sein, welcher die neu ankommenden Mitglieder der Anstalt inskribierte, die Verzeichnisse der zu haltenden Vorlesungen sammelte, die Hörsäle an die Kompetenten verteilte, über die Tätigkeit der besoldeten Lehrer wachte, einreißenden Unordnungen wehrte und, falls Se. Majestät die Aufsicht über das Ganze einem Kurator übertrügen, an diesen jeden wichtigen Vorfall berichtete.

Zu einem solchen Kurator, der wohl schwerlich entbehrt werden könnte, wäre ein Mann zu wünschen, der mit eigener Gelehrsamkeit und mit einem humanen Betragen, welches gegen niemanden so nötig ist als gegen Gelehrte und Künstler, jenen allgemeinen wissenschaftlichen Blick verbände, den die beiden unvergeßlichen Münchhausen, der Hannöverische und Berlinische[38], hatten.

Ein solcher Mann, glaub' ich, wäre in unserm Staate da, wenn auch gerade jetzt nicht zur Stelle.

Da der Anatom, der Botaniker, der Astronom von der Akademie ihre Besoldung ziehen und die Erhaltung aller hiesigen gelehrten Anstalten, so viel ich weiß, aus den Fonds eben dieser Akademie geschieht, so würde es vorteilhaft sein und das Direktionsgeschäft sehr erleichtern, wenn beide Institute, die Akademie und die Lehranstalt, einerlei Kurator hätten. Jene bliebe darum gleichwohl für sich: sie wäre ungefähr das, was zu Göttingen in dem größern akademischen Körper die Sozietät der Wissenschaften ist.

Was ich hauptsächlich wünschte, wäre, daß die Lehranstalt nicht abhängig von einem Kollegium gemacht würde, in welchem Rektoren niederer Schulen sitzen. Es ist nun einmal für Männer, die sich in höhern Wissenschaften fühlen, nichts so kränkend, als wenn sie sich von Lehrern der ersten Elemente der Gelehrsamkeit sollen vorschreiben lassen. Dies erkannte Meierotto, wie aus Brunns Leben desselben erhellt,[39] und der Minister von Zedlitz hätte gewiß sehr wohl getan, dem Rate desselben zu folgen und die Universitäten nicht mit in das Gebiet des Oberschul-Kollegiums zu ziehen. Die Akademie hat ihre eigenen Mitglieder zu Direktoren, warum nicht auch die Lehranstalt Männer aus ihrer eigenen Mitte? Diese wie jene wären gewiß die besten dem Kurator zu gebenden Räte, deren er nun freilich in manchen Fällen, wie bei Wiederbesetzung erledigter Stellen, nicht wohl entbehren könnte. So vortrefflich der Kurator auch sein mag, so ist er doch immer nur ein einzelner Mann; und von diesem läßt sich nicht fordern, daß er in allen Fächern der Gelehrsamkeit die Verdienste gleich gut zu würdigen wisse.

JOHANN BENJAMIN ERHARD

Aus: Über die Einrichtung und den Zweck der höhern Lehranstalten

von D. Johann Benjamin Erhard, ausübenden Arzte in Berlin. Berlin 1802[40]

Fünfter Abschnitt
Über die Annäherung der jetzigen Universitäten zu dem vorhergehenden Entwurf

Der vorhergehende Entwurf weicht in vielen Stücken sehr von der jetzigen Einrichtung der Universitäten ab und würde sich auch nicht sogleich realisieren lassen, weil er eine Aufklärung aller Staatsbürger voraussetzt, die noch lange nicht stattfinden wird. Es ist daher nötig zu zeigen, wie er nach und nach zu realisieren ist, indem man das, was sich in der jetzigen Einrichtung schon Gutes vorfindet, beibehält und verbessert, was ihm entgegen ist, abschafft, und was noch mangelt, ersetzt. Die Punkte, in denen er am meisten abweicht, sind
1. Die Einteilung der Fakultäten.
2. Einige Gesetze.
3. Einige Anstalten.
4. Die Fonds.
5. Die Vorrechte der Universität.
Von diesen ist es also nötig, besonders zu handeln.
Zuletzt werde ich noch die Verbindung mit den übrigen Lehranstalten und das Verhältnis der Gelehrten zu den andern Ständen darstellen.

Erstes Kapitel
Über den gegenwärtigen Zustand der Fakultäten und dessen Verbesserung

Man hat nun vier Fakultäten. Die philosophische, die medizinische, die juristische, die theologische. Von diesen ist die philosophische in dem Entwurf beibehalten und hat auch keine Ausdehnung erhalten, die ihr nicht leicht zu geben wäre, hingegen die medizinische hat noch den Ackerbau bekommen, und die beiden andern sind ganz aus der Reihe besonderer Fakultäten ausgeschlossen.[41] Die juristische ist der Wohlfahrtskunde untergeordnet und die theologische ganz aufgehoben. Das Prinzip, welches der ältern Einteilung zum Grunde liegt, ist folgendes: Der Mensch braucht, um wohl im Staate zu leben, außer dem, was sein Privatfleiß tun muß, vorzüglich einen Arzt für sein körperliches Wohl, einen Juristen für die Erklärung und Behauptung seiner Rechte und einen Geistlichen für sein Seelenheil. Dies erzeugte die drei obern Fakultäten, und da diese gewisse Vorkenntnisse voraussetzten, so hat man diese in eine vierte unter dem Namen der philosophischen vereinigt.

Die wirkliche und eingebildete Notwendigkeit hat also zuerst Ärzte, Juristen und Theologen erzeugt, und diese haben sich unter der Begünstigung des Staats zu Fakultäten erhoben. Von diesen Fakultäten waren auch anfänglich alle Künste und Wissenschaften, die auf die übrigen Geschäfte der Staatsbürger Rücksicht nehmen, verbannt, und erst in neuern Zeiten hat man ökonomische, kameralistische und andere Wissenschaften auf den Universitäten vorgetragen und sie in die Fakultäten hineingezwängt. Die Theologie konnte ihrer Natur nach aber keine aufnehmen und blieb also frei. Mit der medizinischen ließ sich nur ein Teil der Polizei vereinigen, und die juristische konnte auch nicht viel mehr aufnehmen, ohne ihre Grenze ganz zu überschreiten; die philosophische war daher die einzige, in der man beliebigen Spielraum fand, weil man sie nicht durch ein besonderes Objekt bestimmte, sondern sie nur als eine vorbereitende ansahe, die daher alles, was man ihr zu lehren erlauben mochte als baren Gewinn für sie ansehen mußte.

Die Theologie hatte sich den höchsten Rang zugeeignet, und wenn man bedenkt, daß ihr ursprünglicher Endzweck war, den Weg zur ewigen Seligkeit zu lehren, so war es auch ganz rechtmäßig. Der Begriff aber von Gottesverehrung, wie er eine Fakultät stiften konnte, muß verschwinden, so wie das Ideal der Gottheit mehr geläutert wird. Es wird nämlich bei ihm vorausgesetzt, daß Gott seinen Wil-

len, wie er verehrt sein wolle, positiv bekannt gemacht
hätte, daß man, um zeitlich und ewig glücklich zu werden,
diesen Willen in den Urkunden studieren müßte; und daß,
da das Verständnis derselben sehr schwer sei, sich mehrere
ausschließend des Verständnis derselben befleißigen und
die Resultate andern zur Richtschnur vorlegen müßten.
Sobald aber die Vernunft von der Echtheit der Urkunden
selbst überzeugt sein will, so langt die bloße Interpretation
der Urkunden nicht mehr zu dieser Überzeugung zu, und
die Theologie muß ihre Urkunden vor der Vernunft, d. h.
philosophisch zu begründen suchen. Insofern sie sich darauf einläßt, so wird sie in der Tat von der Philosophie abhängig, indem sie erst von dieser die Begründung der Urkunden heischen muß, ehe sie dieselben als geoffenbarten
Willen Gottes erklären kann, und da sie, wenn sie selbige
nicht historisch, d. h. entweder durch neue Wunder oder
durch über allen weitern Anspruch erhabene Autoritäten,
beweisen kann, sie zugleich von dem Inhalt der Urkunde
selbst die Kriterien ihrer Echtheit hernehmen muß, welche
Kriterien sich wieder nur durch die Vernunft, d. h. philosophisch festsetzen lassen; so erlangt in der Tat die Philosophie das Primat über die Theologie, und die Theologie
kann etwas nur für göttlichen Willen ausgeben, wenn die
Philosophie eingesteht, die Urkunde, aus der dieser Willen
erkannt wird, sei göttlich.
Die Theologie hat, um sich des Primats der Philosophie zu
erwehren, nur zwei Wege, sie muß entweder ihre Aussprü-
che durch neue Wunder bekräftigen oder eine ununterbro-
chene Tradition annehmen, an der nicht, weder in Rücksicht der Unfehlbarkeit der ersten Beobachter noch der
genauen Überlieferung und vollkommenen Verständnis
derselben von ihren Nachfolgern, gezweifelt werden
darf.
Jeden Zweifler mit einem Wunder abzufertigen, das ging
nicht an, sie mußte also zum letzten, zur Tradition ihre Zu-
flucht nehmen, und dies tat sie auch und setzte eine von
dem Primas der Apostel[42] an fortgehende Reihe von Beglau-
bigern der göttlichen Urkunde fest und begründete dadurch
die Hierarchie. Dieser einzige Weg, der Theologie den Primat zu sichern, war nur durch äußere Gewalt zu bahnen,
weil die Vernunft wieder die Tradition und ihre Begläubi-

draws his conclusion from ⑱!

ger in Anspruch nahm und diese als infallibel[43] (denn sonst war ihr Zweck verloren) nicht disputieren, sondern nur Glauben gebieten konnten. Die Disputationen, in die sich die Theologie manchmal einzulassen schien, waren bloße Refutationen, denen man nur eine schulgerechte Form gab. Das Primat der Theologie reichte aber dadurch nicht weiter als die physische Übermacht, den Gegner zu vernichten, und sowie diese Macht fiel, war auch ihr Primat verloren. Die Drohung ewiger Verdammnis kann ihr nichts helfen, denn der Zweifler gesteht ihr ja nicht zu, daß sie diese Drohung wahrmachen könne. Bei den Protestanten ist daher auch ihr Primat nur noch als Zeremoniell anzunehmen, weil sie mit den Zweiflern disputiert, sich also erst durch Hilfe der Philosophie begründen will und auf die Tradition Verzicht tut. Ihre Lehren werden daher entweder bloß geglaubt ohne alle Untersuchung, und darauf kann sie sich nichts zugute tun, denn dies widerfährt auch den albernsten Possen, oder sie werden mit Überzeugung angenommen, und dann überzeugt nicht sie, sondern die Philosophie. Sie begnügt sich auch jetzt bei den Protestanten damit:

1. Ihre Urkunde als gültig zu beweisen, nicht durch Tradition, sondern so wie man jede andere Urkunde als echt zu beweisen sucht: durch *vor der Vernunft zu beurteilende* Autoritäten und durch ihre innern Merkmale.
2. Den Sinn dieser Urkunde nach den gewöhnlichen Grundsätzen der Auslegungskunst zu erforschen.
3. Sie zur Grundlage der Belehrung über Recht und Unrecht zu benutzen und
4. Die Glaubenslehren, die darin enthalten sind, als zur Seligkeit bloß dienlich zu empfehlen, denn da sie auch andern Religionsparteien die mögliche Seligkeit nicht abspricht, so hebt sie die *Notwendigkeit* derselben auf.

Da nun das erste Geschäft philosophisch ist, das zweite philologisch, das dritte bloße Akkommodation, um das Philosophieren dem gemeinen Manne zu ersparen und zu überreden, wo man nicht glaubt überzeugen zu können, und das vierte nur etwas anrät, so kann sie keine eigene Fakultät mehr sein, denn sie nimmt gar keine Kenntnis aus sich selbst und verschafft auch keine ihr eigentümlichen, sondern bedient sich der philosophischen, philologischen und

21

ästhetischen Kenntnisse, um teils Lehren, die aus der Vernunft erkannt werden können, auch aus ihrer Urkunde abzuleiten, teils diese Urkunde nur zu erklären und teils ihr Ansehen gegen Zweifler zu retten. Da es nun auch Pflicht der Philosophie ist, die Wahrheit gegen Zweifel zu schützen, sie betreffen, was sie wollen, so gehören alle ihre Bemühungen eigentlich der philosophischen Fakultät an, mit der die Philologie als freie Wissenschaft zu vereinigen ist. Es findet daher keine theologische Fakultät mehr statt, und sie hat dem Geiste nach auch schon bei den Protestanten aufgehört und hat selbst bei den Katholiken von ihrem eigentümlichen Charakter verloren. Sie muß also aus einer vollkommenen Universität verbannt sein. So leicht dies dadurch geschehen kann, daß man die nun von ihr von der Philosophie und Philologie usurpierten Wissenschaften diesen wieder zurückgibt, so zeigen sich doch noch einige Schwierigkeiten, die Behutsamkeit anraten.

Die meisten Menschen stützen ihre Moralität auf Religion, insofern als sie Gründe dazu angeben. An sich mag wohl kein guter Mensch zu einer rechtschaffenen Handlung erst dadurch bewegt werden, daß er sich die ewige Verdammnis vorstellt, denn wenn er dies nötig hat, so ist er gewiß ein Schurke und sucht nur den Buchstaben der Gesetze zu erfüllen, den Geist aber so viel als möglich zu umgehen; aber doch glaubt er, teils den Lohn seiner guten Handlung zu verlieren, teils den andern Menschen nicht mehr trauen zu können, wenn die Bewegungsgründe positiver Religion aufgehoben würden.

Der rechtschaffene Mann wird nie in seiner Tugend erschüttert werden, wenn der Zweifler seinen Glauben in Anspruch nimmt, er hat, wenn er noch so wenig ausgebildet ist, gewiß nicht aus Furcht vor der Hölle recht getan, aber es wird ihm angst über das Betragen anderer Menschen und über das Verdienstliche seiner eigenen Rechtschaffenheit werden. Er schließt ungefähr so: wie ich recht tun soll, habe ich durch den Religionsunterricht gelernt, dabei habe ich auch gehört, welche Strafe auf die Übertretung folgt, welche Genugtuung ich für Fehltritte zu leisten habe und was ich zu meiner Rechtfertigung vor Gott glauben muß, ist es nun nicht wahr, daß ich mich durch diesen Glauben rechtfertigen und daß ich dadurch meine Fehltritte wieder büßen kann; so ist es auch nicht wahr, daß ich so hätte handeln sollen, wie ich gehandelt habe, denn wie kann das recht sein, zu was man mich durch falsche Beweggründe zwang, ist es auch nicht wahr, daß der Übertretung diese Strafen folgen, so werden sich wohl die andern Menschen nicht mehr scheuen, mit mir umzugehen, wie es ihnen beliebt, und ich bin verraten und verkauft unter ihnen. Obgleich diese Schlüsse nicht richtig sind, so drängen sie sich doch, obwohl nicht so entwickelt, jedem Gläubigen auf, sobald er sieht, daß man seines Glaubens nicht achtet, und daraus entsteht die Angst, welche Leute von treuherzigem Glauben bei freimütigen Äußerungen über Religion befällt. Diese Angst wird noch durch die Furcht vermehrt, daß man sich durch das Anhören solcher Äußerungen und den Umgang mit Menschen, die sie vorbringen, versündigen und Strafe zuziehen könnte.

Wollte man also nun die theologische Fakultät abschaffen, so würde man allen Glauben an die Wichtigkeit der positiven Religion erschüttern und viel Tausende in Angst und Schrecken versetzen. Man muß sie daher noch eine Zeitlang lassen, man lasse aber der philosophischen die Philologie lehren und die theologische in alle praktische Teile der Philosophie ausschweifen, so werden sie sich nach und nach vermischen und von Seiten der Gelehrten ihre Vereinigung gar keinen Anstand finden. Um den gemeinen Mann dazu vorzubereiten, so teile man die Theologen in zwei Klassen, nämlich man verlange vom künftigen Lehrer auf der Universität viele philologische und historische Kenntnisse, von dem künftigen Geistlichen aber alle Kenntnisse, die ich oben, als zu einem Kandidaten notwendig, angegeben habe, einen guten Vortrag und die Geschicklichkeit, die Lehren der positiven Religion zur Einleitung eines rein moralischen Unterrichts anzuwenden. Der gemeine Mann wird dadurch angewöhnt, das Rechthandeln um seiner selbst willen anzunehmen, und es wird ihn nicht mehr erschüttern, wenn man die positiven Religionslehren als problematisch behandelt, weil weder seine noch seiner Nachbarn Rechtschaffenheit darauf gegründet, sondern nur durch sie eingeleitet worden ist. Er wird seinen Lehrer um seiner Lehren willen schätzen und sich nicht darum bekümmern, ob die Fakultät, die ihm das Zeugnis seiner Tüchtigkeit ausstellt, so oder so heißt. Die Instruktion bei der Examination der Theologen muß also vorzüglich darauf gerichtet sein, welcher Bestimmung sich der Kandidat widmet. Will er Prediger werden, so muß er, wenn er sich nicht dazu erbietet, um zu zeigen, daß er es auch verstehet mit allen orientalischen Sprachen verschont bleiben, nur das Griechische muß er so weit verstehen, daß er Untersuchungen über den wahren Sinn des neuen Testaments fassen kann, aber um so mehr muß man seine praktische moralische Urteilskraft, die Gabe seines Vortrages, seine anthropologischen und seine naturrechtlichen Kenntnisse prüfen; zeigt er überdies noch die Kenntnisse, die ich oben von einem Kandidaten forderte, so ist er ganz qualifiziert zum Prediger, auch wenn er gar kein Wort hebräisch verstände und zum Exponieren des neuen Testaments das Lexikon nötig hätte. Durch solche Lehrer wird sich die Bibel noch in der nötigen Achtung erhalten, die aber dahin gelenkt werden muß, daß die Bibel wegen des Guten, das sie enthält, geachtet wird, nicht umgewandt aber etwas für gut gehalten wird, weil es in ihr steht. In einem Menschenalter ist dieser Zustand herbei zu führen, und dann hört die theologische Fakultät auch dem Namen nach auf.

Die künftigen Prediger werden dann Volkslehrer, weil sie nicht mehr den positiven Willen eines Gottes verkündigen (predigen), sondern die Menschen über ihre Pflichten und Rechte belehren und ihnen die Trostgründe echter, auf die moralische Natur des Menschen gegründeter, Religion bekanntmachen. Sie erhalten dann von der philosophischen Fakultät das Zeugnis, daß sie geschickt befunden worden, die gemeinnützigsten und dem Menschen wichtigsten Kenntnisse zu lehren. Der Staat stellt sie gleichsam als die Lehrer der Erwachsenen und als Ratgeber derselben auf.

Ich habe hier nur gezeigt, wie der bisherige Prediger künftig als Volkslehrer von der philosophischen Fakultät ausgehen könne, nun ist noch übrig zu zeigen, wie der bisherige Prediger und *Geistliche* auch als Volkslehrer und Vorsteher der sittlichen Gemeine (ecclesia)[44] von dieser Fakultät ausgehen kann.

Der Geistliche ist dazu bestimmt, den Gottesdienst zu halten, und wird zu dieser Verrichtung eingeweihet (ordiniert), welches bei dem bloßen Prediger, der keine geistlichen Gaben austeilt, nicht nötig ist.

Wenn diese Verrichtungen so angesehen werden, als wären es Mittel, sich nach einem bestimmten Formular unter den Schutz der Gottheit zu begeben, sie bei Übertretungen zu versöhnen und sich ihr gefällig zu machen, so können sie freilich nicht von der Philosophie angeordnet werden, denn diese kennet keine andere Art, sich Gott gefällig zu machen, als die Moralität; keine andere Versöhnung als die Besserung und nimmt keine Parteilichkeit der Gottheit an, die durch gewisse Gebräuche von ihr erzwungen werden könnte. Ob nun gleich die christlichen Gebräuche dem Heidentum analog sind, indem sich der Christ durch die Taufe besonders Gott weiht, in der Kommunion (anstatt der Opfer) sich mit ihm versöhnt und durch Beten und andere Handlungen sich ihm gefällig macht; so leiden doch diese dem Christentum wesentlichen Gebräuche eine philosophische Anwendung.

Die Taufe kann auch als die Aufnahme eines Mitgliedes in eine sittliche Gemeinde, das Abendmahl als eine Vereinigung aller Glieder dieser Gemeinde zu einer Familie und das Gebet als eine Erhebung des Gemüts durch Vorstellung des höchsten Ideals der Sittlichkeit angesehen werden, und die guten Werke können nicht sowohl als Gebote Gottes, die zu seiner Ehre abzwecken und Beweise der Unterwürfigkeit der Menschen unter seinen positiv bekannt gemachten Willen sind, sondern als Pflichten dargestellet werden, die seinem rein moralischen Willen gemäß sind.

Man stelle also die Taufe als die Aufnahme in die christliche (sittliche) Gemeinde und nicht als eine mystische Weihe zu einem Untertan eines Gottes vor; man zeige: daß der Geist des Abendmahls darin bestehe, daß sich alle Christen (alle Menschen, die sich moralisch zu leben bestreben) als zu *einer* Familie gehörig und als in Rücksicht auf sittliche Würde einander gleich betrachten sollen und daß das Beten nur eine Bestätigung im Vorsatz, sittlich zu leben, und das Kirchengehen nichts als das Bestreben sei, von einem gebildeten einsichtsvollen Manne über die wichtigsten Kenntnisse des sittlichen Menschen belehrt zu werden; so wird die Philosophie es ihrer Würde angemessen finden, daß ein Mann als Vorsteher einer christlichen Gemeinde von ihr gebildet werde. Da sie aber als gelehrte Fakultät ihm doch nur ein Zeugnis seiner Kenntnis und Geschicklichkeit, aber nicht seines exemplarischen Wandels geben kann, welcher letztere doch stattfinden muß, wenn er Vorsteher einer sittlichen Gemeinde sein soll, so ist es nötig, ehe er vom Staate in dieser Qualität anerkannt wird, auch dafür Bürgen zu haben und ihn also dieser Prüfung zu unterwerfen. Da nun über die nötigen Eigenschaften zum Vorsteher einer sittlichen Gemeinde niemand besser urteilen kann als diejenigen, welche diesem Amte mit Ruhm vorgestanden haben, so kommt es diesen zu, ihm das Zeugnis zu erteilen. Dies kann den Namen der Ordination beibehalten. Die Fakultät gibt ihm das Zeugnis der Hinlänglichkeit seiner Kenntnisse zum Volkslehrer, aber die Geistlichen geben ihm das Zeugnis seiner Tauglichkeit zum Vorsteher. Die Ordination muß daher nicht wegen Kenntnissen allein, sondern wegen des bisher beobachteten guten Wandels erteilt werden und muß zugleich dem Kandidaten die Wichtigkeit seines Berufs, der Gemeinde an guten Beispielen vorzugehen, einschärfen. Auf diese Art wird der Geistliche in den Vorsteher einer sittlichen Gemeinde übergehen und auch in dieser Rücksicht keine theologische Fakultät mehr nötig sein. Was die besondern Religionen betrifft, die, ob sie gleich nur Spaltungen über die Art, Gottes Gunst zu erlangen (haereses) sind, sich doch alle den Wert einer wahren sittlichen Gemeinde (ecclesia), den sie nicht einmal kennen, anmaßen, so kann sie der Staat, wenn sie mit seinem höchsten Zwecke, der Erhaltung des innern Friedens und der dadurch möglichen Vervollkommnung des Menschen, bestehen können, dulden, aber er hat nicht für sie zu sorgen, sie mögen die Auslagen, die ihnen ihre Anstalten zur vermeintlichen ausschließlichen oder wenigstens sichern Seligkeit verursachen, selbst tragen.

Nachdem ich nun nicht allein die Entbehrlichkeit einer theologischen Fakultät in ihrer ursprünglichen Gewalt, sondern auch ihre Unzulässigkeit, indem sie nur mit der Hierarchie (dem Tode der Moralität) bestehen kann, und ihre fast schon gänzliche Verlöschung gezeigt habe, so ist nun zu zeigen, daß auch die juristische wegfallen muß.

Die juristische Fakultät verdankt ihr Ansehen der Einführung eines fremden, in einer nur den Gelehrten verständlichen Sprache geschriebenen Rechts. Sie steht hier neben der Theologie fast auf gleicher Stufe, denn sie hat auch eine Urkunde, aus der sie erklärt, was Recht ist, und die für sie ein Orakel ist. Nun kann aber das Recht keine ausschließende Wissenschaft sein, die jemand erlernen und für die andern dann Gebrauch davon machen kann, denn jeder muß seine Rechte kennen und selbst Gebrauch davon machen, auch kann der Staat kein fremdes Recht annehmen, sondern er sanktioniert die Rechte, die er anerkannt wissen will, selbst. Nicht weil ein Recht in einem Buche steht, sondern weil es der Staat zu seinem Zwecke notwendig findet, ist es Recht. Es kann daher keine Fakultät geben, die dem Staate aus einer Urkunde, die er nicht verfaßt hat, sagt, was Recht ist. Insofern das Recht Wissenschaft ist, hat es keine Urkunde, sondern wird aus Begriffen abgeleitet und gehört zur Philosophie. In dieser Rücksicht nur hängt es nicht vom Staate ab, sondern er muß den Ausspruch der Vernunft anerkennen, es ist aber dann auch die Philosophie die Fakultät, die ihn belehrt, und nicht die positive Rechtswissenschaft. Insofern die Rechte historisch vorgetragen werden und man nur darstellt, was für Recht im Staate gehalten wird, ist die Kenntnis der Rechte gar keine Wissenschaft, die dem Staat mit ihren Kenntnissen dient, sondern sie muß vielmehr erst von ihm erfahren, was sie wissen kann. Der Staat bedarf daher ihrer als Gesetze vorschreibend nie und kann sie also für keine Fakultät ansehen. Insofern es aber nötig ist, daß jeder seinem Stande gemäß die geltenden Rechte kennt und, wenn er Richter sein soll, auch die aller vor ihm erscheinenden Parteien, so ist die Rechtswissenschaft zwar als ein, der nötigen Belehrung einzelner Personen angemessener, Vortrag der im Staate geltenden Rechte anzusehen, aber in dieser Rücksicht ganz der Fakultät des öffentlichen Wohls unterzuordnen. Wie die Theologie ihr Ansehen als Fakultät verlor, so ging es auch der Jurisprudenz. Der Staat ward bald der Zweckwidrigkeit müde, von seinem Bürger, nicht als Forscher der Wahrheit, sondern als Ausleger einer ihm fremden Urkunde, zu lernen, was Recht ist, und die Fakultät ist auch in dieser Rücksicht, daß der Staat von ihr sich belehren lassen müsse, nie so weit gediehen als die Theologie. Will die Fakultät nun dem Staat dienen, so muß sie entweder die Wahrheit und Anwendbarkeit des von ihr vorgetragenen Rechts durch Vernunftgründe beweisen und also philosophieren, oder sie muß die in ihm geltenden Rechte nur vortragen, und in dieser Rücksicht dient sie nur dem Staate durch Verbreitung und Anempfehlung seiner Willensmeinung, nützt ihm aber nicht unmittelbar durch ihre Entdeckungen, sondern nur dadurch, daß sie dazu beiträgt, das öffentliche von ihm bezweckte Wohl zu befördern. Die Fakultät ist also nun zum Teil schon als philosophisch zu betrachten, zum Teil nur Verkündigerin der geltenden Gesetze, also keine wahre Fakultät mehr. Es findet daher gar keine Schwierigkeit statt, sie der Philosophie und der Wohlfahrtskunde unterzuordnen, indem auf die Stimmung des Volks hier nicht die Rücksicht zu nehmen ist wie bei der Theologie.

Das Recht als Wissenschaft an sich gehört daher der philosophischen Fakultät, und das Recht als Mittel den Zweck des Staats in der Begründung des öffentlichen Wohls zu erreichen, zur Fakultät der Wohlfahrtskunde, und diese Änderung kann sogleich getroffen werden. Das Recht als historische Darstellung dessen, was bei den Völkern als Recht galt, und die Nachforschung über die Beweggründe, es als Recht gelten zu lassen, gehört als Schärfung der Urteilskraft in der Anwendung der Theorie der Gesetzgebung zur philosophischen Fakultät, kann aber auch zur Schärfung der Einsicht in den Geist des Rechts, als Vorbereitung zur richterlichen Rechtskenntnis, in der Fakultät der Wohlfahrtskunde vorgetragen werden. Um alles Auffallende zu vermeiden, kann man auch, anstatt daß man die juristische Fakultät einer andern unterzuordnen scheint, diese vielmehr zur Wohlfahrtskunde erweitern, und ihr dann diesen mehr umfassenden Titel beilegen.

Über die medizinische Fakultät habe ich wenig zu sagen; ihre Erweiterung zu einer Fakultät der Heilkunde, wo ihr auch die Tiere und Pflanzen als Gegenstände ihres Wirkungskreises zugeteilt werden, hat, weil sie dabei in keine Kollision mit den errichteten Fakultäten kommt, keine Schwierigkeit. Die Erweiterung ist zum Staatszweck notwendig, und da das Prinzip der organischen Natur nur eines ist, so ist es auch zweckmäßig, die Objekte nicht zu trennen, sondern in einer Fakultät zu vereinigen.

Die philosophische Fakultät ist auf einigen Universitäten

schon als Fakultät errichtet und als die unterste angesehen worden. Ich gebe ihr auch diesen Rang in Rücksicht auf den Staatszweck, denn sie befördert diesen erst durch ihren Einfluß auf die andern beiden Fakultäten. Insofern sie die Stufe ist, auf der man erst zu den beiden andern gelangen kann, heißt sie mit Recht die unterste, insofern aber alles Wissen der andern nur durch sie begründet wird, führt sie den Vorsitz und hat den ersten Rang. Wenn sie daher den beiden Fakultäten bei öffentlichen Gelegenheiten nachgeht, so soll dies gar nicht bedeuten, daß sie als Diener ihnen folgen müsse, sondern vielmehr, daß sie als Aufseher selbige nicht aus den Augen lassen dürfe. Ich gebe ihr das Recht, alle Wissenschaften und Künste bloß als solche, das heißt: insofern sie ihr eigenes Prinzip und ihren eigenen Zweck verfolgen, zu lehren. Diese Ausdehnung hat sie auch schon errungen, und man erlaubt es ihr bereits schon, alles, was eigentliche Wissenschaft und freie Kunst ist, vorzutragen.

Die Vereinigung der Jurisprudenz mit der Philosophie und Wohlfahrtskunde, die Erweiterung der Medizin zur Heilkunde kann daher sogleich geschehen, mit der Theologie muß man aber noch etwas schonend verfahren und die oben angegebene Einleitung treffen, ehe sie aufgehoben wird, und die Dienste, die sie nun leistet, von der Philosophie verrichtet werden. Die Religion wird dann erst anfangen, Einfluß auf die Menschen zu haben, wenn sie durch die Sittlichkeit begründet wird, sie wird Trost und nicht mehr Schrecken für sie sein, und sie werden sich von der niedrigen Stufe der Kultur, einen Gott zu fürchten, auf die höhere erheben, einen Gott zu wünschen.

Der Staat hat dann keine Rückkehr der Hierarchie für die Zukunft zu fürchten; der Wahrheit drohen keine Scheiterhaufen mehr, die Bosheit darf nicht mehr hoffen, die Niederträchtigkeiten, die sie an ihrem Nächsten beging und die ihr etwas einbrachten, durch einen geheuchelten Dienst gegen Gott, der ihr nichts oder in Vergleichung ihres Gewinnstes sehr wenig kostet, abzukaufen, und die Heuchelei wird ihren Einfluß verlieren, weil man nicht mehr von dem, was sie zu glauben vorgibt, auf die Werke, sondern nur aus ihren Werken auf ihren Glauben schließen wird.[45] Wer sich aufrichtig bemüht, diese Zeiten näher zu bringen, dem wird innige Zufriedenheit und der Segen der Nachwelt lohnen; wer sie zu entfernen sucht, wird seines Lebens nicht froh und von der Nachwelt verflucht werden.

Drittes Kapitel
Über die Anstalten und Fonds

Ich verbinde hier beides, weil ich glaube, daß über die Zweckmäßigkeit und Notwendigkeit der Anstalten zur wahren Bildung künftiger Staatsdiener kein Zweifel stattfindet und daß nur die Herbeischaffung der Fonds einige Bedenklichkeit verursachen könnte. Um aber die Fonds zu erhalten, so hat man mehrere Mittel. Eines der vorzüglichsten ist: die vielen Universitäten abzuschaffen und in eine zu verbinden. Der preußische Staat z. B. könnte die Universität in Duisburg, Breslau, Erlangen, Frankfurt an der Oder eingehen lassen und nur Halle, Berlin und Königsberg behalten. Dadurch könnte mit der Zeit viel erspart werden, weil mehr als die Hälfte des Personals wegfiel und dadurch die andere sowohl weit besser besoldet als auch ein Teil auf neue Anstalten verwendet werden könnte. Im Anfange müßte man freilich noch das ganze Personal erhalten, aber nach und nach ließe man es ausgehen und gäbe den übrigen Zulage. Die Einziehung aller Stipendien und Emolumente würde auch die Fonds ziemlich vergrößern. Ferner würde man auch die Fonds der Anstalten auf den eingegangenen Universitäten gewinnen und dadurch die ähnlichen auf den übrigbleibenden Universitäten verbessern können.

Außerdem aber ließen sich manche Anstalten benutzen oder einziehen, je nachdem die Universität von ihnen Gebrauch machte oder sie durch die Anstalten der Universität überflüssig würden. So könnte man z. B. die Veterinäranstalt in Berlin leicht zu der Anstalt für den Ackerbau und Viehzucht im ganzen Umfange erweitern, die Charité in dem Spital einrichten usw.

Dann ist es auch nicht nötig, daß, wenn ein Land mehrere Universitäten hat, jede alle Anstalten in gleicher Vollkommenheit besitze. So könnte z. B. die kostbare Anstalt für den Ackerbau nur in Berlin allein sein. Ebenso könnte man nur dort auf ein großes Naturalienkabinett, auf eine vollständige Modellkammer und Reichtum an anatomischen Präparaten sehen, während man sich auf den übrigen beiden Universitäten nur mit dem zum Unterricht wesentlich Notwendigen begnügte.

Was durch diese Anordnung nicht zu erlangen wäre, das müßte dann freilich hinzugeschoßen werden. Die Summe würde aber durch gute Anwendung der oben angegebenen Mittel, wenn man noch einige Domherrnstellen einziehen wollte, sehr unbedeutend sein. Die Einziehung einiger Domherrnstellen würde gar nichts Ungerechtes sein, denn da sie der Staat doch einmal zu einer Belohnung weltlicher Verdienste gemacht hat, so kann er auch über sie nach seinen Zwecken verfügen. Er könnte daher gar wohl einige zu Besoldungen von Professoren verwenden. Dem Adel würden sie dadurch auch nicht entzogen, denn dieser könnte sich ja zu einer Professur qualifizieren, wenn er Anspruch darauf machen wollte. Nach der Würde, welche in diesem Plan die Universität hat, wäre dies einem Adligen nicht unanständig, sondern vielmehr angemessen, indem die wahre Würde des Menschen doch nur in seiner Ausbildung und seiner Rechtschaffenheit besteht und jede erkünstelte, endlich, anstatt Ehre zu geben, lächerlich macht, sobald der Aberglaube nicht mehr gilt, auf den sie sich stützte.

Die Wichtigkeit einer guten Universität für den Staat macht es ihm auch zur Pflicht, vor allen andern, außer was zu seiner Verteidigung notwendig ist, für selbige zu sorgen.

Daß die Fonds Grundstücke sind, erfordert ein zweckmäßiges Finanzsystem, indem dann der Staat auf immer befreit ist, für die Unterhaltung der Universität zu sorgen, so lange diese nicht durch Krieg und anderes nicht vorherzusehendes Ungemach verwüstet oder weggenommen werden, auf welche Fälle aber nicht Rücksicht genommen werden kann, weil sie den Staat im ganzen treffen und also alle Anordnungen stören. Im Anfange wird diese Fundation freilich Schwierigkeiten finden, aber bei einiger Aufmerksamkeit auf sich darbietende Gelegenheiten wird dieser Zweck doch erreicht werden können und die Einkünfte der Universität dadurch wahrhaft *fundiert* werden. Auch darf man bei vielen Anstalten auf unentgeltliche Beihilfe und auf Geschenke rechnen, z. B. bei dem Naturalienkabinett, der Modellkammer usw.

Viertes Kapitel
Über den Rang und die Würde der Universität und das Verhältnis
der Gelehrten zu dem Staats- und Geschäftsmanne

Der Rang und die Würde, welche die Universitäten jetzt haben, ist sehr von dem unterschieden, den sie in meinem Entwurf bekommen. Man sieht sie jetzt nur von der Seite an, daß sie bestimmt sind, junge Männer in Wissenschaften zu unterrichten (wo man sie noch dadurch herabwürdigt, daß man diejenigen, denen sie ein Zeugnis ihrer Geschicklichkeit gegeben haben, bei ihrer Anstellung noch neuen Prüfungen unterwirft) und über einige Rechtsfälle und medizinische und theologische Streitigkeiten Responsa zu erteilen; ich hingegen sehe sie nicht allein als eine Anstalt zum Unterricht der Diener des Staates, sondern auch als den hohen Rat der denkenden und fühlenden Bürger im Staate an, als den Auszug aus den gelehrtesten Männern, welche der Staat über seine wichtigsten Angelegenheiten, wozu auf Gründe und Geschichte gebaute Kenntnisse gehören, zu befragen hat. Er kann sich daher nicht einmal anmaßen, ihnen ihre Einrichtung vorzuschreiben, sondern kann sie nur durch seine Sanktion in Schutz nehmen.

Unter der Voraussetzung, daß keine Regierung über Gegenstände der Wissenschaften und Künste beliebig verfügen (Caesar non super Grammaticos)[46], sondern nur die Lage der Sachen, in bezug auf innern und äußern Frieden, als Regierung kennen und unmittelbar darüber entscheiden kann, insofern es aber auf das Wissen aus Gründen ankommt, keine andere Gewalt als die Überzeugung stattfindet, die allein durch den einzelnen Menschen in dem einzelnen Menschen hervorgebracht wird, muß es als notwendig anerkannt werden, die Auswahl der gelehrtesten Männer im Staate, von denen zugleich die Bildung seiner angesehensten künftigen Diener, ja selbst der Herrscher in ihm, abhängt, in dieser Würde als Repräsentanten der gebildeten Bürger im Staate zu achten und dabei zu schützen. Wie aber der Staat selbst den Universitäten zu dieser Würde, die sie nun nicht haben, verhelfen soll, dies ist eine etwas schwer zu beantwortende Frage, die wir nun untersuchen wollen.

Es würde vergeblich, ja sogar lächerlich sein, wenn der Staat nun den Universitäten erklären wollte: wir sehen euch von nun an als die Repräsentation aller bei uns herrschenden Kenntnis an, wir überlassen euch, euch selbst zu konstituieren und euch alle Vorrechte, die ihr zu haben vernünftig findet, auszuwählen und von uns bestätigen zu lassen. Es würde die Universitäten um nichts bessern und die Regierung mit sehr lächerlichen Vorstellungen überhäufen.

Die Universitäten haben sich ihre bisherigen Vorrechte schon im Grunde selbst errungen, insofern sie ihnen fast alle als Privilegien erteilt wurden, welches ein Beweis ist, daß sie selbige selbst nachgesucht haben; der Staat braucht ihnen also nicht mehr zu geben, was sie wesentlich schon haben. Die Herbeischaffung von Fonds zu den für die Bildung der Studierenden nötigen Anstalten ist eine Sache, welche jeder Mensch aus Pflicht gut heißen muß und wozu keine besondere Einwilligung nötig ist; die Einrichtung dieser Anstalten wird vom Staate jetzt schon, nach dem Rate der von ihm in den dazugehörigen Fächern für unterrichtet gehaltenen Männern, unternommen, und also ist das Recht, sich selbst zu konstituieren, den Universitäten schon zugestanden und bedarf keiner neuen Kundmachung. Es trifft sich öfter der Fall, daß eine Behauptung neu scheint, der man längst schon gemäß gehandelt hat, man hatte sich die Regel, nach der man verfuhr, nicht deutlich gedacht und sieht sie nun als eine Neuerung an. Den Universitäten das Recht, sich selbst zu konstituieren, zu sichern, bedarf es nur, daß der Staat inskünftige immer die Maxime befolge, die künftigen Einrichtungen nach dem Rate der vernünftigsten Männer auf ihnen zu verfügen, von einer Bekanntmachung der ursprünglichen Universitätsrechte ist weiter keine Frage.

Damit aber die Universitäten ihrer Würde gemäß eingerichtet werden, so muß man sie mit den tüchtigsten Männern besetzen. Da diese jetzt wahrlich nicht immer auf den Universitäten sind, so kann der Staat sie noch nicht für die Repräsentanten der Gelehrten halten, sondern muß auch andere nicht auf der Universität befindliche zu Rate ziehen. Um hier ganz rechtmäßig zu handeln, so muß man bei der Anstellung künftiger Professoren einige Regeln befolgen, die ganz in der Vernunft gegründet sind und daher keine Verschiedenheit der Meinung zulassen, sie sind:

1. Keinen, der nicht entweder als Schriftsteller oder als Praktiker sich in einem Fache bei dem Publikum ausgezeichnet und von seiner Geschicklichkeit im Vortrag und Unterricht Proben abgelegt hat, als Professor anzustellen. Wollte man dagegen einwenden, daß es sehr geschickte Männer geben könne, die zum Bücherschreiben keine Neigung und zur Praxis, welche Publizität erhalten hätte, keine Gelegenheit gehabt haben, und ebensowenig noch jemand gefunden hätten, der sich von ihnen wollte unterrichten lassen, so antworte ich, daß dies gar wohl möglich sein könne, daß aber der Staat, der nicht als Freund, der die Gaben und Vorzüge eines Menschen durch vertrauten Umgang kennt, sondern als ein unparteiischer Richter nur nach äußern Tatsachen urteilen muß, sich nie davon überzeugen kann. Er müßte immer hier auf bloße Autorität der Freunde dieses Mannes handeln, welches für eine kraftvolle Regierung höchst unanständig wäre.
2. Man gebe zu dem Behuf, die Talente kennenzulernen, jedem, der es verlangt, nach vorheriger Prüfung ohne Schwierigkeit die Erlaubnis, als Privatlehrer Unterricht zu erteilen, aber ihm, ehe er sich hier mit Beifall gezeigt, nie den Titel Professor.
3. Man nehme niemand, der schlechte Handlungen beging, zum Professor, sei er auch noch so gelehrt.

Wenn man diese wenigen Regeln befolgt, so wird man eine gute Leitung daran finden, sich nicht auf bloße Autorität zur Wahl eines schlechten Subjekts verführen zu lassen.

Um die Universität in Würden zu bringen, so muß man den Titel Professor seltener machen, keine extraordinäre mehr annehmen, sondern sie Privatdozenten nennen. Jeder Professor muß aber gut besoldet werden, damit man von ihm fordern kann, den ganzen Kursus der Wissenschaften, zu denen er sich bekennt, öffentlich zu lesen. Es herrscht hier auf den meisten Universitäten ein großer Widerspruch, es ist nämlich jemand vom Staate angestellt, gewisse Wissenschaften zu lesen, und liest sie nicht anders als auf das Verlangen und für die Bezahlung einzelner Jünglinge.

Das Fakultätenwesen, so wie es jetzt auf den Universitäten herrscht, trägt viel dazu bei, sie herabsetzen. Die Doktorpromotion ist beinahe zu einer Farce geworden. Wer sollte es glauben, es gibt sogar Männer auf Universitäten, die über den nun einreißenden Mißbrauch, wie sie es nennen, jämmerlich klagen, daß die Doktoranden ihre Dissertationen selbst schreiben, was doch zweckmäßig ist, weil sie eine Probe von der Geschicklichkeit des künftigen Doktors sein sollen. So stemmen sich also selbst Personen, die der Staat dafür belohnt, daß sie an der Bildung des künftigen Staatsbürgers arbeiten sollen, dieser Bildung entgegen und wetteifern mit dem verächtlichsten Monopolisten, ihren Eigennutz auf Unkosten der sämtlichen Staatsbürger zu befriedigen. Einige, die nicht so schmutzig sind, können es doch nicht leiden, daß der Doktorand sein Thema selbst wählt und es nicht von ihnen nimmt und dann ihre, nicht seine Meinungen vorträgt. So sehr sie sich untereinander neiden und verfolgen, so machen sie doch immer gemeine Sache gegen den, der eine in der Tat neue Idee aufstellt, sie können es niemand verzeihen, der sie zwingen will, ihre Meinungen zu begründen, sondern wollen immer fortfahren, grundlose Behauptungen aufzustellen und sich dann darüber zu zanken.

Diesem Fakultätenunfug zu steuern, muß man die Fakultäten, die sich auf Urkunden berufen, ganz aufheben, sie auf den Zweck des Staats lenken und der Philosophie vollen Schutz gewähren und inskünftige nur denkende und redliche Männer zu Professoren wählen.

Eine andere Herabwürdigung der Professoren bestehet darin, daß man durch andere Titel ihnen mehr Ehre zu geben sucht; sie werden Hofräte, Geheimräte usw. oder gar geadelt; dies heißt offenbar, den Professor an Rang unter die Staatsdiener oder gar unter einen unwissenden Adeligen herabsetzen. Er scheint dadurch als Professor, der alle künftige Staatsbürger bildet, von dem der Adelige erst lernen muß, was ihm auf Achtung Anspruch gibt, erniedrigt, indem das, was er tut, ihm nicht so viel Rang gibt als ein Titel, von dem er das, was er anzeigt, nicht tut. Man erteile daher nach einiger Zeit, wenn sich nämlich die Universitäten gereinigt haben, den Professoren in der Fakultät den oben angegebenen Rang und nie einen anderen Titel. Im Falle er ihn hätte, eher er Professor wurde, so kann er ihn führen, wenn er will, aber der Professortitel muß vorangehen und den übrigen *weiland* vorgesetzt werden; der lächerliche Gebrauch, jemand einen Titel zu geben ohne Geschäft, muß ganz vertilgt werden.

Mittelbar werden die Universitäten auch dadurch herabgewürdigt, daß Geschäftsmänner meistens den Gelehrten verachten und die Kenntnisse, die man auf Universitäten erlangt, mit dem Namen Stubengelehrsamkeit brandmarken. Diese Verachtung, die der Gelehrte dem Geschäftsmann dadurch wieder zu vergelten sucht, daß er ihm anstatt Praxis (Fähigkeit, das Gedachte gut auszuführen) Routine (Leichtigkeit, die hergebrachten Formen zu beobachten und uneingesehene Regeln zu befolgen) zuschreibt und ihn zu keinem gültigen Richter seiner Vorschläge annimmt, kann nur dadurch wechselseitig aufhören, wenn der Gelehrte Geschäfte führen und der Geschäftsmann die Gründe seiner Geschäftsführung einsehen lernt.

Es kann keine größere Verwirrung der Begriffe geben, als wenn man Theorie und Praxis als unverträglich ansieht, denn dies heißt: die Einsicht, wie etwas zu tun sei, müsse der Fähigkeit, etwas zu tun, widersprechen, welches offenbarer Unsinn ist. Sobald eine Sache nicht so geschehen kann, wie es eine angebliche Theorie fordert, so ist diese nicht Theorie, sondern ein Hirngespinst. Es kann nichts in der Theorie gut sein, was der Praxis widerspricht, denn alsdann ist die Theorie schlecht und nicht gut, die Praxis muß die Richtigkeit der Theorie beweisen, so wie hingegen die Theorie das bloße blinde Herumtappen in der Praxis verhüten muß.

Wenn der Gelehrte freilich nie sich von seiner ausgedachten Theorie durch die Praxis zu versichern sucht, so muß er bald, anstatt zu theoretisieren, zu radotieren anfangen, und dann verdient seine Gelehrsamkeit mit Recht den Namen Stubengelehrsamkeit, denn sie erscheint ihm nur auf seiner Stube als Wissenschaft und wird als Unsinn erkannt, sobald sie sich der Welt zeigt. Dies zu verhindern muß der Zweck einer guten Universität sein, und deswegen muß sie Anstalten haben, durch welche man die Theorie in der Praxis bestätigen kann.

Wenn der Geschäftsmann nur blindlings seine Routine verfolgt, so wird er nie bei einem neuen Falle sich zu helfen wissen, und es wird sich zeigen, daß er sein Geschäft nicht *verstand*, d. h. nicht die Gründe seines Verfahrens, den

36

Geist seiner Formen einsah, sondern nur dazu *abgerichtet* war. Es muß keine Theorie als zum Dienst der Praxis und keine Praxis ohne Bestreben nach gründlicher Theorie geben, dann wird der Gelehrte und Geschäftsmann in Eintracht miteinander leben und keiner den andern verachten.

Ich redete bisher nur von der Theorie in Sachen, welche Kunst oder Klugheit betreffen; Theorie in moralischen Dingen ist eine Theorie von ganz anderer Art, denn sie zeigt nicht, was in der Praxis geschehen kann, sondern was geschehen soll; hier ist sie vollkommene Wissenschaft. In dieser Rücksicht behaupten, daß etwas theoretisch (aus Vernunftgründen) recht sein und doch nicht praktisch werden könne, würde alle Begriffe verwirren, weil das Recht nicht das ist, was geschieht, sondern was geschehen soll. In Sachen des Rechts kann daher gar kein Streit zwischen dem Gelehrten und Geschäftsmann stattfinden, denn letzterer kann nicht sagen, es ist Recht, aber es läßt sich nicht tun, indem es eben deswegen getan werden muß, weil es Recht ist. Freilich muß *bewiesen werden*, daß es Recht ist, nicht bloß aus Autoritäten dargetan werden, daß es einmal für Recht galt.

Diesen Satz, daß es in allen Fällen keine Ausnahme von dem, was Recht ist, geben dürfe, haben einige sehr ungeschickt als den Staaten gefährlich angesehen und daher auch den Gelehrten, welcher das Recht an sich untersucht und bestimmt, welche Staatsverfassung mit dem Recht bestehen könne, in den Verdacht bringen wollen, als wollte er mit seinen Behauptungen, die freilich oft mit dem, was sich verschiedene Regierungen erlaubten, sehr kontrastierten, das Volk zur Revolution verleiten. Um nun diesem vorzubeugen, glaubten sie nichts besseres tun zu können, als den Gelehrten herabzuwürdigen, seine Behauptungen für Hirngespinste auszugeben, die nicht für die wirkliche Welt passen, und die Folgen recht greulich zu schildern, die daraus ihrer Meinung nach entstehen können.

Ich sage, sie verfuhren hierbei sehr ungeschickt, denn sie gaben ja dadurch zu, daß sich so manche Regierung bisher sehr wenig um die Rechtmäßigkeit ihres Verfahrens bekümmerte. Wer von beiden ist geschickt, das Volk aufzubringen, derjenige, welcher das Recht des Staats und des Volks bestimmt für den Gebrauch des Staatsmann und für die Kenntnis des kultivierten Teils des Volks, denn der übrige liest keine gelehrte Untersuchungen, oder derjenige, der im populären Tone verbreitet, denn die Sprache der ungelehrten Gegner ist allgemein verständlich: Die Untersuchung über diese Rechte ist eine gefährliche Sache, denn nie fragten die Regierungen nach dem Recht des Volks und werden nie danach fragen! Wer ist hier der Aufwiegler? gewiß der letzte. Sagt der Mann, der behauptet: die Regierung müsse nicht auf die Grundsätze des Rechts, die wie alle Grundsätze nur durch die Vernunft zu entdecken sind, achten, im Grunde etwas anders, als sie wolle vom Recht nichts wissen?

Der Staatsmann, der dem Gelehrten, der über die Prinzipien der Gesetzgebung und der Staatsverfassung nachforschet, teils für einen gefährlichen Aufwiegler, teils für einen von Welt- und Menschenkenntnis entblößten Pedanten ausgibt, bereitet also erst die Gefahr, die er diesem zur Last legt, und schuldigt sich selbst als einen Bösewicht an, der nicht nach Recht und Unrecht fragte. Der Gelehrte, der freilich oft auch von Leidenschaft hingerissen wird, sucht sich gegen die Vorwürfe, die ihm gemacht werden, durch Repressalien an dem Staatsmann zu rächen, erklärt ihn für einen Egoisten und glaubt sich berechtigt, dem Volk über das Unrecht, das es erleidet, die Augen zu öffnen, und sinkt dann freilich von dem Range eines gründlichen Nachforschers zu einem Unruhstifter und Anschwärzer herab. Wer aber dabei am meisten verliert, wird in der Folge der Zeit der Staatsmann sein, wenn er sich gegen die Untersuchungen über Recht und Unrecht erkläret, denn sein eignes Benehmen rechtfertigt dann die Beschuldigung des Gelehrten.

Die Eintracht aber, die, wie wir oben zeigten, zwischen dem Gelehrten und Geschäftsmann stattfinden soll und kann, muß auch zwischen dem Gelehrten und Staatsmann stattfinden.

Der Staatsmann darf der Wahrheit nicht widersprechen, daß, sobald etwas erwiesenes Recht sei, so müsse es geschehen, und wenn es Unrecht, unterlassen werden, der Gelehrte muß aber nie verkennen, daß man die Fakta genau wissen muß, um zu entscheiden, was in einem bestimmten Falle Recht sei, und daß er diese vom Staatsmann oft kennenlernen müsse. Er muß ferner nie vergessen, daß, wenn etwas als Recht erwiesen ist, die Art, es geltend zu machen, noch sehr viel Schwierigkeiten haben könne, wenn das Volk von diesem Recht noch keinen Gebrauch zu machen weiß. Der Gelehrte muß das Wohl des Staates zum Zweck seiner staatsrechtlichen Untersuchung haben und der Staatsmann das Recht zur Leitung seiner Geschäfte, dann wird auch hier Eintracht stattfinden, der Gelehrte wird den Staatsmann nicht für einen Unterdrücker und dieser jenen für keinen Aufwiegler erklären.

Trägt der Staat Sorge, diese Eintracht zwischen dem Gelehrten, Staats- und Geschäftsmann zu bewirken, dann wird durch die Würde des Gelehrten auch die Würde der Universität steigen und das Volk sie sämtlich achten und ehren. Der Rang, den ich der Universität gebe, wird dann nicht mehr chimärisch sein, sondern sie wird ihn wirklich durch ihre Dienste vom Staate verdienen und eine Harmonie aller Stände jede Revolution unmöglich machen, dafür aber Ausbildung der Menschheit und Frieden von innen und außen erzeugen.

Fünftes Kapitel
Über den Zusammenhang aller Anstalten zur Kultur der Bürger im Staate und ihren Einfluß auf das Verhältnis derselben

Die Bürger teilen sich vorzüglich in zwei Hauptklassen; die einen haben nämlich einzig den Zweck, sich von dem, was sie wissen und können, zu ernähren und kümmern sich um Wissenschaften und Künste an sich nichts, die andern treiben neben dem Geschäfte, das sie nährt und das aber zugleich einen größern Umfang von Kenntnissen und Geschicklichkeiten voraussetzt, Wissenschaft und Künste um ihrer selbst willen oder zum allgemeinen Besten des Staats; die einen machen die Gewerbsleute aus, die andern die Künstler und Gelehrten, zu denen in dieser Rücksicht alle höhern Stände gehören. Der Staatsmann verliert alle Achtung, wenn man merkt, er habe für seinen Posten nur darum Interesse, weil er ihn nährt, und jeder Staatsdiener, dem nicht bloß befohlen wird, sondern der auch selbst urteilen muß, was recht und gut ist, z. B. der Richter, der Rat in einem Kollegium, der Offizier usw. macht sich veräcbt-

lich, wenn er sich merken läßt, daß er kein Interesse für
sein Geschäft an sich hat, sondern es allein der Leibesnahrung wegen treibt. Gewerbsleute hingegen verlieren nichts
an ihrer bürgerlichen Ehre, wenn man auch mit Recht von
ihnen voraussetzen kann, daß sie kein anderes Interesse als
ihre Ernährung an ihr Geschäft bindet. Diese zwei Stände
kann keine Dialektik wegdisputieren, sie sind wesentlich
verschieden und von ihrem guten Einverständnisse hängt
die Stärke und der Flor eines Staats ab.

Diese Stände sind aber durch keine Kluft getrennt, sondern
sie nähern sich bis auf eine gewisse Grenze, die sich für die
individuelle Beurteilung so wenig angeben läßt als die
Grenze des Abendrots und des blauen Himmels, die aber
im Allgemeinen darin besteht, daß man in die eine Klasse
die Bürger rechnet, bei welchen das Publikum und der Staat
keine weitere Ansprüche macht, als daß sie sich rechtlich
nähren, und in die andere, diejenigen, welche sich die Fortschritte der Wissenschaften und Künste und das allgemeine
Wohl selbst zum Zweck machen sollen. Für die erste Klasse
gehören die gemeinen Schulen, und für die zweite die
Gymnasien und Universitäten. Die Künstler- und die Indu-
strie-Schulen haben auf beide Stände Bezug. Die ersten Anstalten werden wohl von der zweiten Klasse auch besucht,
aber nur als vorbereitend. Die Industrieschule habe ich so
dargestellt, wie sie die erste Klasse der Bürger vollkommen
bilden kann und wie sie auch, um die Bildung des gemeinen Mannes der gelehrten vorauszuschicken, für die künftigen Gelehrten zweckmäßig ist, die beiden andern wurden
von mir ganz auf die Gelehrten oder, wenn man will, die
Vornehmen berechnet, die Künstlerschule wurde von mir
sowohl für den eigentlichen Künstler als auch für den Pro-
fessionisten, der seine Arbeiten veredeln will, angelegt.

Die Scheidung der beiden Stände ist in jedem Staate notwendig, und wem man zumutet, daß er selbständig für
Wahrheit, Recht und Kunst an und für sich arbeiten soll,
der muß auf einer höhern Stufe stehen als der, von dem
man nur verlangt, daß er sich seine Leibesnahrung ohne
Unrecht erwerben soll. Die staatsrechtliche Gleichheit der
Bürger ist daher eine Chimäre, die nur in dem Kopf eines
gutmütigen Phantasten, der zu philosophieren wähnt, stattfinden kann. Sobald der Teil der Bürger, die sich nicht be-

strebten, Wahrheit und Recht aus reinem Interesse zu suchen, über die höhern Stände herrschen oder auch nur diese nicht mehr achten will, so ist der Staat seinem gänzlichen Verfalle nahe, und die Regierung wird notwendig in den Händen solcher Leute zu einer Gewerbesache. Diese staatsrechtliche Ungleichheit hat aber keine moralische zur Folge, sondern jeder Mensch, der Wahrheit und Recht achtet, wenn er auch sich nicht für Auffindung der ersten und Begründung des letzten interessiert, sondern nur die erste benutzt und den Gesetzen gehorcht, verdient deswegen auch wieder Achtung. Nur der, welcher bloß dem Zwange folgt und keine Achtung vor Wahrheit und Recht an sich zeigt, gehört zum Pöbel. In moralischer Rücksicht gibt es daher auch zwei Klassen, den rechtlichen Mann und den Pöbel, mit welchem letztern der gemeine Mann nicht verwechselt werden muß.

Da immer nur wenige Menschen geneigt sind, sich über den gemeinen Mann zu erheben, so muß man daher auch dem eigentlichen Studieren Hindernisse in den Weg legen, die nur der Fähige überwinden wird. Dies suchte ich durch die Kenntnisse zu tun, die ich von dem verlange, der sich auf Universitäten begeben soll. In einem guten Staate können der wahren Gelehrten nie zu viel, (denn die Natur setzt von selbst eine Grenze) aber der Titular-Gelehrten nie zu wenig sein. Die Bildung, die der gemeine Mann in den Anstalten, die ich entwarf, erhalten kann, muß auch dazu dienen, die Gelehrten zu vermindern, denn da jener schon viel weiß, so wird er von dem Gelehrten noch weit mehr fordern und den Unwissenden verspotten. Dies wird viele abschrecken, zum Spotte sich die Mühe zu geben, Gelehrte heißen zu wollen. Ferner soll keine Unterstützung der Studierenden vom Staate außer den öffentlichen Anstalten stattfinden. Dies wird auch viel am Studieren verhindern. Man glaube gar nicht, daß dadurch ein Genie verlorengehe; wer den Drang in der Tat hat, gelehrt zu werden, der wird immer Männer finden, die ihn unterstützen, und er wird sich durch alle Hindernisse hindurch arbeiten. Ich sahe von den Stipendien keinen Nutzen, als daß sie den Staat mit Schlendriansgelehrten anfülleten, die den gelehrten Stand herabwürdigten; diejenigen wahren Genies, die auch, aber sehr selten, einen Abfall von den Stipendien erhielten, den die genielosen Speichellecker nicht verschlangen, würden sich auch ohnedies durchgearbeitet haben. Unter denen, die sich von niedern Ständen aus zum Gelehrten erheben wollten, waren, nach meiner Erfahrung, unter zehn gewiß neune, die keinen andern Beruf dazu hatten, als daß sie die Zeit, eine Profession zu erlernen, versäumt hatten.

Da die Anstalten für die Bürger überhaupt nach meinem Plane schon so viele Kenntnisse lehren, daß sich das wahre Genie gewiß auszeichnet, so ist um so weniger zu fürchten, daß eines unentdeckt bleiben könnte.

Die Anstalten, die der Staat zur Bildung der Bürger zu errichten hat, glaube ich daher so angelegt zu haben, daß sich jeder die Bildung geben kann, deren er fähig ist, und sich also selbst den Stand bestimmen wird, auf den er Anspruch machen darf. Dadurch werden die Stände auch im gerechten Verhältnis sein, weil sich ein jeder den seinigen bestimmt.

Das Vorurteil, daß die Kinder höherer Stände nicht mehr zu den niedern zurückkehren dürfen, wird sich bald verlieren, wann dem gemeinen Manne die Achtung erzeigt wird, die er als der notwendigste Teil im Staate fordern kann; denn er macht gleichsam den Stoff des Staates aus, dem die übrigen die Form geben, welche, wenn ihr kein guter Stoff unterliegt, jederzeit ein erbärmliches Schattenwesen bleiben muß. Durch die gegenseitige Achtung der beiden wesentlichen Stände wird zugleich die wahre Gleichheit der Menschen erhalten, nämlich, daß sich keiner ein Recht anmaßen darf, wozu er sich den Anspruch nicht erwarb. Der Staat hat daher auch dahin zu sehen, daß diese Gleichheit nicht gestöret werde, und er tut recht, den aus seinen Grenzen zu verbannen, der behauptet, die Menschen hätten gleiche Rechte, ohne daß sie sich gleiche Mühe gäben, sie zu erwerben. Im Durchschnitte sind die Menschen sehr schnell, nach vorgespielten Rechten zu greifen, und äußerst träge, sich die Titel zu erwerben, Kraft welcher sie ihnen vernünftigerweise zukommen können.

Es darf in einem vollkommenen Staate kein Recht geben, das nicht von jedermann erhalten werden kann, der den wahren Titel dazu besitzt, aber ehe er diesen besitzt, darf ihm auch keines werden, und dadurch wird sich der Rang, zu welchem jemand gehört, rechtmäßig bestimmen.

F. A. Wolf an den Geheimen Kabinettsrat Karl Friedrich von Beyme, Brief vom 3. August 1807

Berlin, den 3. Aug. 7.

Verehrtester Herr,

Fast täglich gedachte ich Ihrer mit dem innigsten Anteil, seitdem ich Sie zuletzt zu Halle sah; aber mit Wehmut, seitdem ich die Universität verloren glaubte, d. i. seit ein paar Monaten. Gleichwohl traf auch mich der Schlag, der sie für uns wirklich vernichtete, so heftig, wie wenn er nicht vorher geahndet wäre. Zum Glück aber gehöre ich nicht mit unter die, welche sich von allen dergleichen gemeinen Streichen des Schicksals bald erholen.[48] Davon wird Ihnen einen Beweis die *Beilage* geben, die ich nach dem Wunsch eines trefflichen Mannes[49] aufgesetzt habe. Überlegt wurde von mir die Sache in den letzten 14 Tagen aufs sorgfältigste; endlich widmete ich den ganzen heutigen Tag zum Niederschreiben des Wesentlichsten. Ob ich alles von jeder Seite wohlüberlegt habe, sei nun vorzüglich Ihrer Beurteilung anheimgestellt. Indem ich die Blätter aus den Händen gebe, vergesse ich gänzlich meine Persönlichkeit; auch beim Schreiben selbst geschah es: ich würde mit dem gleichen Eifer daran arbeiten, wenn es auch in dem letzten Monate meines hiesigen Aufenthaltes wäre. Die Stimme Deutschlands ruft dazu auf und die Aussicht auf die unter gewissen Bedingungen gewiß noch trübere Zukunft. Indem ich aber bloß an das dachte, was jetzt *für den Staat* in literarischer Hinsicht zu tun *möglich und leicht* ist, fand ich, daß sich aus der *Not* ein ganzer Chor von *Tugenden* machen ließe. Und so erschienen meine Vorschläge auch einem paar Freunden, – gemeinschaftlichen Freunden, denen ich sie mitzuteilen veranlaßt wurde. Alles käme, wenn sie auch Ihren Beifall finden, auf die rascheste und klügste Ausführung an. Aber, wo ich hinsehen *kann*, ist abscheuliche Resignation der meisten Anteil, woraus Rat- und Tatlosigkeit entspringt. Machen Sie daher, innigst Verehrter, mit den Papieren, was Ih-

43

nen das Rechte dünkt: denn eben dies wird das Rechte sein. Um alles aber in der Welt ersuche ich Sie, sagen Sie mir *nur mit wenigen Zeilen,* bei der *ersten* Gelegenheit, wieviel ungefähr sich hoffen läßt. Durch ein bestimmtes Wort der Art werden Sie mehrere auch gegen die größten Prüfungen der Liebe zu dem Staate schützen, worin sie bisher den heiligen Herd echter Geistes-Freiheit sahen und auch noch weiterhin aufrecht zu erhalten möglich finden. Mit ewiger Anhänglichkeit unterschreibe ich, da Ihnen ohnhin vielleicht meine Hand aus beßern Zeiten noch erinnerlich ist, nur die Anfangsbuchstaben meines Namens.

F. A. W.

P. S. Eben schickt mir der brave Stützer noch eine Beilage, die denn meine halbe Anonymität völlig aufhebt. Er hat die Tendenzen von Allem vortrefflich gefaßt.

    den 7. Aug.   W.

Vorschläge, wie ohne irgendeinen neuen Aufwand statt der jetzt verlorenen zwei am besten dotierten Universitäten eine für hiesige Lande und für ganz Deutschland wichtige Universität von größerer Anlage gestiftet und in kurzer Zeit in Gang gebracht werden könnte.

Auf Ihre Klagen über den Verlust von Halle und Erlangen und auf Ihre schwermütigen Aussichten, was weiterhin aus der Bildung zur gelehrten Tüchtigkeit werden könne, antworte ich mit einigen Vorschlägen, die Ihnen zeigen werden, wie viel dem Staate noch möglich und sogar von leichter Ausführbarkeit sei.

Was ich Ihnen schon neulich sagte, daß alles bei der nunmehrigen verengten Lage – wenn ihr nicht ein böser Dämon größere Gefahr droht – recht wohl gehen könnte, in gewissen Rücksichten selbst etwas besser als vorhin: das empfand ich bei dem Durchdenken dieser Ideen oft mit der

44

angenehmsten Vorahndung der Zukunft, besonders in dem Punkte, auf den ich mich hier einschränke.

Zwar sollte ich mich vielleicht am wenigsten entschließen zur Entwerfung irgendeines Plans: denn noch hat keiner der von mir ehedem zum Besten literarischer Aufklärung gemachten seine vollständige Ausführung erhalten außer demjenigen, den der Minister v. Zedlitz zur Bildung gelehrter Schulmänner durch ein philologisches Seminarium zustande brachte[50]: mehrere andere mir höheren Orts aufgetragene ähnliche Pläne sind hingegen so unvollständig und verändert ausgeführt worden, daß der Kern größtenteils zurückblieb. Gleichwohl kann ich mich durch keine Mutlosigkeit abhalten lassen, Ihnen, *wenigstens in Grundzügen,* meine versprochenen Gedanken vorzulegen. Ja, ich würde dies gern tun, wenn es auch ohne die Hoffnung, hier selbst die Früchte davon zu sehen, geschehen sollte.

Lassen Sie mich aber, ehe ich zur Hauptsache komme, ein wenig höher anfangen.

Den größten Teil des vorigen Jahrhunderts hindurch hat der preußische Staat *anfänglich* seine Sicherheit und Würde im Innern, *nachher* seine Neigung zu Vergrößerungen nach außen, mit vielen Aufopferungen erkaufen müssen. Das Andenken an solche Aufopferungen wird gegenwärtig um so schmerzlicher, da durch sie das nicht gewonnen worden, was allein durch sie sich gewinnen ließ.

Kleinere Staaten in Deutschland, die dergleichen Aufopferungen nicht bedurften, hatten schon lange eben deshalb ein in gewissem Betracht angenehmeres Los: sie waren den sichern Häusern des gebildeten Mittelstandes ähnlich, die eben ihre mittlere Lage vor großen Unfällen schützt; der Einwohner lebte dort in seinem engeren Kreise leichter und gemütlicher, weil er vielerlei Anstrengungen nicht kannte, die am Ende doch *keinen eigentlichen Lebensgenuß gewähren.*

Das über Europa verhängte Schicksal hat jetzt unserm Staate einen nicht mißverständlichen Wink gegeben, seine Kräfte, *zunächst* wenigstens, auf dasjenige einzuschränken, was den Umständen und dem jetzigen Drange der Zeit gemäß, was ausführbar und was zugleich zu wahrer Beglückung einer großen Anzahl von Menschen dienlich ist.

Alles zu diesen drei Ansichten gehörige nach Maßgabe des

jetzigen Zustandes der Dinge überall zu entdecken, wird die Sache höheren Scharfsinns und sicherer Erfahrung sein. Wie man eben hört, fehlt es auch jetzt unserm edelsinnigen, alles Gute so gern fördernden Könige nicht an Männern von tiefer Einsicht und Redlichkeit, die die erste Basis alles neuen Aufbaues prüfen und an die Stelle des Mangelhaften oder Zerrütteten das möglichst Beste setzen können.

Besonders nach einem so zerstörenden Kriege muß der Staat mit verdoppeltem Eifer seine irgendwo vorhandenen Kräfte sammeln und von neuem beleben und keine versteckte Springfeder ohne Wirksamkeit lassen. Es ist nicht hinlänglich zur Wiederherstellung, daß Ackerbau, Handel, Fabriken verbessert, daß die Finanzen neu geordnet werden, – freilich sehr notwendige Gegenstände, aber doch nur vom zweiten Range; – die lebendigsten, größten Kräfte liegen in *dem moralischen Menschen;* dieser muß jetzt nach einem alles umfassenden staatsbürgerlichen Zwecke bearbeitet werden, der bei aller Verschiedenheit der gesellschaftlichen Verhältnisse nur ein einziger, in sich selbst vollendeter sein kann. Hiezu sind bei uns die trefflichsten Anlagen da: wer möchte sie schlummern oder zugrunde gehen lassen, da sie durch erhöhte Tätigkeit nicht nur gerettet, sondern trefflicher ausgebildet werden können? usw.

Es bleiben noch zwei Universitäten im Lande, zu *Königsberg* und zu *Frankfurt.* Eine dritte gegenwärtig neu zu stiften, scheint so gut als unmöglich, weil zu einer Universität weit mehr gehört als ein Ort, wohin man eine Anzahl von Gelehrten vereinigt, zu denen sich dann Zuhörer sammeln mögen. Ohne Zweifel aber geht Bibliothek und jede andere Sammlung von Apparaten in Halle nunmehr verloren. Dergleichen Subsidien sind auch zu Frankfurt so äußerst wenige, daß der Ort keinen Gelehrten von Ansehen reizen würde. Auch steht Frankfurt eben nicht wegen Gründlichkeit und fleißigen Studierens in Achtung; daher ein solcher Ort keine gute Vorbedeutung machen würde, wenn man etwa, um demselben eine neue Nahrungsquelle zuzuwenden, eine viel größere Zahl von Professoren dort anstellen und die schon bestehende Anstalt noch so zweckmäßig ausbilden und vervollkommnen wollte.

Allein, was man bei der ersten Überlegung in *Frankfurt* vermutlich suchen, jedoch nur schlecht finden würde, das bietet *Berlin* auf eine Art dar, daß fast nichts zu wünschen bleibt, in mehreren Fächern so ausgezeichnet vollkommen als in ganz Deutschland nirgends. Nur das einzige *Göttingen* möchte wetteifern können in *gewissen Hilfsmitteln*: ob auch in *dem echten Geist* der *Studien*, dies scheint, wo nicht jetzt, doch für die Zukunft, die dort eine neue Regierung erwartet, sehr zweifelhaft. Wenn man sich daher über die einzige Bedenklichkeit hinwegsetzen kann, ob auch eine so große Stadt wie Berlin ein guter Boden für eine Universität sein möchte, wenn man das Beispiel zweier der *größten* Universitäten, *Wien* und *Kopenhagen*, der gewöhnlichen Meinung entgegenstellen will; wenn man, in Absicht auf das größere Sittenverderbnis großer Städte und besonders Berlins an die ohnehin schon zahlreichen Jünglinge denkt, die sich wegen Medizin und Chirurgie und als Gymnasiasten, ohne Nachteil der Sitten längst hier aufhielten; wenn man endlich mit mir glauben kann, daß die Reizungen des Lasters, wenn sie recht andringend werden, meistens viel weniger schaden als die sanften im Finstern schleichenden, – kurz, wenn man zu glauben wagt, daß Berlin von *moralischer Seite* nicht einer Universität ein unübersteigliches Hindernis in den Weg legen würde, so möchte ich geradezu in die Vorschläge selbst eingehen.

Von dem Fonds von Halle behalten wir, wie ich aus den Datis, die mir der Herr Minister v. *Massow*[51] gegeben hat, ersehe, gegen 33000 Tlr.

1) Sechzehn *Professores ordinarii*[52], d. h. die *allein* in Gehalt stehenden, würden ein hinreichendes Corpus der Universität ausmachen.

Rechnete man für acht der vorzüglicheren 16000 Tlr. Gehalt, für andere acht aber 12000 Tlr., so blieben zu noch andern Bedürfnissen 5000 Tlr. übrig. Nehmen wir dazu sechs *Professores extraordinarii*[53], die gewöhnlich auf Universitäten keine oder geringe Gehalte genießen und unter welche doch von obigem Rest leicht 1500 Tlr. verteilt werden könnten; nehmen wir endlich noch dazu acht bis zehn Privatdozenten, die nach der trefflichen deutschen Gewohnheit sich ohne Gehalt zu Lehrern qualifizieren, so wäre durch eine Zahl von dreißig Lehrern für die Notdurft der Lehrgegenstände und für den auf Universitäten üblichen

Wohlstand hinlänglich gesorgt. Ein *Corpus* wäre sonach vorhanden, wozu vielleicht fünf bis acht auch aus Halle berufen werden könnten: alles käme nun darauf an, daß auch eine *Seele* in den Körper käme, was mir nicht schwer dünkt, wenn man nur acht bis zehn neue Gelehrte für die Universität beriefe, besonders Theologen und Juristen.

Als Adjuncti[54] der Universität – der Name war wirklich längst auf Universitäten üblich – würden

2) alle Mitglieder der gewiß weiterhin bestehenden *Akademie der Wissenschaften* Kollegien lesen; nämlich solche Gelehrte, die durch Gelehrsamkeit und Lehrertalente sich dazu geschickt fühlen; und da ohnehin mehrere, wie *Bode*,[13] *Karsten*,[55] *Klaproth*,[56] bereits Vorlesungen halten, andere aber, wie ich aus ihrem Umgange weiß, Neigung dazu haben, so erhielten wir dadurch wenigstens zehn Dozenten mehr, z. B. außer den drei genannten, *Hufeland*,[57] *Ancillon*,[58] *Walter sen.*,[59] *Willdenow*,[60] v. *Humboldt*,[61] *Hermstädt*,[62] *Erman jun.*,[63] *Joh. v. Müller*,[64] *Eytelwein*,[65] *Tralles*,[66] *Hirt*,[67] *Fischer*,[68] *Spalding*,[69] *Buttmann*[70] usw. Diese würden durch mehrere Motive zu dem Lesen gelockt werden. Ohne von einer Haupttriebfeder, die hier ins Spiel zu setzen wäre, dem *eigenen Vorteile*, zu reden, der manchen bisher für dreißig Zuhörer lesenden hiesigen Gelehrten ein Auditorium von achtzig und darüber wünschenswert machen müßte, würden mehrere durch dies und jenes gelesene *Collegium* zur Ausarbeitung neuer eigener Schriften veranlaßt und bestimmt werden, wodurch das Lesen über gewisse Fächer für den forschenden Gelehrten immer einen vorzüglichen Reiz erhält. Und dergleichen Motive gibt es mehrere – von der allgemeiner werdenden gelehrten Ämulation nichts zu sagen, die so in Berlin aufblühen müßte.

Hierzu nur acht bis zehn andere Gelehrte hinzugerechnet, die weder *Akademiker* noch *Professoren der Universität* wären und denen ebenfalls *das Recht zu lesen* gleich beim Anfange *erteilt* werden könnte, als: *Formey*,[71] *Woltmann*,[72] *Mursinna*,[73] *Bischoff*,[74] *Koenen*,[75] *Hecker*,[76] *Grapengiesser*,[77] *Knape*,[78] *Levezow*,[79] *Heindorf*,[80] *Ideler*,[81] ferner Kameralisten und Juristen wie Geheime-Rat *Goßler*[82] etc., so wäre das vollständige Personal des Lektions-Katalogs etliche fünfzig Personen.

Und noch habe ich mehrere Gelehrte von hiesigen Lehranstalten und andere privatisierende nicht genannt, durch deren *Adjunktur* und *Beitritt* leicht die Lehranstalt bis zu sechzig Personen und darüber anwachsen könnte, z. B. *Thaer*[83] (in den Winter-Monaten), Professor *Stützer,*[49] *Hobert,*[84] *Genelli,*[85] *Buchholz,*[86] *Gentz,*[87] *Naumann,*[88] bei der *école vétérinaire*[21]: Hauptmann *Ziehen,*[89] *Zelter*[90] in wissenschaftlicher Theorie der Musik etc., die vorhin gedachten Motive möchten bei mehreren *dieser* Herren vielleicht noch mehr als bei anderen wirken, weil sie meistens in geringem Gehalte stehen.

Die seitherigen Amtsverhältnisse *aller* dieser Personen können ganz unverändert bleiben – jeder unter seinem Chef –, alle nicht *eigentlich* zur *Universität* berufenen *Professoren* würden bloß als Freiwillige (volontairs) bei der Universität angesehen: man kann aber gewiß sein, daß viele mehr leisten würden als dieser und jener wohlbestallte Professor der *Universität.*

Angenommen, daß von obigen sechzig bis fünfundsechzig Personen nur fünfundvierzig bis fünfzig jedes halbe Jahr wirklich läsen, nämlich jeder *Dozent* der *Universität* zwei Stunden täglich, wie das gewöhnliche Maß zu sein pflegt, und jeder der Adjunkti oder Volontairs nur eine Stunde oder wöchentlich ein Kollegium von drei bis vier Stunden, so wäre eine Summe von Vorlesungen da, die die größte Zahl auf der größten aller Universitäten weit überträfe, nämlich fünfundsiebzig bis achtzig.

Der *Akademie der Wissenschaften* kann es bei dem noch jetzt übrigbleibenden Fonds, der, wie man mich versichert, nicht unter 23 000 Tlr. sein wird, schlechterdings niemals an so vielen berühmten und in ihren Fächern einzigen Männern fehlen, als zu jenem *Beitritt* zur *Universität* nötig sind. Wollte man sonach in *Gedanken,* (*in der Sache* selbst dürfte es aus wichtigen Betrachtungen nicht geschehen) die *Akademie* und die *Universität* von jetzt an als ein Ganzes annehmen, so hätte das große Institut einen jährlichen Fonds von 56 000 Tlr., ohne einen Groschen neuen Zuschuß.

Genaugenommen wäre der Fonds der ganzen Lehranstalt noch viel größer, weil ja die Universität die Freiwilligen von andern Instituten wie von dem Collegio medico-chirurgico, von der Bau-Akademie, von der Artillerie-Akademie, von der Akademie der schönen Künste, von der école vétérinaire, von den Gymnasien etc. nicht ohne die Gehalte erhalten kann, die den Lehrern, die bei solchen Instituten angestellt sind, ihren Aufenthalt hier möglich machen. Auch ließe sich, wenn man jetzt nicht auf das Einfachste ausgehen wollte, zeigen, wie sich an den Plan noch etwas viel weitläufigeres durch *Kombination* mancher solcher hier bestehender Institute, besonders des Collegii medico-chirurgici usw., leicht anschließen ließe, was jedoch erst nach einiger Zeit Gegenstand einer Beratschlagung sein dürfte.

Für alles, was eine solche Anstalt an *Bibliotheken, Apparaten, Hilfsmitteln* und *Opportunitäten jeder Art* bedürfte, wäre in Berlin bereits gesorgt; für Medizin und Naturwissenschaft in ihren meisten Zweigen auf die allerreichlichste Art. Beinahe nichts wäre erst anzuschaffen, ein Glück, das unter gegenwärtigen Umständen alles wert ist. Wäre daher nur das Frühjahr eben so nahe, als es der Herbst ist, so könnte in acht Wochen, so bald nur die Lehrer zur *eigentlichen Universität* beisammen wären, sogleich der Anfang der Vorlesungen gemacht werden.

Während dann auf solche Weise in Berlin eine Anstalt ohne Geräusch aufwüchse, die für Deutschland etwas Ähnliches wie in Paris das Institut national[91] und die école polytechnique[92] zusammen werden könnte, möchte Frankfurt, von woher man etwa auch zwei bis drei Dozenten würde berufen können, einem sanften Einschlummern nach und nach überlassen werden. Eine Zeitlang müßte es vielleicht noch für die dem bloßen Broterwerb fröhnenden Studenten bleiben: hätte sich dann unterdessen in Berlin ein guter Ton gebildet, dann würde er auch nach Frankfurts Tode durch bloße Studenten in der gemeinen Bedeutung, nicht leicht *verstimmt* werden; wenn zumal eine gute Disziplin herrschen würde.

Überall möchte man zur *Umstimmung* des ganzen seitherigen Studentencharakters, der doch allenthalben mancherlei Roheiten behielt, große Hoffnungen gerade von Berlin hegen, aus vielerlei bedeutenden Gründen z. E.:

1) Schon die weite Zerstreuung der Studierenden in einer solchen Stadt wirkt viel, um den *esprit de corps*[93] zu ruinieren. Sehr viele sahen sich dann wenig weiter als in Kollegien: die herrschende Kirche zu werden, kann ihnen gar nicht einfallen.

50

2) Mehrere gute Häuser und fein gebildete Familien würden manchen an sie empfohlenen Studierenden durch Zutritt zu ihnen ein besseres Mittel zu Verfeinerung der Sitten verschaffen, als bisher anderswo durch allerlei künstliche Tee- und Gesellschaftsinstitute möglich war.

3) Das Leben selbst in einer volkreicheren Stadt und die Gelegenheiten, so viele gelehrte, weltkundige, in Geschäften bewanderte Männer benutzen zu können, müßte dem Jüngling frühzeitig mehr Energie und schnellere Entwöhnung von den Torheiten seines Alters mitteilen. Zu besserer Benutzung der Zeit dürfte vielleicht auch die größere Teurung des Orts reizen, wiewohl sie (Mieten ausgenommen) gegen *Göttingen* und *Halle* nicht auffallend ist. Sollten aber in dem Kampfe des Guten und Bösen einige Seelen oder auch nur Körper drauf gehen, so scheint weder der Nachteil den überwiegenden Vorteilen entgegenzustehen, noch der Schaden überhaupt groß, der aus der Niederlage solcher Schwächlinge entstände. Allein wenngleich, wie ich selbst meine, im ganzen eine kleinere Stadt für eine Universität vorteilhafter ist, so bleibt doch jetzt kaum eine andere Wahl übrig, und man wird suchen müssen, aus einer großen Not recht viel große Tugenden zu machen.

Vieles ließe sich ferner bei einer solchen neuen Stiftung gelegentlich abändern, was auf den bisherigen Universitäten den schlechten *esprit de corps* in Ewigkeit fortpflanzt. Vornehmlich gehört hierher: die Studiosi müssen *unter bürgerlicher und polizeilicher Gerichtsbarkeit* stehen; jedoch so, daß zur Schonung ehrenwerter alter Meinungen bei allen Studentensachen ein Assessor aus dem Schoße der Universität im Gericht säße, der, wie *Meiners*[94] in Göttingen, lebenslänglich gewählt sein könnte, oder lieber hier, der Probe wegen, anfangs auf *ein Jahr oder zwei*. Daneben aber müßte der Prorektor zu gewöhnlichen Geschäften der Universität und vorzüglich als *höchster Studienaufseher* fortdauern: bei ihm erhielten die Ankommenden die Matrikel, die Abgehenden ein Attest darüber, daß sie so und so lange studiert und sich ununterbrochen hier aufgehalten. (Wegen der Einrichtungen der Justizpflege könnte man aus Kopenhagen, wo es auf obigem Fuß schon längst ist, in kurzem bestimmte Nachrichten bekommen; und ich kann mehr als einen meiner dortigen Bekannten dazu nennen.) Noch in etlichen andern Punkten ließe sich an der altertümlichen Organisation der Universitäten verschiedenes ändern und modifizieren, ohne doch das *alte wesentlich Gute* zu zerstören. Davon müßte sogar mehreres wieder zurückgerufen werden, was die schlechte Pädagogik der letzten 25 Jahre verdächtig gemacht hat, sie, welcher so viele Unwissenheit und soviel Mangel an Kraft um uns her zuzuschreiben ist. So dürfte die Universität nicht anders als lateinisch schreiben (in öffentlichen Schriften), lateinisch disputieren usw., in keinem Falle anders, weil eine Abweichung von der Regel hier bald zur Vernichtung der alten Ordnung führt.

Zwei ansehnliche Gebäude – darunter eins wie das Prinz-Heinrich'sche[95] – würden der Universität zu bestimmen sein, teils zu etlichen großen Auditorien (damit die Studierenden, wie zu *Wien,* gleich mehrere Stunden hintereinander in einem Gebäude hören könnten) teils zu verschiedenen Versammlungszimmern, besonders zu einem Konziliensaale, wiewohl die Konzilien auch eine ganz andere Einrichtung als seither erhalten müßten und nur auf die Beförderung und Anordnung der Studien gehen könnten. Gebäude solcher Art würden sich ohne Zweifel leicht finden.

Zu wünschen wäre auch, daß der größte Teil der Studierenden fast in einem Reviere der Stadt möchte beisammen wohnen können, so daß ihnen die Wege in die vorhin erwähnten *öffentlichen* und ebenso in die *Privatauditorien* erleichtert würden. Widrigenfalls entstände ein Hindernis, das vielen, statt 6 Kollegien zwischen 7–1 Uhr, nur 4 zu hören möglich machen dürfte. Natürlich würde es derjenige Teil der Stadt sein müssen, in dem die öffentlichen Auditorien lägen. Sonst, höre ich, gibt es viele Häuser in Berlin, die so eingerichtet sind, daß 2–4 Studierende bequem und nicht allzuteuer eine Etage zusammen mieten können. Ließe sich aber ein näheres Zusammenwohnen der Studierenden in der Stadt nicht wohl erreichen: so gäbe es noch ein leichtes Mittel, der Unbequemlichkeit abzuhelfen. Man liest 1 oder 2 Stunden wöchentlich mehr, wenn man genötigt ist, die Stunden statt 50 Minuten auf 40 zu setzen; und letzteres tun ja an mehreren kleinen Orten längst die Professoren ganz gewöhnlich.

Von hiesigen besonderen Opportunitäten für besondere

Klassen von Studien wollte ich, wie von manchen andern Details, hier nicht reden. Die außerordentlichen, trefflichen Gelegenheiten für Mediziner, Chirurgen, Chemiker, Mineralogen fallen sogleich jedem Leser ein. Doch einiges hier, was besonders für *Theologen* und *Philologen* wichtig ist. Für die Ersteren würde an drei vorzüglich berühmten Kanzelrednern hier eine bessere Schule sein als alle theologischen, bisher größtenteils wenig nützlichen, Seminarien. Soll aber das Seminarium für Bildung gelehrter Schulmänner ferner bestehen, so läßt sich dies mit dem praktischen Seminario an dem Berlinischen Gymnasium so zweckmäßig vereinigen, daß beide Institute dabei gewinnen, jene Schule immer geschicktere Lehrer und etliche meiner Seminaristen eine höhere Pension als bisher erhalten können. (Bisher erhielt einer in Halle 40 Rtlr. jährlich, was schon lange niemand mehr reizte.)

Ob die sogenannten vier Fakultäten beizubehalten oder ob man Sektionen, wie zu Würzburg, einrichten oder sonst eine den inneren Bedürfnissen der Sachen gemäße Veränderung machen möge, ist jetzt gleichgültig und dergleichen zu arrangieren, wahre Kleinigkeit. Genug, wenn man durch dergleichen wahrscheinlich notwendige Abänderungen gewisse Hauptzwecke erreichte, z. E. daß in der Folge nicht leicht Unwürdige zu den Doktorgraden gelangen können. So viel ist mir außerdem klar, daß, so manche Punkte auch wegen Berlin noch zu beratschlagen sein mögen, dennoch manche Schwierigkeiten wieder *hier* völlig *wegfallen*, die in Halle *schon jetzt* nicht zu besiegen waren und *in der Folge* ganz unüberwindlich gewesen sein würden.

Eine Zwangsuniversität übrigens müßte in Berlin ja nicht entstehen. Alle Einrichtungen, Vorlesungen, Lehrer müssen junge Leute durch sich selbst hinlänglich herbeiziehen. Im medizinischen Fache würde es auch sogleich der Fall sein, weiterhin in anderen. Zwang der Art, wie bisher stattfand, erregte leider Gegenzwang in den nachbarlichen Ländern und verscheuchte die Fremden von einer Universität. *Göttingen* hat auch deswegen nie ganz die Frequenz verloren, weil es seine Hannoveraner nicht zwang, dort zu studieren, und Fremde freundlich einlud, vorzüglich die Begüterten. Auch würden die gebornen Berliner sehr übel daran sein, wenn sie nicht auf wenigstens ein Jahr ohne mühsam zu erhaltende Erlaubnis in fremde Luft hinaus kommen dürften; sie würden diejenigen sein, die den offenbarsten Nachteil für das ganze Leben davon hätten, weil gerade das Universitätsleben auch als eine Reise in eine fremde Gegend für Charakterbildung sehr wichtig ist.

Was

1) *zunächst* dringend scheint, ist, dünkt mich, daß eine Kommission von Männern ernannt würde, die über die Organisation des Ganzen und der Hauptteile in etlichen Sitzungen deliberierte.

2) *demnächst* scheint mir durchaus notwendig, daß in dem Oberkuratorio zwei Gelehrte Sitz hätten, einer von seiten der Universität, einer von seiten der Akademie der Wissenschaften, um aus eigener praktischer Kenntnis der Sachen Rat erteilen zu können. Auf alle Weise aber müsse vermieden werden, daß nicht Sachen, welche die Universität betreffen, in dem Oberkonsistorio behandelt würden, um der Universität das Prärogativ rein zu erhalten, was ihr durch das Oberkuratorium eines einzelnen Ministers von des jetzigen Königs Majestät feierlich zurückgegeben worden ist.

3) *Außerdem* müßte in zwei Schriften, einer lateinischen und einer deutschen, dem auswärtigen Publikum in *kurzem* so viel Notiz von dem neuen *literarischen Institute* gegeben werden, als etwa *zum nächsten Zwecke diente,* bald nachher dann müßte der erste Katalog folgen, *lange* vor Anfang der ersten Vorlesungen in zwei Exemplaren, einem lateinischen und einem deutschen, und letzterer müßte auch *jedesmal* sofort in einer der Berlinschen Zeitungen abgedruckt werden.

JOHANN GOTTLIEB FICHTE[96]

J. G. Fichte an den Geheimen Kabinettsrat Karl Friedrich von Beyme, Brief vom 29. September 1807

Euer Hochwürden und Hochwohlgeboren den ersten Teil meines Entwurfes vorlegend, bitte ich zu zuvörderst recht sehr um Verzeihung, daß dieses im Brouillon geschieht. Ich habe über diesen Gegenstand durchaus keinen Menschen zum Vertrauten haben wollen, und so konnte ich mich keines Abschreibers bedienen; daß ich aber eigenhändig noch eine reinlichere Kopie machte, würde die Absendung dieses ersten Teils, so wie die Ausfertigung der beiden noch übrigen verzögert haben. Ich bitte aus diesen Gründen um Erlaubnis, auch mit dem noch rückständigen also verfahren zu dürfen; vor allem aber, da Sie ohne Zweifel dort sehr leicht eine Kopie ausfertigen lassen können, um die einstige Zurückstellung meiner Handschrift, indem ich gar keine andere Abschrift habe, ich aber doch diesen Aufsatz, sogar im Falle der befundenen Nichtanwendbarkeit, als ein Monument aufzubewahren wünsche.

Erlauben Sie, daß ich Ihnen hier die Gründe darlege, warum ich wünsche, daß dieser Auftrag an mich und einer Erfüllung desselben für das Publikum ein Geheimnis bleibe. Es sind zwei Fälle. Entweder mein Entwurf wird nicht angenommen, sondern es tritt ein anderes (so) an dessen Stelle; so ist es nicht nötig, daß dieses andere in der Widersetzlichkeit der Menschen gegen alles Neue an meinem Entwurfe einen verkleinernden Nebenbuhler finde, welcher vielleicht sodann gerade denjenigen bedeutend vorkommen würde, die im Falle seiner Annahme ihn verkleinert haben würden. Oder er wird angenommen; so ist alles ihm anhängende Individuelle ihm abzuwischen und er darzustellen als der reine Ausfluß des allgemeinen Willens.

Es folgen noch zwei Abschnitte; der zweite: *wie unter den gegebenen Umständen der im ersten Abschnitt entwickelte Begriff ausgeführt werden könne*. Dieser muß alle die Zweifel und alles das Staunen, die den mit dem literarischen Wesen unseres

Zeitalters Wohlbekannten befallen dürften beim Lesen des ersten Abschnittes, gründlich beseitigen. Der dritte: *Von der Weise und den Mitteln, durch welche die zu errichtende Lehranstalt mit dem übrigen gelehrten und ungelehrten Publikum in Verbindung treten und auf dasselbe einflussen soll.*

Der zweite Abschnitt wird die Personen, auf welche bei der Ausführung des Gedankens zunächst die Aufmerksamkeit sich richtet, erwähnen und jede an ihren Platz zu stellen suchen. Einen einzigen muß ich schon in diesem Schreiben erwähnen, indem der Verzug Gefahr bringen könnte. Es ist dies der Professor *Bernhardi*,[97] Prorektor und zweiter Lehrer an dem Friedrichswerderschen Gymnasium und nach dem neuerlich erfolgten Tode des bisherigen Direktors[98] Interims-Direktor desselben: daß dieser die gesamte Philologie im großen mit philosophischem Einheitsblicke erfaßt, hat er durch gelehrte Werke gezeigt und wird es ferner noch ganz anders zeigen. Jedoch ist dies nicht zunächst die Rücksicht, in welcher ich seiner erwähne. Er ist mir zugleich seit Jahren bekannt als ein geschickter Lehrer und trefflicher Schulmann, der alten Gründlichkeit custos, rigidusque satelles,[99] und über das, was in meinem Aufsatz über die Verbesserung der Schulen gesagt ist, ist er seit langem so mit mir einverstanden, daß kaum auszumitteln sein dürfte, ob er oder ich der eigentliche Urheber dieser Ansicht sei. Über dies alles zeigt er sich mir jetzo, bei der Gelegenheit, da er meinem Knaben Stunden im Griechischen gibt, in seinem liebevollen Gemüte für seine Schüler; also, daß ich fest überzeugt bin, er werde, ohnerachtet wir auch andere gute Philologen hier haben (die aber für die Schule sich zu vornehm halten und sich von den Stunden dispensieren lassen), dennoch bei einer Reformation der Schulen unentbehrlich sein. Doch ist dieser Mann, bei dem Ernste, mit welchem er will, daß seine Kollegen ihre Stunden ordentlich halten und die Eltern ihre Kinder von der Besuchung derselben nicht abhalten, der bekannten friedliebenden Humanität seiner Ephoren nicht gut empfohlen, und es ist zu befürchten, daß ein neuer Direktor (ein gewisser Koch in Stettin) ihm gesetzt werde. Ich wünsche keineswegs, daß er zum Direktor dermalen ernannt werde, sondern daß auch hier wie anderwärts es indessen beim Alten bleibe; nur wünsche ich nicht, daß ihm diese durchaus unverdiente Beleidigung von Menschen, die unfähig sind, seinen Wert zu erkennen, zugefügt werde. Übrigens weiß ich zwar alle die angeführten Umstände durch ihn selbst; er aber weiß nicht, daß ich Ihnen in dieser Sache schreibe, indem ich ebensowenig ihn als irgendeinen anderen Menschen zum Vertrauten mache. Daß ich nicht aus persönlicher Freundschaft, sondern aus Liebe zur Sache, welche allein auch mich zu seinem Freunde gemacht, ihn empfehle, trauen Sie mir ohne Zweifel zu.

Daß übrigens ich, der ich das Glück habe, Sie tiefer zu kennen, mich innig freue, daß des Königs Vertrauen diese Sache in Ihre Hände niedergelegt, brauche ich wohl nicht zu versichern; ich setze nur hinzu, daß auch andere Gelehrte von Bedeutung diese Freude teilen und bei sonstiger Ergebenheit gegen den Mann, dem der größte Teil der übrigen neuen Organisation zufallen dürfte, sie dennoch wünschen, daß er hierin sich nicht mische.

Übrigens ist das hiesige Publikum der Verzweiflung nahe, und es läßt sich nicht absehen, was den bevorstehenden Winter aus uns werden soll, wenn diese Gäste uns nicht verlassen. Ich, in einem einsamen Gartenhause verschlossen und dadurch von der Einquartierung befreit, verwahre mich so gut ich kann, daß kein Ton jener Verzweiflung oder der Insolenz, durch die sie verursacht wird, über meine Schwelle komme, damit ich die Freiheit des Geistes behalte, den Prinzipien einer besseren Ordnung der Dinge nachzudenken.

Verehrungsvoll   Euer Hochwürden und Hochwohlgeboren
gehorsamster
Fichte

Berlin, den 8. Oktober 1807

Euer Hochwürden und Hochwohlgeboren
in der Anlage den Anfang des zweiten Abschnitts übersendend, erkläre ich mich offener über einen in jenem Aufsatze nicht so unumwunden zu behandelnden Gegenstand.

Wolf ist es, der unsere Gedanken neuerlich zuerst in Anregung gebracht zu haben behauptet, und hat derselbe gegen das ganze Publikum und seit meiner Rückkehr ganz vorzüglich gegen mich damit ein Treiben geführt, an welchem man vielleicht die philosophische Ruhe vermissen könnte. Gegen ihn besonders, der etwas zu vermuten scheint und mich beobachtet und beobachten läßt, habe ich dermalen mich zu verbergen.

Sollte auf meine Idee eingegangen werden, so ist, wie ich und andere den Mann kennen, zu befürchten:

1. daß er, der gern herrschen mag, einem Plan, der nicht von ihm ausgegangen ist, nicht sehr geneigt sein wird. Nun wünschte ich z. B. von ganzem Herzen, daß er oder irgend ein anderer einen besseren Plan entwürfe und ausführte, aber so viel aus seinem schon eingeschickten Aufsatze, den er mir mitgeteilt, und aus allem, was über dergleichen Gegenstände er gegen mich geäußert, fehlt es ihm, ein so guter Künstler und philosophischer Kopf er auch in seinem Fache ist, hierzu an allgemeiner philosophischer Bildung.

2. Er scheint überhaupt sich nicht gern zu einer planmäßigen Tätigkeit bequemen zu wollen, sondern es mehr zu lieben, wie ein Freiherr zu treiben, was ihm eben einfällt und *wenn* es ihm einfällt. Und so wird ihm denn wahrscheinlich dieser Plan noch unabhängig davon, daß er nicht von ihm ausgeht, wirklich und in der Tat mißfallen. Es ist darum zu erwarten, daß er sich dagegensetze.

Dagegen bin ich mit *Müllern*[64] schon vorlängst und ganz unabhängig von unserm gegenwärtigen Vorhaben sowohl über diesen Studien-Plan im Ganzen als über die Behandlung seines besonderen Faches vollkommen einverstanden, und es ist zu hoffen, daß wir beide vereinigt dem befürchteten Widerstande imponieren; wogegen ich allein wohl zu schwach sein würde. Ich glaube darum, daß Müller im 1. Anfange unentbehrlich ist. Auch ist er in der Freude, daß diese Sachen Ihnen übertragen worden, mit mir einverstanden. Mit dem innigsten Vertrauen lege ich Ihnen diese meine Ansicht der Sache offen und freimütig hin, ohne Furcht, mir dadurch oder durch die Folgen davon bei Ihnen zu schaden; indem nicht Liebe oder Haß, sondern lediglich mein Wunsch, daß das Gute geschafft werde, mich bewegt, sie demjenigen mitzuteilen, dem die Gewalt dazu verliehen ist, und durchaus keinem andern Menschen in der Welt.

Verehrungsvoll
Fichte

Deduzierter Plan
einer zu Berlin zu errichtenden
höhern Lehranstalt,
die in gehöriger Verbindung mit einer Akademie der
Wissenschaften stehe

Erster Abschnitt
Begriff einer durch die Zeitbedürfnisse geforderten höhern Lehr-anstalt überhaupt

§ 1

Als die Universitäten zuerst entstanden, war das wissen-schaftliche Gebäude der neuern Welt großenteils noch erst zu errichten. *Bücher* gab es überhaupt nicht viel; die weni-gen, die es gab, waren selten und schwer zu erhalten; und wer etwas Neues mitzuteilen hatte, kam zunächst nicht in Versuchung, es auf dem schwierigern Wege der Schriftstel-lerei zu tun. So wurde die *mündliche Fortpflanzung* das allge-mein brauchbarste Mittel zu der Erbauung, der Aufrecht-erhaltung und der Bereicherung des wissenschaftlichen Gebäudes, und die Universitäten wurden der Ersatz der nicht vorhandenen, oder seltenen Bücher.

§ 2

Auch nachdem durch Erfindung der Buchdruckerkunst die Bücher höchst gemein worden und die Ausbreitung des Buchhandels jedwedem es sogar weit leichter gemacht hat, durch Schriften sich mitzuteilen als durch mündliche Lehr-vorträge; nachdem es keinen Zweig der Wissenschaft mehr gibt, über welchen nicht sogar ein Überfluß von Büchern vorhanden sei, hält man dennoch noch immer sich für ver-bunden, durch Universitäten dieses gesamte Buchwesen der Welt *noch einmal zu setzen* und eben dasselbe, was schon *ge-druckt* vor jedermanns Augen liegt, auch noch durch Profes-soren *rezitieren* zu lassen. Da auf diese Weise dasselbe Eine in zwei verschiedenen Formen vorhanden ist, so ermangelt die Trägheit nicht, sowohl den *mündlichen* Unterricht zu ver-säumen, indem sie ja dasselbe irgendeinmal auch aus dem Buche werde lernen können, als den durch *Bücher* zu ver-

nachlässigen, indem sie dasselbige ja auch *hören* könne, wodurch es denn dahin gekommen, daß, wenige Ausnahmen
abgerechnet, gar nichts mehr gelernt worden, als was durch
das Ohngefähr auf einem der beiden Wege an uns hängen
geblieben, sonach überhaupt nichts im ganzen, sondern nur
abgerißne Bruchstücke; zuletzt hat es sich zugetragen, daß
die Wissenschaft, – als etwas nach Belieben immerfort auf
die leichteste Weise an sich zu Bringendes, bei der Menge
der Halbgelehrten, die auf diese Weise entstanden, in tiefe
Verachtung geraten. Nun ist von den genannten zwei Mitteln der Belehrung das eigene Studieren der Bücher sogar
das vorzüglichere, indem das Buch der frei zu richtenden
Aufmerksamkeit standhält und das, wobei diese sich zer-
streute, noch einmal *gelesen*, das aber, was man nicht sogleich versteht, bis zum erfolgten Verständnisse hin und her
überlegt werden, auch die Lektüre nach Belieben fortgesetzt
werden kann, so lange man Kraft fühlt, oder abgebrochen
werden, wo diese uns verläßt; dagegen in der Regel der Professor seine Stunde lang seinen Spruch fortredet, ohne zu
achten, ob irgend jemand ihm folge, ihn abbricht, da wo die
Stunde schlägt, und ihn nicht eher wieder anknüpft, als bis
abermals seine Stunde geschlagen. Es wird durch diese Lage
des Schülers, in der es ihm unmöglich ist, in den Fluß der
Rede seines Lehrers auf irgendeine Weise einzugreifen und
ihn nach seinem Bedürfnisse zum Stehen zu bringen, das lei-
dende Hingeben als Regel eingeführt, der Trieb der eigenen
Tätigkeit vernichtet und so dem Jünglinge sogar die Möglichkeit genommen, des zweiten Mittels der Belehrung, der
Bücher, mit freitätiger Aufmerksamkeit sich zu bedienen.
Und so sind wir denn, um von der Kostspieligkeit dieser Einrichtung für das gemeine und das Privatwesen und von der
dadurch bewirkten Verwilderung der Sitten hier zu schweigen, durch die Beibehaltung des *Notmittels*, nachdem die Not
längst aufgehoben, auch noch für den Gebrauch des *wahren
und bessern Mittels* verdorben worden.

§ 3

Um nicht ungerecht, zugleich auch oberflächlich zu sein,
müssen wir jedoch hinzusetzen, daß die neuern Universitäten *mehr* oder *weniger* außer dieser bloßen *Wiederholung* des
vorhandenen Buchinhalts noch einen anderen edlern Be-

standteil gehabt haben, nämlich das Prinzip der Verbesserung dieses Buchinhalts. Es gab selbsttätige Geister, welche in irgendeinem Fache des Wissens durch den ihnen wohlbekannten Bücherinhalt nicht befriedigt wurden, ohne doch das Befriedigende hierin sogleich bei der Hand zu haben und es in einem neuen und besseren Buche, als die bisherigen waren, niederlegen zu können. Diese teilten ihr Ringen nach dem Vollkommeneren vorläufig mündlich mit, um entweder in dieser Wechselwirkung mit anderen in sich selber bis zu dem beabsichtigten Buche klar zu werden oder, falls auch sie selbst in diesem Streben von geistiger Kraft oder dem Leben verlassen würden, Stellvertreter hinter sich zu lassen, welche das beabsichtigte Buch oder auch, statt desselben und aus diesen Prämissen, ein noch besseres hinstellten. Aber selbst in Absicht dieses Bestandteils läßt sich nicht leugnen, daß er von jeher der bei weitem kleinere auf allen Universitäten gewesen, daß keine Verwaltung ein Mittel in den Händen gehabt, auch nur überhaupt den Besitz eines solchen Bestandteils sich zu garantieren oder auch nur deutlich zu wissen, ob sie ihn habe oder nicht, und daß selbst dieser kleine Bestandteil, wenn er durch gutes Glück irgendwo vorhanden gewesen, selten mit einiger klaren Erkenntnis seines Strebens und der Regeln, nach denen er zu verfahren hätte, gewirkt und gewaltet.

§ 4

Eine solche zunächst überflüssige, sodann in ihren Folgen auch schädliche Wiederholung desselben, was in einer andern Form weit besser da ist, soll nun gar nicht existieren; es müßten daher die Universitäten, wenn sie nichts anderes zu sein vermöchten, sofort abgeschafft und die Lehrbedürftigen an das Studium der vorhandenen Schriften gewiesen werden. Auch könnte es diesen Instituten zu keinem Schutze gereichen, daß sie den soeben berührten edlern Bestandteil für sich anführten, indem in keinem bestimmten Falle (auf keiner gegebenen Universität) dieser edlere Teil Rechenschaft von sich zu geben noch sein Dasein zu beweisen noch die Fortdauer desselben zu garantieren vermag; und sogar, wenn dies nicht so wäre, doch immer der schlechtere Teil, die bloße Wiederholung des Buchwesens, weggeworfen werden müßte. So wie alles, was auf das

Recht der Existenz Anspruch macht, *sein* und *leisten* muß, was *nichts* außer ihm zu sein und zu leisten vermag, zugleich sein Beharren in diesem seinem Wesen und seine unvergängliche Fortdauer verbürgend: so muß dies auch die Universität oder, wie wir vorläufig im antiken Sinne des Wortes sagen wollen, die *Akademie*, oder sie muß vergehen.

§ 5

Was, im Sinne dieser höhern Anforderung an die Subsistenz, die Akademie sein könne, und, falls sie sein soll, sein müsse, geht sogleich hervor, wenn man die Beziehung der Wissenschaft auf das wirkliche Leben betrachtet.

Man studiert ja nicht, um lebenslänglich und stets dem Examen bereit das Erlernte in Worten wieder von sich zu geben, sondern um dasselbe auf die vorkommenden Fälle des Lebens anzuwenden und so es in *Werke* zu verwandeln; es nicht bloß zu wiederholen, sondern etwas anderes daraus und damit zu machen; es ist demnach auch hier letzter Zweck keinesweges das Wissen, sondern vielmehr die Kunst, das Wissen zu gebrauchen. Nun setzt diese Kunst der Anwendung der Wissenschaft im Leben noch andere der Akademie fremde Bestandteile, Kenntnis des Lebens nämlich und Übung der Beurteilungsfähigkeit der Fälle der Anwendung voraus, und es ist demnach von ihr zunächst nicht die Rede. Wohl aber gehört hierher die Frage, auf welche Weise man denn die Wissenschaft selbst so zum freien und auf unendliche Weise zu gestaltenden Eigentume und Werkzeuge erhalte, daß eine fertige Anwendung derselben auf das, freilich auf anderm Wege zu erkennende, Leben möglich werde.

Offenbar geschieht dies nur dadurch, daß man jene Wissenschaft gleich anfangs mit klarem und freiem Bewußtsein erhalte. Man verstehe uns also. Es macht sich vieles von selbst in unserm Geist und legt sich demselben gleichsam an durch einen blinden und uns selber verborgen bleibenden Mechanismus. Was also entstanden, ist nicht mit klarem und freiem Bewußtsein durchdrungen, es ist auch nicht unser sicheres und stets wieder herbeizurufendes Eigentum, sondern es kommt wieder oder verschwindet nach den Gesetzen desselben verborgenen Mechanismus, nach welchem es sich erst in uns anlegte. Was wir hingegen mit dem Bewußtsein, *daß* wir es tätig erlernen, und dem Bewußtsein der *Regeln* dieser erlernenden Tätigkeit auffassen, das wird zufolge dieser eigenen Tätigkeit und dem Bewußtsein ihrer Regeln ein eigentümlicher Bestandteil unsrer Persönlichkeit und unseres, frei und beliebig zu entwickelnden, Lebens.

Die freie Tätigkeit des Auffassens heißt Verstand. Bei dem zuerst erwähnten mechanischen Erlernen wird der Verstand gar nicht angewendet, sondern es waltet allein die blinde Natur. Wenn jene Tätigkeit des Verstandes und die bestimmten Weisen, wie dieselbe verfährt, um etwas aufzufassen, *wiederum zu klarem Bewußtsein erhoben* werden, so wird dadurch entstehen eine besonnene Kunst des Verstandesgebrauchs im Erlernen. Eine kunstmäßige Entwicklung jenes Bewußtseins der Weise des Erlernens – im Erlernen irgendeines Gegebenen – würde somit, unbeschadet des jetzt aufgegebenen Lernens, zunächst nicht auf das Lernen, sondern auf die Bildung des Vermögens zum Lernen ausgehen. Unbeschadet des jetzt aufgegebenen Lernens, habe ich gesagt, vielmehr zu seinem großen Vorteile, denn man weiß gründlich und unvergeßlich nur das, wovon man weiß, wie man dazu gelangt ist. Sodann wird, indem nicht bloß das zuerst Gegebene gelernt, sondern an ihm zugleich die Kunst des Erlernens überhaupt gelernt und geübt wird, die *Fertigkeit* entwickelt, ins Unendliche fort nach Belieben leicht und sicher alles andere zu lernen; und es entstehen *Künstler* im Lernen. Endlich wird dadurch alles Erlernte oder zu Erlernende ein sicheres Eigentum des Menschen, womit er nach Belieben schalten könne, und es ist somit die erste und ausschließende Bedingung des praktischen Kunstgebrauchs der Wissenschaft im Leben herbeigeführt und erfüllet. Eine Anstalt, in welcher mit Besonnenheit und nach Regeln das beschriebene Bewußtsein entwickelt und die dabei beabsichtigte Kunst geübt würde, wäre, was folgende Benennung ausspricht: *eine Schule der Kunst des wissenschaftlichen Verstandesgebrauches.*

Ohnerachtet auf den bisherigen Universitäten von ohngefähr zuweilen geistreiche Männer aufgetreten, die im Geiste des obigen Begriffs in einem besondern Fache des Wissens Schüler gezogen, so hat doch sehr viel gefehlt, daß die Realisierung dieses Begriffs im allgemeinen mit Sicherheit,

Festigkeit und nach unfehlbaren Gesetzen auch nur deutlich gedacht und vorgeschlagen, geschweige denn, daß sie irgendwo ausgeführt worden. Dadurch aber ist die Erhaltung und Steigerung der wissenschaftlichen Bildung im Menschengeschlechte dem guten Glücke und blinden Zufalle preisgegeben gewesen, aus dessen Händen sie unter die Aufsicht des klaren Bewußtseins lediglich durch die Darstellung des erwähnten Begriffes gebracht werden könnte. Und so ist es die Ausführung dieses Begriffes, die in Beziehung auf das wissenschaftliche Wesen in der ewigen Zeit dermalen an der Tagesordnung ist, und die sogar in ihrer Existenz angegriffene Akademie würde wohltun, diese Ausführung zu übernehmen, da das, was sie bis jetzt gewesen, gar nicht länger das Recht hat dazusein.

§ 6

Aber sogar dieses Anspruches alleinigen und ausschließenden Besitz wird etwas anderes der Akademie streitig machen, die niedere Gelehrtenschule nämlich. Diese, vielleicht selbst erst bei dieser Gelegenheit über ihr wahres Wesen klargeworden, wird anführen, daß sie, bis auf die Zeiten der neuern verseichtenden Pädagogik, weit besser und vorzüglicher eine solche Kunstschule des wissenschaftlichen Verstandesgebrauches gewesen denn irgendeine Universität. Somit wird die Akademie zuvörderst mit dieser niedern Gelehrtenschule eine Grenzberichtigung treffen müssen.

Diese Grenzberichtigung wird ohne Zweifel zur Zufriedenheit beider Teile dahin zustande kommen, daß der niedern Schule die Kunstübung des allgemeinen Instruments aller Verständigung, der Sprache, und von dem wissenschaftlichen Gebäude das allgemeine Gerüst und Geripp des vorhandenen Stoffes, ohne Kritik, anheimfalle; dagegen die höhere Gelehrtenschule die Kunst der Kritik, des Sichtens des Wahren vom Falschen, des Nützlichen vom Unnützen und das Unterordnen des minder Wichtigen unter das Wichtige zum ausschließenden Eigentum erhalte; somit die erste: Kunstschule des wissenschaftlichen Verstandesgebrauches, als bloßen Auffassungsvermögens oder Gedächtnisses, die letzte: Kunstschule des Verstandesgebrauches, als Beurteilungsvermögens, würde.

64

Kunstfertigkeit kann nur also gebildet werden, daß der Lehrling nach einem bestimmten Plane des Lehrers unter desselben Augen selber arbeite und die Kunst, in der er Meister werden soll, auf ihren verschiedenen Stufen von ihren ersten Anfängen an bis zur Meisterschaft, ohne Überspringen regelmäßig fortschreitend, ausübe. Bei unserer Aufgabe ist es die Kunst wissenschaftlichen Verstandesgebrauchs, welche geübt werden soll. Der Lehrer gibt nur den Stoff und regt an die Tätigkeit; diesen Stoff bearbeite der Lehrling selbst; der Lehrer muß aber in der Lage bleiben, zusehen zu können, ob und wie der Lehrling diesen Stoff bearbeite, damit er aus dieser Art der Bearbeitung ermesse, auf welcher Stufe der Fertigkeit jener stehe, und auf diese den neuen Stoff, den er geben wird, berechnen könne.

Nicht bloß der Lehrer, sondern auch der Schüler muß fortdauernd sich äußern und mitteilen, so daß ihr gegenseitiges Lehrverhältnis werde eine fortlaufende Unterredung, in welcher jedes Wort des Lehrers sei Beantwortung einer durch das unmittelbar Vorhergegangene aufgeworfenen Frage des Lehrlings und Vorlegung einer neuen Frage des Lehrers an diesen, die er durch seine nächstfolgende Äußerung beantworte; und so der Lehrer seine Rede nicht richte an ein ihm völlig unbekanntes Subjekt, sondern an ein solches, das sich ihm immerfort bis zur völligen Durchschauung enthüllt; daß er wahrnehme dessen unmittelbares Bedürfnis, verweilend, und in andern und wieder andern Formen sich aussprechend, wo der Lehrling ihn nicht gefaßt hat, ohne Verzug zum nächsten Gliede schreitend, wenn dieser ihn gefaßt hat; wodurch denn der wissenschaftliche Unterricht aus der Form einfach fortfließender Rede, die er im Buchwesen auch hat, sich verwandelt in die dialogische Form und eine wahrhafte Akademie, im Sinne der Sokratischen Schule, an welche zu erinnern wir gerade dieses Wortes uns bedienen wollten, errichtet werde.

§ 8

Der Lehrer muß ein ihm immer bekannt bleibendes festes und bestimmtes Subjekt im Auge behalten, sagten wir. Falls nun, wie zu erwarten, dieses Subjekt nicht zugleich auch aus einem Individuum, sondern aus mehreren bestände, so müssen, da das Subjekt des Lehrers eins, und ein bestimmtes sein muß, diese Individuen selber zu einer geistigen Einheit und zu einem bestimmten organischen Lehrlingskörper zusammenschmelzen. Sie müssen darum auch unter sich in fortgesetzter Mitteilung und in einem wissenschaftlichen Wechselleben verbleiben, in welchem jeder allen die Wissenschaft von derjenigen Seite zeige, von welcher er, als Individuum, sie erfaßt, der leichtere Kopf dem schwerfälligeren etwas von seiner Schnelligkeit, und der letzte dem ersten etwas von seiner ruhigen Schwerkraft abtrete.

§ 9

Um unseren Grundbegriff durch weitere Auseinandersetzung noch anschaulicher zu machen: – Der Stoff, welchen der Meister dem Zöglinge seiner Kunst gibt, sind teils seine eigenen Lehrvorträge, teils gedruckte Bücher, deren geordnetes und kunstmäßiges Studium er ihm aufgibt; indem in Absicht des letzteren es ja ein Hauptteil der wissenschaftlichen Kunst ist, durch den Gebrauch von Büchern sich belehren zu können, und es sonach eine Anführung auch zu dieser Kunst geben muß; sodann aber auf einer solchen Akademie der bei weitem größte Teil des wissenschaftlichen Stoffes aus Büchern wird erlernt werden müssen, wie dies an seinem Orte sich finden wird.

Die Weisen aber, wie der Meister seinem Lehrlinge sich enthüllt, sind folgende:

Examina, nicht jedoch im Geiste des Wissens, sondern in dem der Kunst. In diesem letztern Geiste ist jede Frage des Examinators, wodurch das Wiedergeben dessen, was der Lehrling gehört oder gelesen hat, als Antwort begehrt wird, ungeschickt und zweckwidrig. Vielmehr muß die Frage das Erlernte zur Prämisse machen und eine Anwendung dieser Prämisse in irgendeiner Folgerung als Antwort begehren.

Konversatoria, in denen der Lehrling fragt und der Meister zurückfragt über die Frage und so ein expresser Sokratischer Dialog entstehe, innerhalb des unsichtbar immer fortgehenden Dialogs des ganzen akademischen Lebens.

Durch schriftliche Ausarbeitungen zu lösende Aufgaben an den Lehrling, immer im Geiste der Kunst und also, daß nicht das Gelernte wiedergegeben, sondern etwas anderes damit und daraus gemacht werden solle, also, daß erhelle, ob und inwieweit der Lehrling jenes zu seinem Eigentume und zu seinem Werkzeuge für allerlei Gebrauch bekommen habe. Der natürliche Erfinder solcher Aufgaben ist zwar der Meister; es soll aber auch der geübtere Lehrling aufgefordert werden, dergleichen sich auszusinnen und sie für sich oder für andere in Vorschlag zu bringen. – Es wird durch diese schriftlichen Ausarbeitungen zugleich die Kunst des schriftlichen Vortrages eines wissenschaftlichen Stoffes geübt, und es soll darum der Meister in der Beurteilung auch über die Ordnung, die Bestimmtheit und die sinnliche Klarheit der Darstellung sich äußern.*

§ 10
Zuvörderst vom Lehrlinge einer solchen Anstalt

Die äußern Bedingungen, wodurch derselbe teils zustande kommt, teils in seinem Zustande verharrt, sind die folgenden:

1. *Gehörige Vorbereitung auf der niederen Gelehrtenschule für die*

---

* Es dürfte vielleicht nicht überflüssig sein, der Erwähnung solcher Aufgaben noch ausdrücklich die Bemerkung hinzuzufügen, daß nicht bloß in dem apriorischen Teile der Wissenschaft, sondern auch in ganz empirischen Scienzen solche, die Selbsttätigkeit des Auffassens erkundende, Aufgaben möglich seien. In der Philologie, der Theologie usw. ist ja wohl bekannt, daß diese Fächer der eignen Kombinationsgabe und Konjekturalkritik[100] ein fast unermeßliches Feld darbieten, wobei, gesetzt auch die Ausbeute wäre nicht von Bedeutung, dennoch die Selbsttätigkeit des Geistes geübt und dokumentiert wird. Aber auch der Lehrer der Universalgeschichte könnte, meines Erachtens, ein nicht wirklich eingetretenes Ereignis fingieren, mit der Aufgabe an sein Auditorium, zu zeigen, was bei diesem oder diesem von ihnen erlernten Zustande der Welt daraus am wahrscheinlichsten erfolgt sein würde; oder der des römischen Rechts irgendeinen Fall, mit der Aufgabe an sein Auditorium, das aus dem Ganzen der römischen Gesetzgebung hervorgehende und in dasselbe organisch einpassende Gesetz für diesen Fall anzugeben. Es würde aus dem Versuche der Lösung dieser Aufgaben ohne Zweifel klar hervorgehen, zuvörderst, ob seine Zuhörer die Geschichte oder das römische Recht wirklich wüßten, sodann, ob und inwieweit sie diese Scienzen in ihrem Geiste durchdrungen, oder dieselben nur mechanisch auswendig gelernt hätten.

höhere. Welche Leistungen für die Bildung des Kopfs zur Wissenschaft der niederen Schule anzumuten sind, haben wir schon oben (§ 6) ersehen. Dies muß nun, wenn die höhere Schule mit sicherm Schritte einhergehen soll, von der niedern nicht wie bisher, wie gutes Glück und Ohngefähr es geben, sondern nach einem festen Plane und so, daß man immer wisse, was gelungen sei und was nicht, geschehen. Die Verbesserung der höheren Lehranstalten setzt sonach die der niedern notwendig voraus, wiewohl wiederum auch umgekehrt eine gründliche Verbesserung der letzten nur durch die Verbesserung der ersten, und indem auf ihnen die Lehrer der niedern Schule die ihnen jetzt großenteils abgehende Kunst des Lehrens erlernen, möglich wird; daß daher schon hier erhellet, daß wir nicht mit einem Schlage das Vollkommne werden hinstellen können, sondern uns demselben nur allmählich und in mancherlei Vorschritten werden annähern müssen.

Zur Verbreitung höherer Klarheit über unsern Grundbegriff füge ich hier noch folgendes hinzu. Daß der für ein wissenschaftliches Leben bestimmte Jüngling zuvörderst mit dem allgemeinen Sprachschatze der wissenschaftlichen Welt, als dem Werkzeuge, vermittelst dessen allein er so zu verstehen wie sich verständlich zu machen vermag, vertraut werden müsse, ist unmittelbar klar. Diese positive Kenntnis der Sprache aber, so unentbehrlich sie auch ist, erscheint als leichte Zugabe, wenn wir bedenken, daß besonders durch Erlernung der Sprachen einer andern Welt, welche die Merkmale ganz anders zu Wortbegriffen gestaltet, der Jüngling über den Mechanismus, womit die angeborne moderne Sprache, gleichsam als ob es nicht anders sein könnte, ihn fesselt, unvermerkt hinweggehoben und im leichten Spiele zur Freiheit der Begriffebildung angeführt wird; ferner, daß beim Interpretieren der Schriftsteller er an dem leichtesten und schon fertig ihm hingelegten Stoffe lernt, seine Betrachtung willkürlich zu bewegen, dahin und dorthin zu richten für einen ihm bekannten Zweck und nicht eher abzulassen in dieser Arbeit, als bis der Zweck erreicht dastehe. Es wird nun, um dieses Verhältnisses willen der *niedern* Kunst des wissenschaftlichen Verstandesgebrauches zu der *höhern*, notwendig sein, daß die Schule in ihrem Sprachunterrichte also verfahre, daß nicht bloß der erste Zweck der historischen Sprachkenntnis, sondern zugleich auch der letzte der Verstandesbildung an ihr sicher, allgemein und für klare Dokumentation ausreichend erfüllt werden; daß z. B. der Schüler auf jeder Stufe des Unterrichts verstehen lerne, was er verstehen soll, vollkommen und bis zum Ende, und wissen lerne, ob er also verstehen und den Beweis führen lerne; keinesweges aber, wie es bisher so oft geschehen, hierüber vom guten Glücke abhänge und im dunkeln tappe, indem sehr oft sein Lehrer selbst keinen rechten Begriff vom Verstehen überhaupt hat und gar nicht weiß, welche Fragen alle müssen beantwortet werden können, wenn man sagen will, man habe z. B. eine Stelle eines Autors verstanden.

Betreffend das Grundgerüst des vorhandenen wissenschaftlichen Stoffes, als das zweite Stück der nötigen Vorbereitung, die der Schule zukommt, mache ich durch folgende Wendung mich klärer. Man hat wohl, um den Forderungen einer solchen geistigen Kunstbildung, wie sie auch in diesem Aufsatze gemacht werden, auszuweichen, die Anmerkung gemacht: eine solche besonnene Ausbildung der Geistesvermögen sei wohl bei den alten klassischen Völkern möglich gewesen, weil das sehr beschränkte Feld der positiven Kenntnisse, die sie zu erlernen gehabt, ihnen Zeit genug übriggelassen hätte; dagegen die unsrige durch das unermeßliche Gebiet des zu Erlernenden gänzlich aufgezehrt werde und für keine anderen Zwecke uns ein Teil derselben übrigbleibe. Als ob nicht vielmehr gerade darum, weil wir mit ihnen weit mehr zu leisten haben, eine kunstmäßige Ausbildung der Vermögen uns um so nötiger würde und wir nicht um so mehr auf Fertigkeit und Gewandtheit im Lernen bedacht sein müßten, da wir eine so große Aufgabe des Lernens vor uns haben. In der Tat kommt jenes Erschrecken vor der Unermeßlichkeit unsers wissenschaftlichen Stoffes daher, daß man ihn ohne einen ordnenden Geist und ohne eine mit Besonnenheit geübte Gedächtniskunst, deren Hauptmittel jener ordnende Geist ist, erfasset; vielmehr blind sich hineinstürzt in das Chaos und ohne Leitfaden in das Labyrinth, so im Herumirren bei jedem Schritte Zeit verliert, also, daß die wenigen, welche in diesem ungeheuern Ozeane, vom Versinken gerettet, noch oben schwimmen, beim Rückblicke auf ihren Weg erschrekken vor der eigenen Arbeit und dem gehabten Glücke und, die noch immer vorhandenen Lücken in ihrem Wissen entdeckend, glauben, es habe ihnen nichts weiter gemangelt denn Zeit, – da doch die ordnende Kunst, die sie nicht kennen, indem sie keinen Schritt vergebens tut, die Zeit ins Unendliche vervielfältigt und eine kurze Spanne von Menschenleben ausdehnt zu einer Ewigkeit. Wenn schon die erste Schule für den Anfänger nicht länger das fähige Gedächtnis des einen Knaben für einen glücklichen Zufall, das langsamere eines andern für ein unabwendbares Naturunglück halten, sondern lernen wird, das Gedächtnis sowohl überhaupt als in seinen besonderen, für besondere Zweige passenden, Fertigkeiten kunstmäßig zu entwickeln und zu bilden; wenn sie diesem Gedächtnisse erst ein ganz ins kurze und kleine gezogenes, aber lebendiges und klares Bild des Ganzen eines bestimmten wissenschaftlichen Stoffes (z. B. für die Geschichte ein allgemeines Bild der Umwandlungen im Menschengeschlechte durch die Hauptbegebenheiten der herrschenden Völker, neben einem Bilde von der allgemeinen Gestalt der Oberfläche des Erdbodens, als dem Schauplatze jener Umwandlungen) hingeben, und unaustilgbar fest in die innere Anschauung einprägen wird; sodann diese Bilder Tag für Tag wieder hervorrufen lassen, und sie allmählich, aber verhältnismäßig nach allen ihren Teilen, nach einer gewissen Regel der notwendigen Folge der *Gesichtspunkte*, und so, daß kein einzelner zum Schaden der übrigen ungebührlich anwachse, vergrößern wird; so wird jenes Entsetzen vor der Unermeßlichkeit gänzlich verschwinden, und die also gebildeten Köpfe werden leicht und sicher alles, was ihnen vorkommt, auf jene mit ihrer Persönlichkeit verwachsenen Grundbilder jedes an seiner Stelle auftragen, nicht auf ein unbekanntes Weltmeer versprengt, sondern in ihrer väterlichen Wohnung die ihnen wohl bekannten Kammern mit Schätzen ausfüllend, die sie nach jedesmaligem Bedürfnisse wieder da hinwegnehmen können, wo sie dieselben vorher hingestellt.

Somit fällt die Vorbereitung, welche der Lehrling einer höheren Kunstschule auf der niedern erhalten haben muß, die Rechenschaft, die er vor der Aufnahme von seiner Tüchtigkeit zu geben hat, und die Vollkommenheit, bis zu welcher die niedere Schule verbessert werden muß, zu folgenden zwei Stücken zusammen. Zuvörderst muß der Aspirant eine seinen Fähigkeiten angemessene ihm vorgelegte Stelle eines Autors in gegebener Zeit gründlich verstehen lernen und den Beweis führen können, daß er sie recht verstehe, indem sie gar nicht anders verstanden werden könne. Sodann muß er zeigen, daß er ein allgemeines Bild des gesamten wissenschaftlichen Stoffes, erhoben und bereichert bis zu derjenigen Potenz des Gesichtspunktes, an welche die höhere Schule ihren Unterricht anknüpft, in freier Gewalt und zu beliebigem Gebrauche als sein Eigentum besitze.

2. *Aufgehen seines gesamten Lebens in seinem Zwecke, darum Absonderung desselben von aller andern Lebensweise und vollkommne Isolierung.* Der Sohn eines Bürgers, welcher ein bürgerliches Gewerb treibt, besucht vielleicht auch des Tages mehrere Stunden eine gute Bürgerschule, worin mancherlei gelehrt wird, das die gelehrte Schule gleichfalls vorträgt. Dennoch ist die Schule nicht der Sitz seines wahren, eigentlichen Lebens, und er ist nicht daselbst zu Hause, sondern sein wahres Leben ist sein Familienleben und der Beistand, den er seinen Eltern in ihrem Gewerbe leistet; die Schule aber ist Nebensache und bloßes Mittel für den bessern Fortgang des bürgerlichen Gewerbes als den eigentlichen Zweck. Dem Gelehrten aber muß die Wissenschaft nicht Mittel für irgendeinen Zweck, sondern sie muß ihm selbst Zweck werden; er wird einst, als vollendeter Gelehrter, in welcher Weise er auch künftig seine wissenschaftliche Bildung im Leben anwende, in jedem Falle allein in der Idee die Wurzel seines Lebens haben und nur von ihr aus die Wirklichkeit erblicken und nach ihr sie gestalten und fügen, keinesweges aber zugeben, daß die Idee nach der Wirklichkeit sich füge; und er kann nicht zu früh in dieses sein eigentümliches Element sich hineinleben und das widerwärtige Element abstoßen.

Es ist eine bekannte Bemerkung, daß bisher auf Universitäten, die in einer kleinern Stadt errichtet waren, bei einigem Talente der Lehrer, sehr leicht ein allgemeiner wissenschaftlicher Geist und Ton unter den Studierenden sich erzeugt habe, was in größern Städten selten oder niemals also gelungen. Sollten wir davon den Grund angeben, so würden wir sagen, daß es deswegen also erfolge, weil in dem ersten Falle die Studierenden auf den Umgang unter sich selber und den Stoff, den dieser zu gewähren vermag, eingeschränkt werden; dagegen sie im zweiten Falle immerfort verfließen in die allgemeine Masse des Bürgertumes und zerstreut werden über den gesamten Stoff, den dieses liefert, und so das Studieren ihnen niemals zum eigentlichen Leben, außer welchem man ein anderes gar nicht an sich zu bringen vermag, sondern, wo es noch am besten ist, zu einer Berufspflicht wird. Jener bekannte Einwurf gegen große Universitätsstädte, daß in ihnen die Studierenden von einem Hörsaale zum anderen weit zu gehen hätten, möchte sonach nicht der tiefste sein, den man vorbringen könnte, und er möchte sich eher beseitigen lassen, als das höhere Übel der Verfließung des studierenden Teiles des gemeinen Wesens mit der allgemeinen Masse des gewerbtreibenden oder dumpf genießenden Bürgertumes; indem, ganz davon abgesehen, daß bei einem solchen nur als Nebensache getriebenen Studieren wenig oder nichts gelernt wird, auf diese Weise die ganze Welt verbürgern und eine über die Wirklichkeit hinausliegende Ansicht der Wirklichkeit, bei welcher allein die Menschheit Heilung finden kann gegen jedes ihrer Übel, ausgetilgt werden würde in dem Menschengeschlechte; und mehr als jemals würde hierauf Rücksicht zu nehmen sein in einem solchen Zeitalter, welches in dringendem Verdachte einer beinahe allgemeinen Verbürgerung steht.

3. *Sicherung vor jeder Sorge um das Äußere vermittelst einer angemessenen Unterhaltung fürs Gegenwärtige und Garantie einer gehörigen Versorgung in der Zukunft.* Daß das Detail der kleinen Sorgfältigkeiten um die täglichen Bedürfnisse des Lebens zum Studieren nicht paßt, daß Nahrungssorgen den Geist niederdrücken, Nebenarbeiten ums Brot die Tätigkeit zerstreuen und die Wissenschaft als einen Broterwerb hinstellen, Zurücksetzung von Begüterten dürftigkeitshalber, oder die Demut, der man sich unterzieht, um jener Zurücksetzung auszuweichen, den Charakter herabwürdigen: dieses alles ist, wenn auch nicht allenthalben sattsam erwogen, denn doch ziemlich allgemein zugestanden. Aber man kann von demselben Gegenstande auch noch eine tiefere Ansicht nehmen. Es wird nämlich ohnedies gar bald sehr klar die Notwendigkeit sich zeigen, daß im Staate und besonders

bei den höhern Dienern desselben recht fest einwurzle die Denkart, nach welcher man nicht der Gesellschaft dienen will, um leben zu können, sondern leben mag, allein um der Gesellschaft dienen zu können, und in welcher man durch kein Erbarmen mit dem eignen oder irgendeines anderen Lebensgenusse bewegt wird, zu tun, zu raten oder, wo man hindern könnte, zuzulassen, was nicht auch gänzlich ohne diese Rücksicht durch sich selber sich gebührt; aber es kann diese Denkart Wurzel fassen nur in einem durch das Leben in der Wissenschaft veredelten Geiste. Mächtig aber wird dieser Veredlung und dieser Unabhängigkeit von der erwähnten Rücksicht vorgearbeitet werden, wenn die künftigen Gelehrten, aus deren Mitte ja wohl die Staatsämter werden besetzt werden, von früher Jugend an gewöhnt werden, die Bedürfnisse des Lebens nicht als Beweggrund irgendeiner Tätigkeit, sondern als etwas, das für sich selbst seinen eigenen Weg geht, anzusehen, indem es ihnen, sogar ohne Rücksicht auf ihren gegenwärtigen zweckmäßigen Fleiß, der aus der Liebe zur Sache hervorgehen soll, zugesichert ist.

§ 11

Wie muß der Lehrer an einer solchen Anstalt beschaffen sein und ausgestattet?

Zuvörderst, wie sich von selbst versteht, indem keiner lehren kann, was er selbst nicht weiß, muß er sich im Besitze der Wissenschaft befinden, und zwar auf die oben angegebene Weise, als freier Künstler, so daß er sie zu jedem gegebenen Zwecke anzuwenden und in jede mögliche Gestalt sie hinüberzubilden vermöge. Aber auch diese Kunstfertigkeit muß ihn nicht etwa mechanisch leiten und bloß als natürliches Talent und Gabe ihm beiwohnen, sondern er muß auch sie wiederum mit klarem Bewußtsein durchdrungen haben, bis zur Erkenntnis im allgemeinen sowohl als in den besondern individuellen Bestimmungen, die sie bei einzelnen annimmt, indem er ja jeden Schüler dieser Kunst beobachten, beurteilen und leiten können soll.

Aber sogar dieses klare Bewußtsein und dieses Auffassen der wissenschaftlichen Kunst, als eines organischen Ganzen, reicht ihm noch nicht hin, denn auch dieses könnte, wie alles bloße Wissen, tot sein, höchstens bis zur historischen Niederlegung in einem Buche ausgebildet. Er bedarf noch überdies, für die wirkliche Ausübung der Fertigkeit, jeden Augenblick diejenige Regel, die hier Anwendung findet, hervorzurufen und der Kunst, das Mittel ihrer Anwendung auf der Stelle zu finden. Zu diesem hohen Grade der Klarheit und Freiheit muß die wissenschaftliche Kunst sich in ihm gesteigert haben. Sein Wesen ist die Kunst, den wissenschaftlichen Künstler selber zu bilden, welche Kunst auf ihrer ersten Stufe voraussetzt, für deren Möglichkeit wiederum der eigene Besitz dieser Kunst auf der ersten Stufe vorausgesetzt wird; in dieser Vereinigung und Folge sonach besteht das Wesen seines Lehrers an einer Kunstschule des wissenschaftlichen Verstandesgebrauchs.

Das Prinzip, durch welches die wissenschaftliche Kunst zu dieser Höhe sich steigert, ist die Liebe zur Kunst.

Dieselbe Liebe ist es auch, die die wirklich entstandene Kunst der Künstlerbildung immerfort von neuem beleben, und in jedem besonderen Falle sie anregen und sie auf das Rechte leiten muß. Sie ist, wie alle Liebe, göttlichen Ursprungs und genialischer Natur, und erzeugt sich frei aus sich selber; für sie ist die übrige wissenschaftliche Kunstbildung ein sicher zu berechnendes Produkt, sie selbst aber, die Kunst dieser Kunstbildung, läßt sich nicht jedermann anmuten, noch läßt sie selbst da, wo sie war, sich erhalten, falls ihr freier Geniusflügel sich hinwegwendet.

Diese Liebe jedoch pflanzt auf eine unsichtbare Weise sich fort und regt unbegreiflich den Umkreis an. Nichts gewährt höheres Vergnügen, als das Gefühl der Freiheit und zweckmäßigen Regsamkeit des Geistes und des Wachstums dieser Freiheit, und so entsteht das liebevollste und freudenvollste Leben des Lehrlings in diesen Übungen und in dem Stoffe derselben.

Diese Liebe für die Kunst ist in Beziehung auf andere *achtend* und richtet, vom Lehrer, als dem eigentlichen Fokus, ausgegangen, mit dieser Achtung aus dem Individuum heraus sich auf die andern, welche gemeinschaftlich mit ihm diese Kunst treiben, und zieht jeden hin zu allen übrigen, wodurch die § 8 geforderte wechselseitige Mitteilung aller und die Verschmelzung der einzelnen zu einem lernenden organischen Ganzen, wie es gerade nur aus diesen lernenden Individuen sich bilden kann, entstehet, deren Möglichkeit noch zu erklären war.

(Ein geistiges Zusammenleben, das *zunächst* der schnellern, fruchtbarern, und in den Formen sehr vielseitigen Geistesentwicklung, *später* im bürgerlichen Leben der Entstehung eines Korps von Geschäftsleuten dient, in welchem nicht, wie bisher, der eigentliche Gelehrte, der dem Geschäftsmanne für einen Quer- und verrückenden Kopf gilt, diesem meist mit Recht den stumpfen Kopf und den empirischen Stümper zurückgibt, – sondern die einander frühzeitig durchaus kennen und achten gelernt haben und die von einer allen gleichbekannten und unter ihnen gar nicht streitigen Basis in allen ihren Beratungen ausgehen.)

§ 12

Diese Kunst der wissenschaftlichen Künstlerbildung, falls sie etwa in irgendeinem Zeitalter zum deutlichen Bewußtsein hervorbrechen und zu irgendeinem Grade der Ausübung gedeihen sollte, muß, in Absicht ihrer Fortdauer und ihres Erwachsens zu höherer Vollkommenheit, keineswegs dem blinden Ohngefähr überlassen werden; sondern es muß, und dieses am schicklichsten an der schon bestehenden Kunstschule selbst, eine feste Einrichtung getroffen werden, dieselbe mit Besonnenheit und nach einer festen Regel zu erhalten und zu höherer Vollkommenheit zu bilden; wodurch diese Kunstschule, so wie jedes mit wahrhaftem Leben existierende Wesen soll, ihre ewige Fortdauer verbürgen würde.

Sie ist, wie oben gesagt, selbst der höchste Grad der wissenschaftlichen Kunst, erfordernd die höchste Liebe und die höchste Fertigkeit und Geistesgewandtheit. Es ist drum klar, daß sie nicht allen angemutet werden könne, wie man denn auch nur weniger, die sie ausüben, bedarf; aber sie muß allen angeboten und mit ihnen der Versuch gemacht werden, damit man sicher sei, daß nirgends dieses seltne Talent, aus Mangel an Kunde seiner, ungebraucht verloren gehe.

Für diesen Zweck wäre demnach der Lehrling, doch ohne Überspringen und nach erlangter hinlänglicher Gewandtheit in den niedern Graden der Kunst, zur Ausübung aller der oben erwähnten Geschäfte des Lehrers anzuhalten, unter Aufsicht und mit der Beurteilung des eigentlichen Lehrers, so wie der andern in demselben Grade befindlichen

Lehrlinge. So denselben Weg zurücklegend unter der Leitung des schon geübten Lehrers und vertraut gemacht mit dessen Kunstgriffen, welchen Weg der Lehrer selbst, von keinem geholfen und im dunkeln tappend, gehen mußte, wird dieser Lehrling es ohne Zweifel noch viel weiter bringen in geübter und klarer Kunst denn sein Lehrer, und einst selber, nach demselben Gesetze, eine noch geübtere und klarere Generation hinterlassen.

(Es geht hieraus hervor, daß eine solche Pflanzschule wissenschaftlicher Künstler überhaupt, nach den verschiedenen Graden dieser Kunst, auf ihrer höchsten Spitze ein Professor-Seminarium sein würde und also genannt werden könnte. Man hat homelitische[101] Übungen gehabt, um zur Kunst des Vortrages für das Volk, man hat Schullehrer-Seminaria gehabt, um den Vortrag für die niedere Schule zu bilden; an eine besondere Übung oder Prüfung in der Kunst des akademischen Vortrages aber hat unseres Wissens niemand gedacht, gleich als ob es sich von selbst verstände, daß man, was man nur wisse, auch werde sagen können; zum schlagenden Beweise, daß man mit deutlichem Bewußtsein, so weit dieses in dieser Region gedrungen, mit der Universität durchaus nichts mehr beabsichtiget, als dem gedruckten Buchwesen noch ein zweites redendes Buchwesen an die Seite zu setzen: wodurch unsere Rede wieder in ihren Ausgangspunkt hineinfällt, zum Beweise, daß sie ihren Kreis durchlaufen hat.

§ 13
Korollarium[102]

Der bis hierher entwickelte Begriff, selbst angesehen in einem wissenschaftlichen Ganzen, gibt der Kunst der Menschenbildung, oder der Pädagogik, den Gipfel, dessen sie bisher ermangelte. Ein anderer Mann[103] hat in unserm Zeitalter die ebenfalls vorher ermangelnde Wurzel derselben Pädagogik gefunden. Jener Gipfel macht möglich die höchste und letzte Schule der wissenschaftlichen Kunst; diese Wurzel macht möglich die erste und allgemeine Schule des Volks, das letzte Wort nicht für Pöbel genommen, sondern für die Nation. Der mittlere Stamm der Pädagogik ist die niedere Gelehrtenschule.

Aber der Gipfel ruht fest nur auf dem Stamme, und dieser

zieht seinen Lebenssaft nur aus der Wurzel; alle insgesamt haben nur an, in und durch einander Leben und versicherte Dauer. Eben so verhält es sich auch mit der höhern und der niedern Gelehrtenschule und mit der Volksschule. Wir unseres Orts, die wir die erstere beabsichtigen, gehen, so gut wir es unter diesen Umständen vermögen, aus unserm besondern und abgeschnittenen Mittelpunkte aus unsern Weg fort, nur auf die niedere Gelehrtenschule, mit der wir allernächst zusammenhängen und ohne deren Beihilfe wir nicht füglich auch nur einen Anfang machen können, die nötige Rücksicht nehmend. Eben so geht ihres Orts und unserer, die wir nur selbst erst unser eigenes Dasein suchen, unserer Hilfe und unseres leitenden Lichtes entbehrend, die allgemeine Pädagogik ihren Weg fort, so gut auch sie es vermag. Aber arbeiten wir nur redlich fort, jeder an seinem Ende; wir werden mit der Zeit zusammenkommen und insgesamt ineinander eingreifen, denn jedweder Teil, der nur in sich selber etwas Rechtes ist, ist Teil zu einem größeren ewigen Ganzen, das in der Erscheinung nur aus der Zusammenfügung der einzelnen Teile zusammentritt. Da aber, wo wir zusammenkommen werden, wird der armen, jetzt in ihrer ganzen Hilflosigkeit dastehenden Menschheit Hilfe und Rettung bereit sein; denn diese Rettung hängt lediglich davon ab, daß die Menschenbildung im großen und ganzen aus den Händen des blinden Ohngefähr unter das leuchtende Auge einer besonnenen Kunst komme.*

* Da man oft unerwartet auf Verkennung dieses höchsten Grundsatzes alles unsers Lebens und Treibens stößt, so ist es vielleicht nicht überflüssig, hierüber noch einige Worte hinzuzufügen.
Ein blindes Geschick hat die menschlichen Angelegenheiten erträglich und, obgleich langsam, dennoch zu einiger Verbesserung des ganzen Zustandes geleitet, solange in die Dunkelheit das gute und böse Prinzip in der Menschheit gemeinschaftlich und miteinander verwachsen eingehüllt war. Diese Lage der Dinge hat sich verändert, durch diese Veränderung ist eben ein durchaus neues Zeitalter, gegen dessen Anerkenntnis man sich noch so häufig sträubt, und es sind durchaus neue Aufgaben an die Zeit entstanden. Das böse Prinzip hat nämlich aus jener Mischung sich entbunden zum Lichte; es ist sich selbst vollkommen klargeworden und schreitet frei und besonnen und ohne alle Scheu und Scham vorwärts. Klarheit siegt allemal über die Dunkelheit; und so wird denn

Diese Einsicht und das Bewußtsein, daß uns ein großer Moment gegeben ist, der, ungenutzt verstrichen, nicht leicht wiederkehrt, bringe heiligen Ernst und Andacht in unsere Beratungen.

das böse Prinzip ohne Zweifel Sieger bleiben so lange, bis auch das Gute sich zur Klarheit und besonnenen Kunst erhebt.

In allen menschlichen Verhältnissen, besonders aber in der Menschenbildung, ist das Alte und Hergebrachte das Dunkle; eine Region, die mit dem klaren Begriffe zu durchdringen und mit besonnener Kunst zu bearbeiten man Verzicht leistet und aus welcher herab man den Segen Gottes ohne sein eignes Zutun erwartet. Setzt man in diesem Glaubenssysteme jenem göttlichen Segen etwa noch eine menschliche Direktion und Oberaufsicht an die Seite, so ist das eine bloße Inkonsequenz. Das Alte ist ja jedermänniglich bekannt, diesem soll gefolgt werden, es gibt drum keine Pläne auszudenken; der Erfolg kommt von oben herab, und keine menschliche Klugheit kann hier etwas ausrichten; es gibt drum auch nichts zu leiten, und die Oberaufsicht ist ein völlig überflüssiges Glied. Nur in dem Falle, daß Behauptungen, wie die unsrige, von freier und besonnener Kunst sich vernehmen ließen und einen Einfluß begehrten, erhielte sie eine Bestimmung, die, der Neuerung sich kräftig zu widersetzen und festzuhalten über dem alten hergebrachten Dunkel.

Es ist nicht zu hören, wenn die Sicherheit dieses alten und ausgetretenen Weges gepriesen, dagegen das Unsichere und Gewagte aller Neuerungen gefürchtet wird. Bleibt man beim Alten, denn es kann, nachdem die Welt einmal ist, wie sie ist, aus dem Dunkeln nichts anderes mehr hervorgehen denn Böses. Hofft man etwa, dabei das zu gewinnen, daß man sich sagen könne, man habe das Böse wenigstens nicht durch sein tätiges Handeln herbeigeführt, es sei eben von selbst gekommen, und man würde nichts dagegen gehabt haben, wenn statt dessen das Gute gekommen wäre? Man muß leicht zu trösten sein, wenn man damit sich beruhiget. Und warum sollte es denn ein so großes Wagstück sein, nach einem klaren und festen Begriffe einherzugehen? Wagen wird man allein in den beiden Fällen, wenn man entweder seines Begriffes nicht Meister ist oder nicht schon im voraus entschlossen, sein Alles an die Ausführung desselben zu setzen. Aber nichts nötigt uns, uns in einem dieser beiden Fälle zu befinden.

Am wenigsten würden wir den Grundbegriff von einer Universität gelten lassen, daß dieselbe sei keineswegs eine Erziehungsanstalt, deren unfehlbaren Erfolg man soviel möglich sichern müsse, sondern eine im Grunde überflüssige und nur als freie Gabe zu betrachtende Bildungsanstalt, die jeder, der in der Lage sei, mit Frei-

Zweiter Abschnitt
Wie unter den gegebenen Bedingungen der Zeit und des Orts der
aufgegebne Begriff realisiert werden könne

§ 14

Soll unsere Lehranstalt keineswegs etwa eine in sich selbst
abgeschlossene Welt bilden, sondern soll sie eingreifen in
die wirklich vorhandene Welt und soll sie insbesondere das
gelehrte Erziehungswesen dieser Welt umbilden, so muß
sie sich anschließen an dasselbe, so wie es ist und sie dasselbe vorfindet. Dieses muß ihr erster Standpunkt sein; dies
der von ihr anzueignende und durch sie zu organisierende
Stoff; sie aber das geistige Ferment dieses Stoffes. Sie muß
sich erzeugen und sich fortbilden innerhalb einer gewöhnlichen Universität, weil wir dies nicht vermeiden können, solange, bis die letztere, in die erste aufgehend, gänzlich ver-

heit gebrauchen könne, wie er eben wolle. Gibt es solche
Anstalten, als da etwa wäre das Werkmeistersche Museum u. dgl.,
so können dieselben nur sein für weise Männer und gemachte Bürger, die in Absicht einer persönlichen Bestimmung und eines
festen Berufes mit dem Staate sich schon abgefunden haben, keineswegs für Jünglinge, die einen Beruf noch suchen. Auch hat bisher der Staat, – und dies ist auch ein Altes und Wohlhergebrachtes,
bei welchem es ohne Zweifel sein Bewenden wird haben müssen,
– es hat der Staat allerdings auf die Universitäten gerechnet, als
eine notwendige und bisher durch nichts anderes ersetzte Erziehungsanstalt eines Standes, an dem ihm viel gelegen ist; und es
wäre zu erwarten, was erfolgen würde, wenn nur drei Jahre hintereinander es der Freiheit aller Studierenden gefiele, die Universität
nicht auf die rechte Weise zu benutzen. Oder soll man voraussetzen, daß es mitten in unsern gebildeten Staaten noch einen Haufen
von Menschen gebe, deren angeborenes Privilegium dies ist, daß
kein Mensch Anspruch auf ihre Kräfte und die Bildung derselben
habe, und denen es freistehen muß, ob sie zu etwas oder zu nichts
taugen wollen, weil sie außerdem zu leben haben? Soll für diese
vielleicht jene freie und auf gar nichts rechnende Bildungsanstalt
angelegt werden, damit sie, wenn sie wollen, hier die Mittel erwerben, ihr einstiges müßiges Leben mit weniger Langeweile hinzubringen? Alles zugegeben, möchten wenigstens diese Klassen
selbst für die Befriedigung dieses ihres Bedürfnisses sorgen; aber
dem Staate ließen die Kosten einer solchen Anstalt sich keineswegs
aufbürden.

schwinde: keinesweges aber müssen wir von dem Gedanken ausgehen, daß wir eine ganz gewöhnliche Universität und nichts weiter bilden wollen.

§ 15

Diese notwendige Stetigkeit des Fortgangs in der Zeit sogar abgerechnet, vermögen wir in dieses Vorhabens Ausführung um so weniger anders denn also zu verfahren, da die freie *Kunst der besonderen Wissenschaft sowohl überhaupt als in ihren einzelnen Fächern* dermalen noch gar nicht also vorhanden ist, daß sie sicher und nach einer Regel aufbehalten und fortgepflanzt werden könnte; sondern diese freie Kunst der *besondern* Wissenschaft erst selber in der schon vorhandenen Kunstschule zum deutlichen Bewußtsein und zu geübter Fertigkeit erhoben werden und so die Kunstschule einem ihrer wesentlichen Teile nach sich selber erst erschaffen muß. So nun nicht wenigstens der Ausgangspunkt dieser Kunst in der Wissenschaft überhaupt, und unabhängig von dem Vorhandensein der Schule, irgendwo und irgendwann zu existieren vermöchte, so würde es niemals zu einer solchen Kunstschule, ja sogar nicht zu dem Gedanken und der Aufgabe derselben kommen.

§ 16

Mit diesem Ausgangspunkte der wissenschaftlichen Kunst verhält es sich nun also. Kunst wird (§ 4) dadurch erzeugt, daß man deutlich versteht, *was* man und *wie* man es macht. Die besondere Wissenschaft aber ist in allen ihren einzelnen Fächern ein besonderes Machen und Verfahren mit dem Geistesvermögen; und man hat dies von jeher anerkannt, wenn man z. B. vom historischen Genie, Takt und Sinne, oder von Beobachtungsgabe und dergl. als von besondern, ihren eigentümlichen Charakter tragenden Talenten gesprochen. Nun ist ein solches Talent allemal Naturgabe, und, da es ein besonderes Talent ist, so ist der Besitzer desselben eine besondere und auf diesen Standpunkt beschränkte Natur, die nicht wiederum über diesen Punkt sich erheben, ihn frei anschauen, ihn mit dem Begriffe durchdringen und so aus der bloßen Naturgabe eine freie Kunst machen könnte. Und so würde denn die besondere Wissenschaft entweder gar nicht getrieben werden

können, weil es an Talent fehlte, oder, wo sie getrieben würde, könnte es, eben weil dazu Talent, das eben nur Talent sei, gehört, niemals zu einer besonnenen Kunst derselben kommen. So ist es denn auch wirklich. Der Geist jeder besondern Wissenschaft ist ein beschränkter und beschränkender Geist, der zwar in sich selber lebt und treibet und köstliche Früchte gewährt, der aber weder sich selbst noch andere Geister außer ihm zu verstehen vermag. Sollte es nun doch zu einer solchen Kunst in der besondern Wissenschaft kommen, so müßte dieselbe, unabhängig von ihrer Ausübung und noch ehe sie getrieben würde, verstanden, d. i. die Art und Weise der geistigen Tätigkeit, deren es dazu bedarf, erkannt werden, und so der allgemeine *Begriff* ihrer Kunst der *Ausübung* dieser Kunst selbst vorhergehen können. Nun ist dasjenige, was die *gesamte* geistige Tätigkeit, mithin auch alle besonderen und weiter bestimmten Äußerungen derselben wissenschaftlich erfaßt, die Philosophie: von philosophischer Kunstbildung aus müßte sonach den besondern Wissenschaften ihre Kunst gegeben und das, was in ihnen bisher bloße vom guten Glücke abhängende Naturgabe war, zu besonnenem Können und Treiben erhoben werden; der Geist der Philosophie wäre derjenige, welcher zuerst sich selbst und sodann in sich selber alle andern Geister verstände; der Künstler in einer besondern Wissenschaft müßte vor allen Dingen ein philosophischer Künstler werden, und seine besondere Kunst wäre lediglich eine weitere Bestimmung und einzelne Anwendung seiner allgemeinen philosophischen Kunst.
(Dies dunkel fühlend hat man, wenigstens bis auf die letzten durch und durch verworrenen und seichten Zeiten, geglaubt, daß alle höhere wissenschaftliche Bildung von der Philosophie ausgehen und daß auf Universitäten die philosophischen Vorlesungen von allen und zuerst gehört werden müßten. Ferner hat man in den besondern Wissenschaften z. B. von philosophischen Juristen oder Geschichtsforschern oder Ärzten gesprochen, und man wird finden, daß von denen, welche sich selber verstanden, immer diejenigen mit dieser Benennung bezeichnet wurden, die mit der größten Fertigkeit und Gewandtheit ihre Wissenschaft vielseitig anzuwenden wußten, sonach die *Künstler* in der Wissenschaft. Denn diejenigen, welche a priori

phantasierten, wo es galt Fakta beizubringen, sind ebenso wie diejenigen, die sich auf die wirkliche Beschaffenheit der Dinge beriefen, wo das apriorische Ideal dargestellt werden sollte, von den Verständigen mit der gebührenden Verachtung angesehen worden.)

§ 17

Die erste und ausschließende Bedingung der Möglichkeit, eine wissenschaftliche Kunstschule zu errichten, würde demnach diese sein, daß man einen Lehrer fände, der da fähig wäre, das Philosophieren selber als eine Kunst zu treiben, und der es verstände, eine Anzahl seiner Schüler zu einer bedeutenden Fertigkeit in dieser Kunst zu erheben, mit welcher nun einige dieser wiederum den ihnen anderwärts herzugebenden positiven Stoff der besondern Wissenschaften durchdrängen, und sich auch in diesen zu Künstlern bildeten; von welchen letztern wiederum diejenigen, die es zu dem Grade der Klarheit dieser Kunst gebracht hätten, daß sie selbst Künstler zu bilden vermöchten, ihre Kunst fortpflanzten. Nachdem dieses letztere über das ganze Gebiet der Wissenschaften möglich geworden, in einer solchen Ausdehnung, daß man auf die sichere Fortpflanzung der gesamten wissenschaftlichen Kunst bis ans Ende der Tage rechnen könnte, alsdann stände die beabsichtigte wissenschaftliche Kunstschule da und wäre errichtet.

§ 18

Dieser philosophische Künstler muß, beim Beginnen der Anstalt, ein einziger sein, außer welchem durchaus kein anderer auf die Entwicklung des Lehrlings zum Philosophieren Einfluß habe. Wer dagegen einwenden wollte, daß es, um die Jünglinge vor Einseitigkeit und blindem Glauben an einen Lehrer zu verwahren, auf einer höhern Lehranstalt vielmehr eine Mannigfaltigkeit der Ansichten und Systeme und eben darum der Lehrer geben müsse, würde dadurch verraten, daß er weder von der Philosophie überhaupt noch vom Philosophieren, als einer Kunst, einen Begriff habe. Denn obwohl, falls es Gewißheit gibt und dieselbe dem Menschen erreichbar ist, (wer über diesen Punkt sich noch in Zweifel befände, der wäre nicht ausgestattet, um mit uns über die Einrichtung eines *wissenschaftlichen* Instituts zu beratschlagen), der Lehrer, den wir suchen, selber in sich seiner Sache gewiß sein und ein System haben muß, indem im entgegengesetzten Falle er mit seinem Philosophieren nicht zu Ende gekommen wäre, mithin die ganze Kunst des Philosophierens nicht einmal selber ausgeübt hätte und so durchaus unfähig wäre, dieselbe in ihrem ganzen Umfange mit Bewußtsein zu durchdringen und sie andern mitzuteilen und wir uns daher in der Wahl der Personen vergriffen hätten – obwohl, sage ich, dies also ist, so wird er dennoch in seinem Bestreben, selbsttätige, die Gewißheit in sich selbst erzeugende und das System selbst erfindende Künstler zu bilden, nicht von seinem Systeme noch überhaupt von irgendeiner positiven Behauptung *ausgehen*; sondern nur ihr systematisches Denken anregen, freilich in der sehr natürlichen Voraussetzung, daß sie am Ende desselben bei demselben Resultate ankommen werden, bei dem auch er angekommen, und daß, wenn sie bei einem andern ankommen, irgendwo in der Ausübung der Kunst ein Fehler begangen worden. Wäre irgendein anderer neben ihm, der ihm widerspräche, so müßte dieser etwas *behaupten*; ließe er sich verleiten, dem Widerspruche zu widersprechen, so müßte nun auch er behaupten, und es entstände Polemik. Wo aber Polemik ist, da ist Thesis, und wo Thesis ist, da wird nicht mehr tätig philosophiert, sondern es wird nur das Resultat des, so Gott will, vorher ausgeübten tätigen Philosophierens historisch erzählt; somit hebt die Polemik das Wesen einer philosophischen Kunstschule gänzlich auf, und es ist ihr darum aller Eingang in diese abzuschneiden. –

(Dieselbe Unbekanntschaft mit dem Wesen der Philosophie würde verraten eine andere Bemerkung, die folgende: es müsse auf einer solchen Anstalt die Vollständigkeit der sogenannten philosophischen Wissenschaften beabsichtiget werden, und dies, da sie einem einzigen nicht wohl anzumuten sei, werde eine Mehrheit der Lehrer der Philosophie verlangen. Denn wenn nur wirklich der philosophische Geist und die Kunst des Philosophierens entwickelt ist, so wird ganz von selbst diese sich über die gesamte Sphäre des Philosophierens ausbreiten und diese in Besitz nehmen; sollte aber für andere, an welchen das Streben, sie in diese Kunst einzuweihen, mißlingt, die wir aber dennoch, aus

Mangel besserer Subjekte, in den bürgerlichen Geschäften anstellen und brauchen müßten, irgendein historisch zu erlernender *philosophischer Katechismus*, als Rechtslehre, Moral u. dergl. nötig sein, so wird ja wohl dieser in gedruckten Büchern irgendwo vorliegen, an deren eigenes Studium auch hier, so wie in den andern Fächern, dergleichen Subjekte vom Lehrer der Philosophie hingewiesen, und erforderlichen Falles darüber examiniert würden.)

§ 19

Mit diesem also entwickelten philosophischen Geiste, als der reinen Form des Wissens, *müßte nun der gesamte wissenschaftliche Stoff, in seiner organischen Einheit,* auf der höheren Lehranstalt aufgefaßt und durchdrungen werden, also, daß man genau wüßte, was zu ihm gehöre oder nicht, und so die strenge Grenze zwischen Wissenschaft und Nichtwissenschaft gezogen würde; daß man ferner das organische Eingreifen der Teile dieses Stoffs ineinander und das gegenseitige Verhältnis derselben unter sich allseitig verstände, damit man daraus ermessen könnte, ob dieser Stoff am Lehrinstitute vollständig bearbeitet werde oder nicht; in welcher *Folge* oder *Gleichzeitigkeit* am vorteilhaftesten diese einzelnen Teile zu bearbeiten seien; bis zu welcher Potenz die *niedere* Schule denselben zu erheben und wo eigentlich die höhere einzugreifen habe; ferner, bis zu welcher Potenz auch auf der letzern *alle,* die auf den Titel eines wissenschaftlichen Künstlers Anspruch machen wollten, ihn auszubilden hätten, und wie viel dagegen der *besondern* Ausbildung für ein *bestimmtes praktisches* Fach anheimfiele und vorbehalten bleiben müsse. Dies gäbe eine philosophische Enzyklopädie der gesamten Wissenschaft als stehendes Regulativ für die Bearbeitung aller besondern Wissenschaften.

(Wenn auch allenfalls die Philosophie schon jetzt fähig sein sollte, zu einer solchen enzyklopädischen Ansicht der gesamten Wissenschaft in ihrer organischen Einheit einige Auskunft zu geben, so ist doch die übrige wissenschaftliche Welt viel zu abgeneigt, der Philosophie die Gesetzgebung, die sie dadurch in Anspruch nähme, zuzugestehen oder dieselbe in dergleichen Äußerungen auch nur notdürftig zu begreifen, als daß sich hiervon einiger Erfolg sollte erwarten lassen. Auch müßten, da es hier nicht um theoretische Behauptung einiger Sätze, sondern um Einführung einer Kunst zu tun ist, erst eine beträchtliche Anzahl von Männern gebildet werden, die da fähig wären, eine solche Enzyklopädie nicht bloß zu verstehen und wahr zu finden, sondern auch nach den Regeln derselben die besondern Fächer der Wissenschaft wirklich zu bearbeiten; daß es daher am schicklichsten sein wird, hierüber sich vorläufig gar nicht auszusprechen, sondern jene Enzyklopädie durch das wechselseitige Eingreifen der Philosophie und der philosophisch kunstmäßigen Bearbeitung der nun eben vorhandenen besondern Fächer der Wissenschaft allmählich von selber erwachsen zu lassen; daß mithin in Absicht dieses ihr sehr wesentlichen Bestandteils die Kunstschule sich selbst innerhalb ihrer selbst erschaffen müßte.)

§ 20

Beim Anfange und solange, bis es dahin gekommen, müssen wir uns begnügen, die vorliegenden Fächer ohne organischen Einheitspunkt bloß historisch aufzufassen, nur dasjenige, wovon wir schon bei dem gegenwärtigen Grade der allgemeinen philosophischen Bildung dartun können, daß es dem wissenschaftlichen Verstandesgebrauche entweder geradezu widerspreche oder nicht zu demselben gehöre, von uns ausscheidend, das übrige aufnehmend und es in seiner Würde und an seinem Platze bis zu besserer allgemeiner Verständigung stehen lassend; ferner in diesen Fächern die am meisten *philosophischen*, d. i. die mit der größten Freiheit, Kunstmäßigkeit und Selbständigkeit in denselben verfahrenden unter den Zeitgenossen, zu Lehrern uns anzueignen; endlich, diese zu der am meisten philosophischen, d. i. zu der, Selbsttätigkeit und Klarheit am sichersten entwickelnden, Mitteilung ihres Faches anzuhalten und sie darauf zu verpflichten.

§ 21

Über den ersten Punkt, betreffend die Ausscheidung, werden wir demnächst beim Durchgehen der vorhandenen wissenschaftlichen Fächer uns erklären. Über den zweiten merke ich hier im allgemeinen nur das an, daß wir den Vorteil haben, in einigen der Hauptfächer diejenigen, welche als die freisten und selbsttätigsten allgemein anerkannt sind, schon jetzo die unsrigen zu nennen, und daß, falls nur nicht etwa einige für die Herablassung und für das Wechselleben mit ihren Schülern, das dieser Plan ihnen anmutet, sich zu vornehm dünken, wir hoffen dürfen, sie für unsern Zweck zu gewinnen, und daß in andern Fächern, in denen wir nicht mit derselben Zuversichtlichkeit dasselbe rühmen können, der Unterschied zwischen den Zeitgenossen in Absicht des angegebenen Gesichtspunktes überhaupt nicht sehr groß ist und wir darum hoffen dürfen, ohne große Schwierigkeit die notwendigen Stellen so gut zu besetzen, als sie unter den gegenwärtigen Umständen überhaupt besetzt werden können; daß es aber ausschließende Bedingung sei, daß dieselben schon vor ihrer Berufung und Anstellung sowohl über unsern Hauptplan als über den dritten Punkt in Absicht des zu wählenden Vortrages unterrichtet und aufrichtig mit uns einverstanden seien. In Absicht dieses dritten Punktes endlich stellen wir als eine Folge aus allem bisherigen fest, daß, – die oben erwähnten Examina, Konversatorien und Aufgaben, als die erste charakteristische Eigenheit unserer Methode, deren Anwendung im besondern Falle am gehörigen Orte näher wird beschrieben werden, noch abgerechnet, – alle mündliche Mitteilung über ein besonderes Fach ausgehen müsse von der *Enzyklopädie* dieses Faches und daß dieses die allererste Vorlesung jedes bei uns anzustellenden Lehrers sein und von jedem Schüler zu allererst gehört werden müsse. Denn die bis zur höchsten Klarheit gesteigerten einzelnen Enzyklopädien der besondern Fächer, besonders wenn sie alle zusammen den Lehrern und Zöglingen der Anstalt bekannt sind, sind das zunächst in die von der Philosophie ausgehen sollende *allgemeine Enzyklopädie* (s. § 19 am Schlusse) eingreifende Glied, arbeiten derselben mächtig vor, und werden der letztern, wenn sie entstehen wird, die vollkommne Verständlichkeit erteilen müssen, indem auch sie selber umgekehrt von ihr neue Festigkeit und Klarheit erhalten werden; sodann ist Einheit und Ansicht der Sache aus einem Gesichtspunkte heraus der Charakter der Philosophie und der freien Kunstmäßigkeit, die wir anstreben; dagegen unverbundene Mannigfaltigkeit und mit nichts zusammenhängende Einzelheit der Charakter der Unphilosophie, der Verworrenheit und der Unbehilflichkeit, welche wir eben aus der ganzen Welt austilgen möchten und sie drum nicht in uns selbst aufnehmen müssen; endlich, wenn auch dieses alles nicht so wäre, können wir aus Mangelhaftigkeit der niedern Schule zu Anfange bei unsern Schülern nicht auf ein solches schon fertiges Gerüst des gesamten wissenschaftlichen Stoffes, wie es oben (§ 10) beschrieben worden, rechnen und müssen zu allererst diesen Mangel in unsern besondern Enzyklopädien ersetzen. Die Hauptgesichtspunkte einer solchen auf eine wissenschaftliche Kunstschule berechneten Enzyklopädie sind die folgenden: *daß sie zuvörderst die eigentliche charakteristische Unterscheidung des Verstandesgebrauchs* in diesem Fache und die besonderen Kunstgriffe oder Vorsichtsregeln in ihm, mit aller dem Lehrer selbst beiwohnenden Klarheit, angebe und sie mit Beispielen belege (und so eben z. B. das *historische Talent* oder die *Beobachtungsgabe* mit dem Begriffe durchdringe); daß sie die Teile dieser Wissenschaft vollständig und umfassend vorlege und zeige, auf welche besondere Weise jeder und in welcher Zeitfolge sie studiert werden müssen; endlich, daß sie die für den Zweck des Lehrlings nötige Literaturkenntnis des Faches gebe und ihn berate, was und in *welcher Ordnung* und etwa mit welchen Vorsichtsmaßregeln er zu lesen habe. Besonders in der letzten Rücksicht ist der Lehrer dem Lehrlinge ein allgemeines Register und Repertorium des *gesamten Buchwesens* in diesem Fache, inwieweit dasselbe dem Lehrlinge nötig ist, schuldig; welches nun der Lehrling selber, nach der ihm gegebenen Anleitung, zu lesen, keineswegs aber vom Lehrer zu erwarten hat, daß auch dieser es ihm noch einmal rezitiere. Gehört nun ferner, wie wir hoffen, der Lehrer zu dem oben erwähnten edlern Bestandteile der bisherigen Universitäten, daß er mit dem gesamten Buchwesen seines Faches nicht allerdings zufrieden, und fähig sei, dasselbe hier und da zu verbessern, so zeige er in seiner Enzyklopädie diese fehlerhaften Stellen des großen Buches an und lege dar seinen Plan, wie er in besondern Vorlesungen diese fehlerhaften Stellen verbessern wolle und in welcher Ordnung diese besondern Vorlesungen, die insgesamt auf der festen Unterlage seiner Enzyklopädie ruhen und auf ihr geordnet sind, zu hören seien. Ist dessen so viel, daß er es allein nicht bestreiten kann, so wähle er sich einen Unterlehrer, der verbunden ist, in seinem Plane zu arbeiten. Nur sage er nicht, was im Buche auch steht, sondern nur das, was in keinem Buche steht. (Als Beispiel: daß in den Schüler der niedern Schule sehr früh ein Inbegriff der Universalgeschichte hineingebildet werden müsse, versteht sich und ist oben gesagt; wozu aber, außer der Anweisung, wie man die gesamte Menschengeschichte zu *verstehen* habe, welche wohl am schicklichsten dem Philosophen anheimfallen dürfte, auf der höhern Schule ein Kursus der Universalgeschichte solle, bekenne ich nicht zu begreifen; dagegen aber würde ich es für sehr schicklich und alles Dankes wert halten, wenn ein Professor der Geschichte ein Kollegium ankündigte über besondere Data aus der Weltgeschichte, *die keiner vor ihm so richtig gewußt habe wie er,* und er mit diesem Versprechen Wort hielte.)

(Wir setzen der Erwähnung dieser von vielen so sehr angefeindeten Enzyklopädien, zur Vorbauung möglichen Mißverständnisses, noch folgendes hinzu. Mit derselben vollkommnen Überzeugung, mit welcher wir zugeben, daß das Bestreben, bei solchen allgemeinen Übersichten und Resultaten *stehenzubleiben*, von Seichtigkeit, Trägheit und Sucht nach wohlfeilem Glanze zeuge und diese Schlechtigkeiten befördere, sehen wir zugleich auch ein, daß das Widerstreben, *von ihnen auszugehen,* den Lehrling ohne Steuerruder und Kompaß in den verworrenen Ozean stürze, daß, obwohl einige sich rühmen, hiebei ohne Ertrinken davongekommen zu sein, man darum doch nicht das Recht habe, jedermann derselben Gefahr auszusetzen; daß selbst die Geretteten gesunder sein würden, wenn sie der Gefahr sich nicht ausgesetzt hätten; und daß die Quellen dieses Widerstrebens keinesweges auf einer bessern Einsicht, sondern daß sie größtenteils auf dem persönlichen Unvermögen beruhen, solche enzyklopädische Rechenschaft über das eigene Fach zu geben, indem diese, nur groß im einzelnen, niemals zur Ansicht eines Ganzen sich erhoben haben. Wer nun eine solche Enzyklopädie seines Faches geben nicht könnte oder nicht wollte, der wäre für uns nicht bloß unbrauchbar, sondern sogar verderblich, indem durch seine Wirksamkeit der Geist unseres Instituts sogleich im Beginn getötet würde.)

Wir gehen an die historische Auffassung des auf den bisherigen Universitäten vorliegenden Stoffes und schicken folgende zwei allgemeine Bemerkungen voraus. Eine Schule des wissenschaftlichen Verstandesgebrauchs setzt voraus, daß verstanden und bis in seinen letzten Grund durchdrungen werden könne, was sie sich aufgibt; sonach wäre ein solches, das den Verstandesgebrauch sich verbittet und sich als ein unbegreifliches Geheimnis gleich von vorn herein aufstellt, durch das Wesen derselben von ihr ausgeschlossen. Wollte also etwa die Theologie noch fernerhin auf einem Gotte bestehen, der etwas wollte ohne allen Grund; welches Willens Inhalt kein Mensch durch sich selber begreifen, sondern Gott selbst unmittelbar durch besondere Abgesandte ihm mitteilen müßte; daß eine solche Mitteilung geschehen sei und das Resultat derselben in gewissen heiligen Büchern, die übrigens in einer sehr dunkeln Sprache geschrieben sind, vorliege, von deren richtigem Verständnisse die Seligkeit des Menschen abhänge: so könnte wenigstens eine Schule des Verstandesgebrauchs sich mit ihr befassen. Nur wenn sie diesen Anspruch auf ihr allein bekannte Geheimnisse und Zaubermittel durch eine unumwundene Erklärung aufgibt, laut bekennend, daß der Wille Gottes ohne alle besondere Offenbarung erkannt werden könne, und daß jene Bücher durchaus nicht *Erkenntnisquelle*, sondern nur *Vehikulum* des *Volksunterrichtes* seien, welche, ganz unabhängig von dem, was die Verfasser etwa wirklich gesagt haben, beim wirklichen Gebrauche also erklärt werden müssen, wie die Verfasser hätten sagen sollen; welches letztere, wie sie hätten sagen sollen, darum schon vor ihrer Erklärung anderwärts her bekannt sein müsse: nur unter dieser Bedingung kann der Stoff, den sie bisher besessen hat, von unserer Anstalt aufgenommen und jener Voraussetzung gemäß bearbeitet werden. Ferner haben mehrere bisher auf den Universitäten bearbeitete Fächer, (als die soeben erwähnte Theologie, die Jurisprudenz, die Medizin), einen Teil, der nicht zur wissenschaftlichen Kunst, sondern zu der sehr verschiedenen praktischen Kunst der Anwendung im Leben gehört. Es gereicht sowohl einesteils zum Vorteile dieser praktischen Kunst, die am besten in unmittelbarer und ernstlich gemeinter Ausübung unter dem Auge des schon geübten Meisters erlernet wird, als anderteils zum Vorteile der wissenschaftlichen Kunst selbst, welche zu möglichster Reinheit sich abzusondern und in sich selbst zu konzentrieren hat, daß jener Teil von unserer Kunstschule abgesondert und in Beziehung auf ihn andere für sich bestehende Einrichtungen gemacht werden. Was inzwischen auch in dieser Rücksicht von der wissenschaftlichen Kunstschule zu beobachten sei, werden wir bei Erwähnung der einzelnen Fälle beibringen.

§ 23

Nächst der Philosophie macht die *Philologie*, als das allgemeine Kunstmittel aller Verständigung, mit Recht den meisten Anspruch auf Universalität. Ob auch wohl überhaupt *für das gesamte studierende Publikum* auf der höheren Schule es eines philologischen Unterrichts bedürfen oder vielmehr dieser schon auf der niedern Schule beendigt sein solle, ob insbesondere für diejenigen, *die sich zu Schullehrern bestimmen* und für die es allerdings einer weitern Anführung bedarf, die dahin gehörigen Anstalten nicht schicklicher mit den niedern Schulen selbst vereinigt werden würden: – die Beantwortung dieser Frage können wir für jetzt dem Zeitalter, da die allgemeine Enzyklopädie geltend gemacht sein und die niedere Schule sein wird, was sie soll, anheimgeben und vorläufig es beim Alten lassen.

§ 24

Von der *Mathematik* sollte unseres Erachtens der reine Teil bis zu einer gewissen Potenz schon auf der niedern Schule vollkommen abgetan sein; und es wäre hierdurch das, was oben über das Pensum dieser Schule gesagt worden, zu ergänzen. Da auch hierauf im Anfange nicht zu rechnen ist, so wäre vorläufig ein auf diesen gegenwärtigen Zustand der niedern Schule berechneter Plan des mathematischen Studiums zu entwerfen. –
Auf allen Fall ist mein Vorschlag, daß eine *Komitee* aus unsern tüchtigsten Mathematikern ernannt, diesen unser Plan im Ganzen vorgelegt und ihnen aufgegeben würde, die Beziehung ihrer Wissenschaft auf denselben zu ermessen und demzufolge durch allgemeine Übereinkunft *einen* aus ihrer

Mitte zu ernennen oder auch einen Fremden zur Vokation vorzuschlagen, dem die Enzyklopädie, der Plan und die Direktion dieses ganzen Studiums übertragen würde.

§ 25

Die gesamte Geschichte teilt sich in die Geschichte der *fließenden* Erscheinung und in die der *dauernden*. Die erste ist die vorzüglich also genannte Geschichte, oder Historie, mit ihren Hilfswissenschaften; die zweite die Naturgeschichte; – welche ihren theoretischen Teil hat, die Naturlehre.

In der ersten ist der zu rufende Ober- und enzyklopädische Lehrer über unsern Grundplan zu verständigen; worüber er vorläufig mit uns einig sein muß.

Das ausgedehnte Fach der *Naturwissenschaft* betreffend, welche durchaus als ein organisches Ganze behandelt werden muß, kann ich nur eine *Komitee*, so wie oben bei der Mathematik, in Vorschlag bringen, die aus ihrer Mitte, oder auch einen Fremden rufend, den Enzyklopädisten, Entwerfer des Lehrplans und Direktor des ganzen Studiums erwähle und, falls es so nötig befunden würde, nach desselben Plane den Vortrag desselben auch hier mit der beständigen Rücksicht, daß nicht mündlich mitgeteilt werde, was so gut oder besser sich aus dem Buche lernen läßt, *unter sich verteile*. Das Haupterfordernis eines solchen Planes ist Vollständigkeit und organische Ganzheit der Enzyklopädie. Zugleich hat sie für ihr Fach sich mit der niedern Schule über die Grenze zu berichtigen und dieser die Potenz, die sie hervorbringen soll, als ihr künftiges Pensum aufzugeben, welches auch für die oben erwähnten so wie für alle folgenden Fächer gilt und hier einmal für immer erinnert wird. Bloß die Philosophie verbittet die direkte Vorbereitung der niedern Schule und ist mir nur ausschließend eine Kunst der höhern.

§ 26

Die drei sogenannten höhern Fakultäten würden schon früher wohl getan haben, wenn sie sich, in Absicht ihres wahren Wesens, in dem ganzen Zusammenhange des Wissens deutlich erkannt und sich darum nicht, pochend auf ihre praktische Unentbehrlichkeit und ihre Gültigkeit beim Haufen, als ein abgesondertes und vornehmeres Wesen hingestellt, sondern lieber jenem Zusammenhange sich untergeordnet und mit schuldiger Demut ihre Abhängigkeit erkannt hätten; indem sie nämlich verachteten, wurden sie verachtet, und die Studierenden anderer Fächer nahmen keine Notiz von dem, was jene ausschließend für sich zu besitzen begehrten, wodurch sowohl ihrem Studium als der Wissenschaft im Großen und Ganzen sehr geschadet wurde. Wir werden auf Belege dieser Angabe stoßen. Eine wissenschaftliche Kunstschule mutet ihnen sogleich bei ihrem Eintritte in ihren Umkreis diese Bescheidenheit zu.

Der wissenschaftliche Stoff der *Jurisprudenz* ist ein Kapitel aus der Geschichte; sogar nur ein Fragment dieses Kapitels, wie sie bisher behandelt worden. Sie sollte sein *eine Geschichte der Ausbildung und Fortgestaltung des Rechtsbegriffs unter den Menschen,* welcher *Rechtsbegriff* selber, unabhängig von dieser Geschichte, und als *Herrscher,* keineswegs als *Diener,* schon vorher durch Philosophieren gefunden sein müßte. In ihrer gewöhnlichen ersten, lediglich praktischen Absicht, – nur *Richter,* welches ein untergeordnetes Geschäft ist, zu bilden, wird sie Geschichte jener Ausbildung in dem Lande, in welchem wir leben, und, wenn es hoch geht, unter den Römern, und so Fragment; aber ihr letzter praktischer Zweck ist der, den *Gesetzgeber* zu bilden; und für diesen Behuf möchte ihr wohl das ganze Kapitel ratsam sein; denn obwohl, was überhaupt Gesetz sein solle, schlechthin a priori erkannt wird, so dürfte doch die Kunst, die besondere Gestalt dieses Gesetzes für jede gegebene Zeit zu finden und es ihr anzuschmiegen, der Erfahrung der gesamten bekannten Zeit in demselben Geschäfte bedürfen. Richteramt sowohl als Gesetzgebung sind praktische Anwendung *der Geschichte*; und so hat die Jurisprudenz zu ihrer ersten Enzyklopädie die Enzyklopädie der Geschichte, indem dieses der Boden ist, auf welchem sie und der wissenschaftliche Verstandesgebrauch in ihr ruhet, und die Ausübung derselben in ihrer höchsten Potenz eigentlich die Kunst ist, eine Geschichte, und zwar eine erfreulichere als die bisherige, hervorzubringen. Die Anführung aber zur praktischen Anwendung im Leben fällt ganz außer dem Umkreis der Schule, und wären hierin die Schüler an die ausübenden Kollegia zu verweisen, unter deren Augen, aber auf die *Verantwortung* der Beamten, denen sie anvertraut worden, sie für die künftige Geschäftsführung sich vorbereiteten. Ich schlage daher für dieses Fach eine *Komitee* vor, in welcher aber der oben beschriebene Enzyklopädist der Geschichte Sitz und für seinen Anteil entscheidende Stimme hätte. Diese hätte einen besonderen Enzyklopädisten für die *Teile* und die Literatur des beschriebenen Kapitels anzustellen, den Studienplan vorzuzeichnen und die Anstalten für praktische Bildung unabhängig von der wissenschaftlichen Kunstschule zu organisieren. Ich hoffe, daß bei entschiedener Durchführung des Satzes, nicht mündlich zu lehren, was im Buche steht, der Lektionskatalog dieser Fakultät kürzer werden wird, als er bisher war; wiewohl durch unsere Grundsätze des zu Erlernenden mehr geworden ist.

Die *Heilkunde* ruht auf dem zweiten Teile des positiv zu Erlernenden, der *Naturwissenschaft*; jedoch erlaubt ihr gegenwärtiger Zustand den Zweifel, in welchem auch der Schreiber dieses sich zu befinden gern bekennt, ob aus jener unstreitig wissenschaftlichen Basis in der wirklichen Heilkunde auch nur ein einziger *positiver Schluß* zu machen, und somit, ob diese Basis *Leiterin* sei in der Ausübung, wie in der Jurisprudenz dies offenbar der Fall ist; oder ob nur gewissen allgemeinen Resultaten jener Basis bloß nicht *widersprochen werden dürfe* durch die Ausübung; jene daher (die Wissenschaft) für diese (die Ausübung) nur *negatives Regulativ* und *Korrektiv* wäre. Sollte, wie wir befürchten, das letzte der Fall sein, und wie wir gleichfalls befürchten, immerfort bleiben müssen, so gäbe es von der Wissenschaft in irgendeinem ihrer Zweige zu der ausübenden Heilkunde gar keinen stetigen positiven Übergang, sondern die letztere hätte ihren eigentümlichen Boden in einer *besondern*, niemals auf *positive Prinzipien zurückzuführenden* Beobachtung; sie wäre somit von der wissenschaftlichen Schule, welche alle Zweige der Naturwissenschaft bis zu Anatomie, Botanik u. dgl. ohne alle Rücksicht auf Heilkunde, und als jedem wissenschaftlich gebildeten Menschen überhaupt durchaus anzumutende Kenntnisse, sorgfältig triebe, abzusondern und in einem für sich bestehenden Institute, rein und ohne wissenschaftliche Beimischung, die als in der Schule erlernt vorausgesetzt wird, von der materia medica[104] z. B. an, die ja nichts ist, als die Anwendung der ärztlichen Empirie auf die Botanik u. dgl., zu treiben. Welche unermeßlichen Vorteile eine solche Verselbständigung der Naturwissenschaft, die bisher häufig nur als Magd der Heilkunde betrachtet und bearbeitet worden, an ihrem Teile auch der Heilkunde, und dadurch dem ganzen wissenschaftlichen Gemeinwesen bringen würde, leuchtet wohl von selbst ein. Es wäre daher aus Sachkundigen eine Komitee zu Beantwortung der oben aufgeworfenen Frage und zu Organisierung derjenigen Anstalten, welche das Resultat dieser Beantwortung erforderte, zu ernennen. Daß ein solches selbständiges Institut der Heilkunde den ihm anheimgefallenen Stoff nach einem festen, auf seine Enzyklopädie begründeten Plane, nach der Maxime, nicht zu lehren, was im Buche schon steht, behandelte, wäre auch ihm zu wünschen, und es würde sich von selbst verstehen.

Nun aber, welches ja nicht aus der Acht zu lassen, haben auch die wichtigsten Resultate der fortgesetzten ärztlichen Beobachtung, deren wirkliche Vollziehung ihnen allein überlassen wird, als ein Teil der gesamten Naturbeobachtung, Einfluß auf den Fortgang der ganzen Naturwissenschaft, und so muß auch die wissenschaftliche Schule sie keineswegs verschmähen, sondern sich in den Stand setzen, fortdauernd von ihr Notiz zu haben und bei ihr zu lernen. Jedoch wird die Ausbeute davon niemals sofort und auf der Stelle eingreifen in das Ganze und so in den enzyklopädischen Unterricht gehören; es wird drum eine andere, an ihrem Orte anzugebende Maßregel getroffen werden müssen, dieselbe aufzunehmen und sie bis zur Eintragung in die Enzyklopädie aufzubewahren.

Daß die *Theologie*, falls sie nicht den ehemals laut gemachten und auch neuerlich nie förmlich zurückgenommenen Anspruch auf ein Geheimnis feierlich aufgeben wolle, in eine Schule der Wissenschaft nicht aufgenommen werden könne, ist schon oben gezeigt. Gibt sie ihn auf, so bequemt sie sich dadurch zugleich zu der bisher auch nicht so recht zugegebenen Trennung ihres praktischen Teiles von ihrem wissenschaftlichen.

Um zuvörderst den ersten abzuhandeln: der Volkslehrer, den sie bisher zu bilden sich vorsetzte, ist in seinem Wesen der Vermittler zwischen dem höhern, dem wissenschaftlich ausgebildeten Stande (denn einen andern höhern Stand gibt es nicht, und was nicht wissenschaftlich ausgebildet ist, ist

Volk) und dem niedern oder dem Volke. Zunächst zwar, und dies mit vollem Rechte, knüpft er sein Bildungsgeschäft an an die Wurzel und das Allgemeinste aller höhern menschlichen Bildung, die Religion; aber nicht bloß diese, sondern alles, was von der höhern Bildung an das Volk zu bringen und seinem Zustande anzupassen ist, soll er immerfort demselben zuführen.

Nichts verhindert, daß er nicht noch neben diesem Berufe ein die Wissenschaft selbst in ihrer Wurzel selbsttätig bearbeitender und sie weiter bringender Gelehrter sei, wenn er *will* und *kann*; aber es ist ihm für diesen Beruf nicht notwendig und drum ihm nicht anzumuten. Es ist für ihn hinlänglich, daß er überhaupt die Kunst besitze, über wissenschaftliche Gegenstände zu *verstehen* und *sich verständlich zu machen,* die ja schon in der niederen Schule, welche er auf alle Fälle durchzumachen hat, gelernt haben wird; ferner von dem gesamten wissenschaftlichen Umfange die allgemeinsten Resultate, und das Vermögen, erforderlichen Falles durch Nachlesen sich weiter zu belehren, worin ihm die an der wissenschaftlichen Schule eingeführten Enzyklopädien den Unterricht und die nötigen Literaturkenntnisse geben. Die nötige Anführung zum Philosophieren hat er beim Philosophen zu holen. Für sein nächstes Geschäft der religiösen Volksbildung hat er zu allererst sein Religionssystem in der Schule des Philosophen zu bilden. Für das Anknüpfen seines Unterrichtes an die biblischen Bücher wird es vollkommen hinreichen, daß ein Buch geschrieben und ihm in die Hände gegeben werde, in welchem aus diesen Büchern der Inhalt echter Religion und Moral entwickelt werde, wobei nun weder die Verfasser dieses Buches noch der dadurch zur Bibel*anwendung* anzuleitende künftige Volkslehrer sehr bekümmert zu sein brauchen über die Frage, ob die biblischen Schriftsteller es wirklich also gemeint haben, wie sie dieselben erklären; das Volk aber vor dieser durchaus nicht in seinen Gesichtskreis gehörigen Frage sorgfältig zu bewahren ist. Der Volkslehrer hat darum durchaus nicht nötig, die biblischen Schriftsteller nach *ihrem wahren, von ihnen beabsichtigten Sinne* zu verstehen; wie denn ohne Zweifel auch bisher, ohngeachtet es beabsichtiget und häufig vorgegeben worden, weder bei ihm noch auch oft bei seinem Professor in der Exegese dies der Fall gewesen; und wir somit nicht einmal eine Neuerung, sondern nur das Geständnis der wahren Beschaffenheit der Sache und das besonnene Aufgeben eines unnötigen und vergeblichen Strebens begehren. Über *Pastoralklugheit*, d. i. über seine eigentliche Bestimmung als Volkslehrer im Ganzen eines Menschengeschlechts, und die Kunstmittel, dieselbe zu erfüllen, wird er ohne Zweifel auch beim Philosophen einige Auskunft finden können. Sein eigentümlich ihm anzumutender Charakter, die *Kunst* der *Popularität*, und die Übungen derselben durch katechetische, homiletische, auch *Umgangsinstitute* mit Gliedern aus dem Volke, sind der wissenschaftlichen Schule, welche den szientifischen Vortrag beabsichtigt, entgegengesetzt, drum von ihr abzusondern und am schicklichsten den ausübenden Volkslehrern, wie bei den Juristen, zu übertragen. Das eigentliche Genie für den künftigen Volkslehrer ist ein frommes und Menschen-, und besonders das Volk liebendes Herz; hierauf wäre bei der Zulassung zu diesem Berufe hauptsächlich zu sehen, und besonders bei Besetzung der Konsistorien, als etwa der künftigen Schulen solcher Lehrer, würde weit mehr auf diese Eigenschaften, als auf andere glänzende Talente oder auf ausgebreitete Kenntnisse Rücksicht genommen werden müssen.

Der wissenschaftliche Nachlaß dieser als einer priesterlichen Vermittlerin zwischen Gott und den Menschen mit Tode abgegangenen Theologie an die wissenschaftliche Schule würde durch eine solche Veränderung seine ganze bisherige Natur ausziehen und eine neue anlegen. Es hat derselbe zwei Teile, ein von der Philologie abgerissenes Stück und ein Kapitel aus der Geschichte. Die morgenländischen Sprachen, zu denen der den Theologen bis jetzt fast ausschließend überlassene hebräische Dialekt einen leichten und schicklichen Eingang darbietet, machen einen sehr wesentlichen Teil der Sprachentwicklung des menschlichen Geschlechts aus und sind bei einer einst zu hoffenden organischen Übersicht derselben ja nicht auszulassen; die hellenistische Form nun vollends der griechischen biblischen Schriftsteller gehört zur Kenntnis der griechischen Sprache im ganzen, welche Sprache ja auf unsern Schulen getrieben wird. Beide erhalten gegen den aufgegebenen höchst zweideutigen Anspruch, heilige Sprachen zu sein, den weit bedeutendern, daß sie menschliche Sprachen sind, zurück und fallen der niedern Schule, die sich ja der Trägheit schämen wird, die beschränkte hebräische Sprache nicht allgemein bearbeiten zu können, da sie die sehr reiche griechische Sprache mit Glück bearbeitet, wiederum anheim. Ferner sind die biblischen Schriftsteller ja höchst bedeutende Formen der Entwicklung des menschlichen Geistes, deren wahrer Wert bloß darum nicht beachtet worden, weil ein erdichteter falscher alle Aufmerksamkeit der einen Partei abzog und den Haß und die unbedingte Nichtbeachtung der andern Partei erregte. Von nun an, sine ira et studio[105] in dieser Sache urteilend, werden wir es ebenso belehrend und ergötzend finden, den Jesaias[106] zu lesen als den Aeschylos, und den Johannes[107] als den Plato, und es wird uns mit dem richtigen Wortverständnisse derselben, *welches das gelehrte Studium allerdings anstreben wird,* weit besser gelingen, wenn auch die ersten eben sowohl als die zweiten zuweilen auch *unrecht* haben dürften, als vorher, da sie immer, und für die besondere Ansicht jedes neuen Exegeten, recht haben sollten, welches ohne mancherlei Zwang und ohne nie endenden Streit nicht zu bewerkstelligen war. Diese Exegese wird redlich sein, auch redlich gestehen, was sie nicht versteht, dagegen die vom theologischen Prinzipe ausgehende höchst unredlich war; (das oben Vorgeschlagene aber gleichfalls keine unredliche Exegese ist, da es überhaupt nicht Exegese ist noch sich dafür gibt, indem eine solche eine gelehrte Aufgabe ist, die durchaus vor das Volk nicht gehört).

Das Kapitel aus der Historie, wovon die bisherige Theologie einen Hauptteil sich fast ausschließend zugeeignet, ist die *Geschichte der Entwicklung der religiösen Begriffe unter den Menschen.* Es geht aus dem gebrauchten Ausdrucke hervor, daß die Aufgabe umfassender ist, als die Theologie sie genommen, indem auch über die Religionsbegriffe der sogenannten Heiden Auskunft gegeben werden müßte, und daß die wissenschaftliche Schule sie in dieser Ausdehnung nehmen wird. Mit diesen zu ihr gehörigen und sie erklärenden Bestandteilen versehen, ferner ohne alles Interesse für irgendein Resultat und mit redlicher Wahrheitsliebe bearbeitet, wird auch die eigentliche Kirchengeschichte eine ganz andere Gestalt gewinnen, und man wird die Lösung mehrerer Probleme (z. B. über die wahren Verfasser mancher biblischen Schriften, über die echten oder unechten Teile derselben, die Geschichte des Kanons usw.), die dem Unbefangenen noch immer nicht gründlich gelöst zu sein scheinen könnten, näher kommen oder auch genau finden und bekennen, was in dieser Region sich ausmitteln lasse, und was nicht. Es wäre, wie sich versteht, dieser Teil der Geschichte dem Enzyklopädisten der gesamten Geschichte zur Verflechtung in seinen Studienplan anheimzugeben.

Zur Entscheidung über die oben vorgelegte Hauptfrage, und falls die Antwort darauf befriedigend ausfiele, zur Entwerfung eines festen Planes und Errichtung eines besondern Instituts zur Bildung künftiger Volkslehrer wäre eine aus sachverständigen und guten Theologen und Predigern bestehende Komitee niederzusetzen.

§ 27

Diesen zu beauftragenden einzelnen Männern und Komitees wäre, außer den schon angeführten Geschäften, auch noch folgendes aufzugeben, daß sie vollständig untersuchten, was an gelehrtem Apparate für jedes Fach (Bücher, Kunst- und Naturaliensammlungen, physikalische Instrumente u. dgl.) vorhanden sei, welche Notwendigkeiten dagegen uns abgingen und angeschafft werden müßten; für vollständige Katalogen und Repertorien dieser Schätze sorgten und in ihre Studienpläne den zweckmäßigen, folgegemäßen Gebrauch derselben aufnähmen. Falls die beauftragten einzelnen Männer neben ihrem ersten Geschäfte zu diesem nicht Zeit fänden, so wären sie zu ersuchen, einen andern tüchtigen Mann für dasselbe zu ernennen.

In diesem Geschäfte hätten sie von einer Seite sich sorgfältig zu hüten, daß sie nicht, etwa um nichts umkommen zu lassen oder aus Streben nach äußerem Glanze und Rivalität mit andern gelehrten Anstalten, durch Beibehaltung überflüssiger Dinge der Reinheit und Einfachheit unsrer Anstalt Abbruch täten; so wie von der andern Seite nichts zu sparen am wirklich Nötigen. Was den äußern Glanz betrifft, so wird uns dieser, falls wir nur das innere Wesen redlich ausbilden, von selbst zufallen; die bedachte Beachtung desselben aber und die Nachahmung anderer, von denen wir nicht Beispiele annehmen, sondern sie ihnen geben wollen, würde uns wiederum in die Verworrenheit hineinwerfen, welche ja von uns abzuhalten unser erstes Bestreben sein muß.

§ 28

Durch die allseitige Lösung der aufgestellten Aufgaben wäre nun fürs erste zustande gebracht das *lehrende Subjekt* der wissenschaftlichen Kunstschule. Wir könnten mit den enzyklopädischen Vorlesungen eine, fürs erste in ihren übrigen Bestimmungen *ganz gewöhnliche, Universität* eröffnen. Es wären jedoch diese gesamten Vorlesungen, in denen, immer nach dem Ermessen des Lehrers, der fortfließende Vortrag mit Examinibus[108] und Konversatorien, deren Besuchung jedem Studierenden *freistände*, keiner aber dazu *verbunden* wäre, abwechselte, über das erste Unterrichtsjahr also zu verteilen, daß die Studenten und, wenn sie es wollten, auch die Lehrer diese Vorlesungen alle hören könnten, dennoch aber den erstern zum aufgegebenen Bücherlesen und zur Ausarbeitung der Aufsätze, von welchem demnächst den letztern zur Beurteilung dieser Aufsätze Zeit übrigbliebe. Es möchte in dieser Zeitberechnung bei beiden Teilen in Gottes Namen auf noch mehr als den üblichen Fleiß und Berufstreue gerechnet werden; indem diese Eigenschaften ohnedies an unserer Schule an die Tagesordnung kommen sollen und drum nicht zu früh eingeführt werden können.

§ 29

Während dieser enzyklopädischen Vorlesungen des ersten Lehrjahres stellen der philosophische Lehrer sowohl als die übrigen enzyklopädischen eine *Aufgabe* an ihr Auditorium; in dem oben sattsam charakterisierten Geiste, so daß das aus dem mündlichen Vortrage oder dem Buche Erlernte nicht bloß wiedergegeben, sondern daß es zur Prämisse gemacht werde, damit sich zeige, ob der Jüngling es zu seinem freien Eigentume erhalten habe und als anhebender Künstler etwas anderes daraus zu gestalten vermöge. Diese Aufgabe bearbeitet jeder Studierende, der da will, in einem Aufsatze, den er zu einem bestimmten Termine vor Beendigung des Lehrjahres, mit einem versiegelten Zettel, der den Namen des Verfassers enthalte, bei dem aufgebenden Lehrer einsendet. Der Lehrer prüft diese Aufsätze und hebt die vorzüglichsten heraus.

In dieser Beurteilung der Aufsätze ist bei rein philosophischem Inhalte der Lehrer der Philosophie unbeschränkt: zur Krönung anderer aber, die einen positiv-wissenschaftlichen Stoff haben, müssen der enzyklopädische Lehrer des Faches und der Philosoph (später, wenn wir eine solche haben werden, die philosophische Klasse) sich vereinigen, der *erstere* entscheidend über die Richtigkeit und die auf dieser Stufe des Unterrichts anzumutende Tiefe und Vollständigkeit der historischen Erkenntnis, der zweite über den philosophischen und Künstlergeist, mit welchem jener Stoff verarbeitet worden. Ein von *einem* dieser beiden verworfener Aufsatz bleibt verworfen, obschon der andere Teil ihn billigte. Die Notwendigkeit dieser Mitwirkung der philosophischen Klasse liegt im Wesen einer Kunstschule: die Mitwirkung des historischen Wissens aber soll uns dagegen verwahren, daß nicht in empirischen Fächern a priori phantasiert werde, statt gründlicher Gelehrsamkeit.

Am *Schlusse* des ersten Lehrjahres wird das Resultat der also vollzognen Beurteilung der eingegebenen Aufsätze und die Namen derer, deren Ausarbeitungen gebilligt sind, bekanntgemacht; und es treten von ihnen diejenigen, *welche wollen,* zusammen als der erste Anfang eines *lernenden Subjekts,* in höherm und vorzüglicherem Sinne, an unsrer wissenschaftlichen Kunstschule. Welche wollen, sagte ich; denn obwohl die Ausfertigung eines Aufsatzes und die Unterwerfung desselben unter die Beurteilung des lehrenden Korps diesen Willen vorauszusetzen scheint, so können mit dem ersten doch auch mancherlei andere Zwecke beabsichtiget werden, von denen zu seiner Zeit; alle Studierenden an unserer Universität können auch für diese Zwecke berechtigt werden; und es muß darum jedem, der sogar beitreten *dürfte,* überlassen werden, ob er *will.* Inzwischen wird die Fortsetzung unsres Entwurfs ohne Zweifel die sichere Vermutung begründen, daß jeder wollen werde, der da dürfe.

§ 30

Sie treten zusammen zu einer einzigen großen Haushaltung, zu gemeinschaftlicher Wohnung und Kost, unter einer angemessenen liberalen Aufsicht. Ihre Bedürfnisse ohne alle Ausnahme, nicht ausgeschlossen Bücher, Kleider, Schreibmaterialien usf., werden ihnen von der Ökonomieverwaltung in Natur gereicht, und sie haben, die Verwaltung eines mäßigen Taschengeldes abgerechnet, wofür ein Maximum festgesetzt werden könnte, während ihrer Studienjahre mit keinem andern ökonomischen Geschäfte zu tun. (Der Grund dieser Einrichtung ist schon oben angegeben worden; und auf die Einwendung, daß junge Leute auf der Universität zugleich das Haushalten mitlernen müßten, ist zu erwidern, daß, falls dieselben bei uns das Ehrgefühl, die Gewissenhaftigkeit und die intellektuelle Bildung erhalten, die wir anstreben, es sich mit dem künftigen Haushalten von selbst finden werde; erhalten sie aber bei dem Grade der Sorgfalt, den wir anwenden werden, dieselbe nicht, so ist gar kein Schaden dabei, daß sie auch äußerlich verderben, und mag dies immer je eher je lieber geschehen.) Inwiefern aber diese Verpflegung *ihnen frei auf Kosten des Staats* oder auf ihre eigenen Kosten gereicht werden solle, davon behalten wir uns vor, tiefer unten zu sprechen; und wollen wir mit dem Gesagten keineswegs unbedingt das erste gesagt haben.

Mit diesem also zustande gebrachten Stamme tritt nun das lehrende Korps in das oben beschriebene innige Wechselleben. Sie werden fortdauernd erforscht und in ihrem Geistesgange beobachtet, sie haben den ersten Zutritt zu den Examinibus, Konversatorien, dem Umgange und der Beratung der Lehrer und stehen, in der Benutzung der vorhandenen literarischen Hilfsmittel, jedem andern vor; auf ihre nächsten unmittelbaren und wohlbekannten Bedürfnisse rechnet immerfort der gesamte mündliche Vortrag der Kunstschule. Im Falle der würdigen Benutzung dieser Schule, die durch eine tiefer unten zu beschreibende Prüfung dokumentiert wird, stehen sie bei Besetzung der höchsten Ämter des Staates allen andern vor (und tragen den von Gottes Gnaden durch ein vorzügliches Talent ihnen geschenkten und durch würdige Ausbildung jenes erstern verdienten Adel).

Immerhin mögen neben ihnen andere Studierende an den vorhandenen Bildungsmitteln der Anstalt, welche recht eigentlich doch nur für jene sind, nach allem ihrem Vermögen teilnehmen und in freier Bildung jenen den Rang abzulaufen suchen, welches, falls es ihnen gelänge, auch nicht unanerkannt bleiben soll. Diese wachsen gewissermaßen wild, wie im Walde; jene sind eine sorgfältig gepflegte Baumschule, welche in alle Wege doch auch sein soll und aus welcher sogar dem Walde manches edlere Samenkorn zufliegen wird. Jene sind *regulares*[109], und es wird wohl auch eine anständige deutsche Benennung für sie sich finden lassen; diese sind *irregulares*[110], die lat. Observanz[111], bloße Socii[112] und *Zugewandte*; und dies wären die beiden Hauptklassen, in die unser studierendes Publikum zerfiele.

§ 31

Es würde auch fernerhin nach jedem abgelaufenen Lehrjahre denen, die bis jetzt noch unter den Zugewandten sich befänden, freistehen, durch gelungene Ausarbeitungen, (indem gegen das Ende jedes Lehrjahres Aufgaben für dergleichen gegeben werden), ihre Aufnahme unter die Regularen nachzusuchen. Außerdem würden diejenigen der jungen Inländer, welche vorzügliches Talent und Progressen von der niedern Schule zu dokumentieren vermöchten, (über deren Grad und die Art der Beweisführung später etwas Festes bestimmt werden kann), gleich bei ihrem Eintritte auf die Universität ein Recht haben auf einen Platz unter den Regularen.

§ 32

Es wäre zu veranlassen, daß gleich bei der Eröffnung der Universität, da es noch keine Regularen gibt, diejenigen, welche die Aufnahme unter sie durch Ausarbeitungen zu suchen gedächten, ebenso wie späterhin die Regularen es sollen, zu einem gemeinschaftlichen Haushalt zusammenträten. Dies, obwohl unter besonderer Aufsicht des Lehrinstituts stehend, wäre dennoch keine eigentlich öffentliche, sondern eine Privatanstalt, und die Mitglieder lebten nicht, wie es mit den Regularen unter gewissen Bedingungen wohl der Fall sein kann, auf Kosten des Staates, sondern auf die eigenen, die jedoch, ganz wie bei den Regularen, gemeinschaftlich verwaltet würden. Es könnte auch denjenigen unter diesen Vereinigten, welche beim Anfange des zweiten Lehrjahres nicht unter die Regularen aufgenommen und so aus dieser ersten Verbindung in eine neue hin-

übergenommen würden, nicht verwehrt werden, in dieser
ihrer ersten Verbindung fortzuleben, indem sie zufolge des
vorhergehenden § beim Anfange des künftigen Lehrjahres
glücklicher sein können, und so *Kandidaten der Regel* bleiben. Es können zu ihnen hinzutreten, um denselben Anspruch zu bezeichnen, andere, die bisher unter den Zugewandten sich befanden, desgleichen die von der niederen
Schule Kommenden, die nicht schon von daher das Recht,
unmittelbar unter die Regularen zu treten, mitbringen.
Diese machen nun eine dritte Klasse der bei uns Studierenden, ein Verbindungsglied zwischen den Regularen und
den Zugewandten: *Novizen*[113]. Sie sind schon durch die Natur der Sache, indem die Lehrer wissen, daß vorzüglich aus
ihrer Mitte beim Anfange des neuen Lehrjahres sie das Kollegium der Regularen zu ergänzen haben werden, der besondern Beachtung derselben empfohlen.

§ 33

Damit nun nicht etwa die Zugewandten – denn von den
Novizen, die ihren Anspruch auf die Regel durch ihr Zusammenleben bekennen, ist dies nicht zu befürchten –, um
der größern Lizenz willen, jemals versucht werden, sich für
vornehmer zu halten denn die Regularen, soll der Vorzug
der letztern sogar äußerlich anschaubar gemacht werden
durch eine *Uniform*, die kein anderer zu tragen berechtigt
sei denn sie und ihre ordentlichen Lehrer. Damit dieser
Rock gleich anfangs die rechte Bedeutung erhalte, sollen sogleich von Eröffnung der Universität an die ordentlichen
Lehrer diese Uniform gewöhnlich tragen, also daß im ersten
Lehrjahre nur sie und diejenigen, die in demselben Verhältnisse mit ihnen zur Universität stehen, damit bekleidet
seien; später, nach Ernennung des ersten Kollegium von
Regularen, sie auf diese fortgehe, und so ferner bei allen
folgenden Ergänzungen des letztern.

§ 34

Diese Einrichtung soll zugleich die äußere sittliche Bildung
unserer Zöglinge unterstützen und die Achtung derselben
bei dem übrigen Publikum befördern und sicherstellen.
Gründliches und geistreiches Treiben der Wissenschaft veredelt ohne dies ganz von sich selbst; überdies wird für die

Entwicklung der Ehrliebe und des Gefühls für das Erhabene, als das eigentliche Vehikulum der sittlichen Bildung des Jünglings, durch Beispiel und Lehre gesorgt werden; die Ordnung aber kommt durch die getroffene Einrichtung von selber in seinen Lebenslauf: und so ist für die innere Bildung gesorgt.

Die äußere wird, bei entwickelter Ehrliebe, der Gedanke unterstützen, daß sein Rock ihn bezeichne und daß dieses Kleid nicht im Müßiggange auf den Straßen sich herumtreiben oder wohl gar an gemeinen Orten und bei Zusammenläufen sichtbar werden, sondern daß es, als Mitglied der Gesellschaft, nur in Ehrenhäusern erscheinen dürfe. Was aber Ehrenhäuser sind, wird man ihm sagen und auf alle Weise die Erlaubnis, in solchen Häusern ihn zu empfehlen, zu verdienen suchen. (Z. B.: Mag immerhin beim jetzigen Zustande der Dinge unter gewissen Umständen ein ehrliebender Jüngling, der in ein Duell verflochten worden, Entschuldigung verdienen, so soll doch unser Zögling durchaus keine finden *darüber*, daß er sich erst unter Pöbel, von welcher Geburt derselbe auch übrigens sein möge, begeben, wo dergleichen möglich war. Dahin werde der point d'honneur[114] des ganzen Korps gerichtet. Feige übrigens sollen sie nicht werden.)

Nach außen hin ist gegen die Hauptquelle der Verachtung im Leben, Unordnung im Haushalt und Schuldenmachen, unser Zögling gesichert. Daß bei Exzessen, deren Urheber unbekannt bleiben sollten, nicht auch unschuldig, wie dies in Universitätsstädten wohl zu geschehen pfleget, dies Korps als der stets vorauszusetzende allgemeine Sünder aufgestellt werde, dagegen werden die Lehrer sich durch die Vorstellung schützen: Habt ihr unsern Ehrenrock bei dem Exzesse gesehen? Habt ihr dies nun nicht, so verleumdet nicht unsere Zöglinge, denn diese gehen nie aus außer in diesem Rocke: und sie (diese Lehrer) werden überhaupt alles Ernstes auf die Ehre ihrer Zöglinge und auf alle die Einrichtungen halten, die ihnen möglich machen, dies mit ihrer eignen Ehre zu tun.

35

Die *Zugewandten* stehen, da sie weder eigentliche Mitglieder unsrer Anstalt noch eigentliche angesessene Bürger sind, unter der allgemeinen Polizei, und es muß diese, ohne alle Mitwirkung von seiten der Anstalt und ganz auf ihre eigene Verantwortung, die Einrichtungen, wodurch den übrigen Bürgern die gehörige Garantie in Hinsicht dieser Fremden geleistet werde, treffen. Nicht anders würde es sich mit den Novizen verhalten; welche jedoch, da sie eine Einheit bilden und ein sichtbares Band dieser Einheit an ihrer ökonomischen Verwaltung haben, eine tüchtigere Garantie zu geben, auch durch diesen ihren Repräsentanten in Unterhandlung mit der Polizei zu treten vermögen und so, in Absicht der Individuen, einer liberalern Gesetzgebung unterworfen werden können als die erstern. Nun aber steht die Lehranstalt mit diesen beiden Klassen noch in einem engern Verhältnisse denn die übrigen Bürger, und es ist der allgemeinen Polizei völlig fremd, dasjenige, was aus diesem engern Verhältnisse hervorgeht, zu ordnen. Demnach fielen die dahin gehörigen Anordnungen dem Institute als dem einen und vorzüglichsten Teilnehmer des abzuschließenden Kontraktes anheim. – Diese Klassen haben zu allen von der Schule getroffenen Lehranstalten den Zutritt; da aber ferner die Schule weder um ihre wissenschaftlichen Fortschritte noch um ihre Aufführung sich im mindesten bekümmert, so beschränkt sich ihr Recht an diese lediglich auf den Punkt, *sich gegen die Verletzungen, welche aus der Erteilung dieses Zutrittes entstehen könnten* (denn gegen andere Verletzungen schützt auch sie die allgemeine Polizei), *zu schützen.* Dergleichen Verletzungen würden sein: Störung der Ruhe und Ordnung in den Lehrübungen, zu denen sie den Zutritt erhalten; Verletzung der Achtung, die das Verhältnis des Lernenden zum Lehrer oder der Zugewandten zu denen, um deren willen die Anstalt eigentlich da ist, erfordert; endlich könnten, bei dem bekannten Eigendünkel und der verkehrten Reizbarkeit der gewöhnlichen Studierenden, aus dem Dingen der ersten und zweiten Art entgegengesetzten Widerstande der Lehrer andere gröblichere Beleidigungen und Angriffe erfolgen, welche, als erfolgt lediglich aus dem verstatteten Zutritte, nicht nach allgemeinen polizeilichen Grundsätzen, sondern nach strengeren, beurteilt werden müßten.

Es müßte demzufolge zwischen der Lehranstalt und jedem Individuum der Kontrakt, durch den das letztere das Recht des Zutrittes erhält und sich auf die Bedingungen, unter denen es dasselbe erhält, verpflichtet, durch einen ausdrücklichen Akt abgemacht werden. Dieser Akt ist die *Inskription*; die Bedingungen aber sind die *Gesetzgebung* für den Zugewandten, welche, da das übrige Verhältnis desselben zu andern Bürgern eine Sache der Polizei ist, durchaus nur sein Verhältnis zur Lehranstalt *als solcher* zu bestimmen hat. Die Novizen können, aus dem schon der Polizei gegenüber angegebenen Grunde, auch in dieser Beziehung unter eine mildere Gesetzgebung gesetzt werden.

Der Akt der Inskription und Verpflichtung auf die Gesetze ist ein juridischer und wird drum am schicklichsten, so wie die unten zu bezeichnenden Justizgeschäfte, einem besonders zu ernennenden *Justitiarius* der Lehranstalt anheimfallen.

Da die Anstalt in gar kein anderes Verhältnis mit den Zugewandten eingeht als auf die Erlaubnis des Zutrittes, so bleibt ihr auch kein anderes Zwangsmittel übrig als die Zurücknahme dieser Erlaubnis. Dieses kann geschehen im *besondern* oder im *allgemeinen*. In Absicht des erstern muß es jedem einzelnen Lehrer auf seine eigene Verantwortung vor seinem Gewissen frei stehen, einem Zugewandten, dessen Unruhe und Zerstreutheit ihn oder sein Auditorium stört oder der ihn oder seine mit ihm enger verbundenen Schüler beleidigt hat, den Zutritt zu seinen Lehrübungen für eine gewisse Zeit, oder auch auf immer, zu untersagen; und das ganze lehrende Korps muß ihn hiebei, durch die Verwarnung vor größerem Übel, auf seine bloße Anzeige unterstützen. Das zweite erklärt sich selbst; und sind die Fälle, – unter die der, daß jemand der Verweisung eines einzelnen Lehrers aus seinem Auditorium nicht Folge geleistet hätte, mit gehört, – durch das Gesetz festzustellen. Sollte, bei Verborgenheit der Urheber beleidigender Attentate, etwas erst ausgemittelt werden müssen, so fällt diese Untersuchung dem Justitiarius der Universität anheim, vor dessen Gericht sich der Inskribierte, bei Strafe der Relegation in contumaciam[115], zu stellen hat. Bisherige Universitäten,

z. B. die Nutritoren der Jenaischen Universität und derselben Senat, haben angenommen, daß es in solchen Fällen für die Verurteilung keinesweges des strengen juridischen Beweises bedürfe, sondern daß ein dringender Verdacht dazu hinreiche; indem ja nicht irgendeine Strafe zugefügt, sondern nur eine frei erteilte Erlaubnis wiederum zurückgenommen werde, weil deren Fortdauer gefährlich scheine; und der Verfasser dieses ist der Meinung, daß diese recht haben und daß auch wir denselben Grundsatz aufzunehmen hätten. Der Justitiarius ist in dieser Qualität, als Verwalter des Rechtes des Instituts, sich selbst zu schützen, demselben verantwortlich.

Mit der Zurücknehmung der Inskription ist, teils um die Mitglieder der Universität gegen den fernern Überlauf und die Rache der Entlaßnen zu sichern, teils weil ein solcher gar keinen Grund mehr aufweisen kann, seinen Aufenthalt an diesem Orte fortzusetzen, die Verweisung aus der Universitätsstadt und ihrer nächsten Nachbarschaft oder die *Relegation* natürlich verknüpft. Die Pflicht, über diese zu halten, fällt der Polizei, die in dieser Rücksicht gar nicht Richter oder Revisor des Urteils, sondern lediglich Exekutor des schon gesprochenen Urteils ist, anheim; und müßte gegen diese, falls sie ihre Pflicht lässig betriebe, die Universität als Kläger auftreten.

(Sollte in dieser Ansicht einige Richtigkeit sein, so würde daraus auch erhellen, wie die bisherige Justizverwaltung auf Universitäten, bald in der Voraussetzung, daß die Universität nicht mehr bedürfe, als eine Erlaubnis zurücknehmen, die sie selbst gegeben, bald, indem sie zugleich das ihr fremde Geschäft der Polizei und der Ziviljustiz ausüben sollte, endlich, indem ihr auch ein Gefühl ihrer Vater- und Erzieherpflichten entstand, geschwankt und bald zu viel, bald zu wenig getan habe. Hier ist durch die Trennung zwei sehr verschiedener Klassen von Studierenden der Widerspruch gelöst; und durch die anheimgegebene Freiheit, zu welcher Klasse jemand gehören wolle, das persönliche Recht behauptet.)

36

In Absicht der Verknüpfung der Relegation mit der Zurücknahme der Inskription, die bei Fremden ganz unbedenklich
ist, dürfte in dem Falle, da die zu Relegierenden ihren elterlichen Wohnplatz in der Universitätsstadt hätten, billig das
Bedenken eintreten, ob die Universität, so wie sie ohne
Zweifel das Recht hat, diese aus ihren Hörsälen zu verweisen, auch das Recht habe, sie aus ihrem väterlichen Hause
zu vertreiben. Da inzwischen, falls man ihr dieses Recht absprechen müßte, sie gegen diese durchaus nicht weniger gefährlichen Jünglinge ohne eine besondere Einrichtung
nicht gesichert werden könnte, so wäre als eine solche besondere Einrichtung vorzuschlagen: 1) daß Söhne aus der
Universitätsstadt, falls sie nicht etwa schon als Mitglieder
einer niedern Schule das gute Zeugnis dieser ihrer Lehrer
für sich hätten, sich einige Zeit vor der Inskription zu derselben anmelden müßten, und von da an beobachtet würden, und daß man ihnen, falls diese Beobachtung Bedenklichkeit gegen sie einflößte, die Inskription verweigern
könne; 2) daß ihre Eltern eine namhafte Summe als Kaution
für sie stellten, deren erste Hälfte im Falle der Zurücknahme der Inskription, statt der Relegationsstrafe, mit der
sie dermalen verschont blieben, verfiele; daß aber, falls sie
hinfüro von neuem sich einiger Exzesse gegen die Lehranstalt schuldig machten, auch die andere Hälfte verfiele und
sie dennoch relegiert würden. Sollten Eltern diese Kaution
stellen nicht können oder wollen, so müssen sie sich es
eben gefallen lassen, daß auch ihre Söhne im Falle der Ver-
schuldung relegiert werden; so wie bisher zuweilen sogar
Professoren sich haben gefallen lassen müssen, daß ihren
unfertigen Söhnen dieses begegnet; indem es gänzlich in
dem freien Vermögen aller Studenten in der Welt beruhet,
diejenigen Handlungen, welche Relegation nach sich ziehen und deren Katalog bei uns, die wir der Polizei und dem
Zivilgerichte überlassen würden, was ihres Amtes ist, gar
nicht groß sein würde, zu unterlassen.

§ 37

Die Regularen werden vom Staate und seinem Organe, der allgemeinen Polizei (denn mit der Ziviljustiz könnte wohl die Ökonomieverwaltung derselben, keineswegs aber ein Einzelner von ihnen zu tun bekommen), betrachtet als ein Familienganzes, das als solches für seine Mitglieder einsteht. Wäre von den letztern gesündigt, so ist freilich das Ganze zur Verantwortung und Strafe zu ziehen; dagegen bleibt die Bestrafung des einzelnen Mitgliedes der Familie selbst überlassen und wird im Schoße derselben vollzogen und ist väterlich und brüderlich und soll dienen als Erziehungs-, keineswegs aber als schreckendes Mittel. Nur wenn ein Individuum vom Körper abgesondert und ausgestoßen werden müßte, könnte es wieder als Einzelner dastehen und dem Forum, für welches es sodann gehörte, anheimfallen.

Es erhellt, daß ohne vorhergegangene Degradation und Ausstoßung keine der bisher aufgestellten gesetzlichen Verfügungen auf die Regularen passen und daß für sie weder Justitiarius oder Relegation oder des etwas stattfinde. Durch die bloße Ausstoßung könnten sie doch nicht weniger werden als das, was sie ohne Einverleibung in das Korps der Regularen gewesen sein würden, *Zugewandte,* und erst als solche müßten sie von neuem sich vergehen, um der Polizei, oder dem Justitiarius, welchem sie ja von nun an erst anheimfallen, verantwortlich zu werden. Daß die Fälle, in denen ein Familienganzes seine Mitglieder nicht vertreten kann, z. B. Kriminalfälle, ausgenommen sind, daß aber auch sodann die Degradation der Auslieferung an den Richter vorhergehen müsse, ist unmittelbar klar.

Die Regularen hätten sonach zuvörderst für sich eine Regel zu finden, nach der die Möglichkeit solcher Fälle so gut als aufgehoben und überhaupt alle Vorkehrungen so getroffen würden, daß die Polizei keine Gelegenheit fände, von ihnen Notiz zu nehmen: sodann ein Ephorat und Gericht zu errichten, das über die Ausübung dieser Regel hielte. Ohnedies würde in dem Hause, in welchem sie beisammen wohnten, ein alter ehrwürdiger Gelehrter, der selbst einst mit Ruhm und Verdienst Lehrer am Institut gewesen wäre, als der unmittelbarste Hausvater der Familie mit ihnen wohnen und leben. (Sollte späterhin die Gesellschaft also anwachsen, daß sie in mehrere Häuser verteilt werden müßte, so müßte dies nicht etwa durch die Benennung verschiedener Kollegia getrennt, sondern das Einheitsband müßte durch die Gemeinschaftlichkeit *eines* Hausvaters und durch andere Mittel auch äußerlich sichtbar bleiben.) Dieser wäre der natürliche Präsident dieses Familiengerichts. Ferner sind natürliche Beisitzer desselben alle ordentlichen Lehrer an der Anstalt, indem ja deren eigne Ehre von der Ehre ihres Zöglings abhängt; und könnten dieselben, zur Sparung ihrer Zeit, *abwechselnd* in demselben sitzen. Endlich wären, damit ein wahrhaftes Familien- und Brudergericht entstände, aus den Regularen selbst, nach einer leicht zu findenden Regel, Beisitzer zu ernennen. Deren richterliche Verwaltung trüge nun den oben angegebenen Grundcharakter; die Verhandlungen aber und Richtersprüche derselben blieben durchaus im Schoße dieses Korps; hierüber andern etwas mitzuteilen, würde betrachtet als eine Ehrlosigkeit, die unmittelbar die Ausstoßung nach sich ziehen müßte.

Eine ähnliche Einrichtung können die Novizen, falls sie eine Verwaltung finden, deren Garantie die Polizei annehmen will, treffen. Nur haben sie keinen Anspruch auf den Beisitz der ordentlichen Lehrer in ihrem Familiengerichte; es kann ihnen aber erlaubt werden, außerordentliche Professoren, von denen zu seiner Zeit, oder auch andere brave Gelehrte, zu diesem Beisitze einzuladen. Überhaupt, so ähnlich auch das Noviziat jetzt oder künftig dem Kollegium der Regularen werden möchte, so bleibt doch immer der Hauptunterschied, daß das letztere unter öffentlicher Autorität und Garantie steht, das erste aber ein mit Privatfreiheit zustande gebrachtes Institut ist, dessen Mitglieder von Rechts wegen keinen größeren Anspruch haben denn die Zugewandten und die die Begünstigungen, welche Polizei und Universität ihnen etwa geben, nur anzusehen haben als ein freies Geschenk, das ihnen auch wieder entzogen werden kann.

§ 38

Durch das Bisherige ist nun auch die Entstehung des *lernenden Subjekts* in seinen verschiedenen Abstufungen, und wie dasselbe immerfort ergänzt und erneuert werden solle, beschrieben. Wir können nunmehro auch an eine weitere Bestimmung des schon oben im allgemeinen lehrenden Subjekts gehen.

Auf den bisherigen Universitäten war es Doktoren und außerordentlichen Professoren erlaubt, sich im Lesen zu versuchen und zu erwarten, ob ein Publikum sich um sie herum versammeln werde. Haben dieselben schon auf einer andern Universität das Recht, Vorlesungen zu halten, gehabt, so können auch wir es ihnen erlauben. Im entgegengesetzten Falle mögen sie das anderwärts Gebräuchliche auch bei uns leisten. Die eigentlichen Lehrer für die Regularen und die, so es zu werden streben, sind freilich die enzyklopädischen Lehrer, die ja auch die entscheidenden Aufgaben geben, so wie die von diesen etwa eingesetzten Lehrer des Teils eines Faches, welche, obwohl Unterlehrer, dennoch *ordentliche* Lehrer sind. Für diese, die wir immer insgesamt *außerordentliche* Professoren nennen könnten, blieben demnach die Zugewandten übrig, an denen sie sich versuchen könnten. Dennoch sollen auch nicht nur Regularen, und zwar die geübtesten und befestigtsten, von dem enzyklopädischen Lehrer des Faches zur Besuchung ihrer Vorlesungen ernennt werden, sondern auch dieser Lehrer selbst und andere Lehrer befugt sein, denselben insoweit beizuwohnen, bis sie einen bestimmten Begriff von den Kenntnissen und dem Lehrertalent des Mannes sich erworben.

Die erste Erlaubnis zu lesen geht nur auf *ein* Lehrjahr. Nach Verfluß desselben muß abermals um dieselbe eingekommen werden, und es kann diese nach Befinden der Umstände erneuert oder verweigert werden; oder auch der zweckmäßig befundene Lehrer kann als ordentlicher Unterlehrer oder auch als Enzyklopädist, wenn der vorherige abgehen will, ernannt werden.

Die Entscheidung über beide Gegenstände hängt, wie bei Beurteilung der Aufsätze, ab von der Klasse des Faches, sowie von der philosophischen Klasse, wo die erstere über die Gründlichkeit der empirischen Erkenntnis, die zweite über die philosophische Freiheit und Klarheit entscheide. Auch hier müssen für ein bejahendes Urteil beide Stimmen sich vereinigen, indem jede Klasse erst unter sich und für sich einig sein muß, und ihre Stimme hier nur für eine gezählt wird. Da jedoch, so wie das Alter beschuldigt wird, jeder

Neuerung zuweilen sich feindselig zu zeigen, ebenso die kräftigere Jugend von Eifersucht gegen fremdes Verdienst nicht immer ganz freizusprechen ist, so müßte bei einem die Erlaubnis zu lesen oder die Anstellung eines Lehrers betreffenden Falle fürs erste jede besondere Klasse (die hier requirierte empirische, so wie die philosophische) zuvörderst in sich selber in zwei Teile geteilt werden, den *Rat der Alten* und den *der ausübenden Lehrer,* und nur, wenn diese beiden Teile nein sagten, hätte die Klasse nein gesagt, dagegen auch das einseitige Ja des einen Rates zum Ja der Klasse würde. Dadurch würde hervorgebracht, daß weder die Neuerungsfurcht des einen noch die Eifersucht des andern Teiles den Fortschritt zum Bessern hindern könnte und diesen beiden Dingen aneinander selber ein wirksames Gegengewicht gegeben; wo aber beide Teile nein sagten, da würde wohl ohne Zweifel das Nein die richtige Antwort sein.

(Übrigens wird eine solche Einteilung unsers gelehrten Korps in einem Senat der Alten und der Lehrer zu seiner Zeit aus dem Wesen des Ganzen, ganz ohne Rücksicht auf das soeben erwähnte besondere Bedürfnis, sich sehr natürlich ergeben.)

§ 39

Eine Auswahl der Regularen in jedem Fache wird beim Fortgange der Anstalt, als ein Professorseminarium, ohnedies unter der Aufsicht der ordentlichen Lehrer zu den Geschäften des Lehrers angehalten werden. Diesen könnte, wenn sie aus der Klasse der Studierenden herausgetreten und zu *Meistern* ernannt worden, das Recht zu lesen auf dieselbe Weise erteilt werden, so wie aus ihnen die Lehrstellen nach derselben Regel sehr leicht besetzt werden. Doch würden uns immerfort auf jeder Stufe unserer Vollendung zu uns kommende fremde Lehrer, auf die § praeced[116]. erwähnte Weise, willkommen sein und wir dadurch gegen jede Einseitigkeit des Tones uns zu verwahren suchen.

§ 40

Die Verwaltung des Lehramtes, besonders nach unsern Grundsätzen, erfordert jugendliche Kraft und Gewandtheit. Nun ist wenigen die Fortdauer dieser jugendlichen Frischheit bis in ein höheres Alter hinein zugesichert; auch fällt die Neigung der meisten originellen Bearbeiter der Wissenschaft in reifern Jahren dahin, ihre Bildung in einer festen und vollendeten Gestalt niederzulegen in das Archiv des allgemeinen Buchwesens, und es ist sehr zu wünschen, daß dies geschehe, und ihnen die Zeit und Ruhe dazu zu gönnen. Wir müssen drum nicht anders rechnen, als daß wir die Lehrer an unserer Anstalt nur auf eine bestimmte Zeit beibehalten wollen. Alle diejenigen, mit denen das Institut zuerst beginnt, werden sich bald nach der ehrenvoll verdienten Ruhe sehnen und gern den Zeitpunkt ergreifen, da unter ihnen ein jüngeres Talent sich gebildet hat, das ihren Platz würdig besetze. Alle während des Fortganges des Instituts neu angestellten Lehrer sind nur auf einen bestimmten Zeitraum (etwa für die Periode, innerhalb welcher das studierende Publikum sich zu erneuern pflegt) anzunehmen, nach dessen Ablaufe beide Teile, die Universität und der Lehrer, auf die § 38 beschriebene Weise, den Kontrakt erneuern, oder auch aufheben können.

§ 41

Um im ökonomischen Teile solcher Verhandlungen dem bisher oft stattgefundenen anstößigen Markten zwischen Regierungen und Gelehrten, indem sie ersteren zuweilen von der Verlegenheit eines wackern Mannes Vorteil zu ziehen suchten, um seine Kraft und sein Talent wohlfeilen Kaufes an sich zu bringen, die letztern zuweilen auch mit dem Gehörigen sich nicht begnügen mochten und ihre übertriebenen Forderungen durch teils mit List an sich gebrachte auswärtige Vokationen unterstützten, in der Zukunft und für unser Lehrinstitut vorzubauen, mache ich folgenden Vorschlag.
Entweder sind diese Lehrer Einländer und auf unserm Institute, wohl gar als Regulare, wie zu erwarten, gebildet; so hat das Vaterland ohnedies den ersten Anspruch auf ihre Kräfte, so wie sie Anspruch auf die Fürsorge desselben, in jedem Falle und ihr ganzes Leben hindurch, haben; oder sie sind Fremde, welche bei uns auch ihre Bildung nicht erhalten haben. Im letzten Falle fordere man von ihnen, daß sie, beim Eingehen irgendeines Verhältnisses mit uns oder bei der Erneuerung eines solchen, sich erklären, ob sie ihr

Fremdenrecht beibehalten oder ob sie das völlige Bürgerrecht haben (sich nostrifizieren[117] lassen) wollen. Im ersten
Falle müssen wir uns freilich gefallen lassen, daß, falls sie
uns unentbehrlich sind, sie sich uns so teuer verkaufen, als
sie irgend können; jedoch wird diese Verbindung immer
nur auf einen Zeitraum eingegangen; und können wir etwa
nach dessen Abfluß sie entbehren, so sollen sie wissen, daß
wir uns sodann um sie durchaus nicht weiter kümmern werden, und sie gehen können, wohin es ihnen gefällt. Im
zweiten Falle erhält der Staat an sie und sie an den Staat alle
Ansprüche, die zwischen ihm und den bei uns gebildeten
Eingebornen stattfinden. Um nun in diesem letztern Verhältnisse zugleich die persönliche Freiheit des Individuum
sicherzustellen, zugleich eine rechtliche Gleichheit des Individuum mit dem Staate, der bisher seinem Diener lebenslänglichen Unterhalt zusichern, von ihm aber zu jeder
Stunde sich den Dienst aufkündigen lassen mußte, hervorzubringen, und besonders, um dem Gelehrtenstande zu
größerer Moralität und Ehrliebe in Dingen dieser Art zu
verhelfen, setze man den Anspruch auf lebenslange Versorgung, verhältnismäßig nach dem Fache, als *gleich einem gewissen bestimmten Kapital,* das der des vollkommnen Bürgerrechts Teilhaftige dem Staate zurückzahle, wenn er dessen
bisherige Dienste verlassen will. Ist er nun dem auswärtigen
Berufer dieser Summe wert, so mag derselbe sie bezahlen,
und er ist frei; aber es ist zu hoffen, daß dieser Fall nicht
sehr häufig eintreten und auf diese Weise wir mit der Beseitigung so mannigfacher Vokationen verschont bleiben werden.

§ 42

Es ist, in der Voraussetzung dieser Einrichtung, bei der
Frage, wie abgetretene Professoren zu versorgen seien, nur
von solchen die Rede, denen das vollkommene Bürgerrecht
angeboren oder von ihnen angenommen ist; indem diejenigen, welche dasselbe abgelehnt, nach ihrem Austritte nicht
nur nicht versorgt werden, sondern es sogar eine feste Maxime unserer Politik sein soll, dieselben sobald wie möglich
entbehrlich zu machen.
Die bei uns erzogenen und beim Austritte aus den Studierenden des *Meistertums* würdig befundenen Regularen ha-

ben ohnedies den ersten Anspruch auf die ersten Ämter des Staates, und man könnte auch immerhin den Lehrern, die das Institut beginnen werden, denselben Anspruch erteilen, den man ihren spätern Zöglingen nicht wird versagen können. Dieser Anspruch und die Fähigkeit, dergleichen Ämter zu bekleiden, werden dadurch ohne Zweifel nicht vermindert, daß der Mann durch einige Jahre Lehreramt es zu noch größerer Gewandtheit in demjenigen wissenschaftlichen Fache, dessen Anwendung im Leben das erledigte Staatsamt fordert, und nebenbei zu größerer Reife des Alters und der Erfahrung gebracht hat; es wäre vielmehr zu wünschen, daß alle diesen Weg gingen und das Leben der ersten Bürger in der Regel in die drei Epochen des lernenden, des lehrenden und des ausübenden wissenschaftlichen Künstlers zerfiele. Weit entfernt daher, um die Anstellung ausgetretener Lehrer verlegen zu sein, müßten wir, wenn wir auch sonst keines Korps der Lehrer bedürften, ein solches schon als Pflanzschule und Repertorium höherer Geschäftsmänner errichten und bei eintretendem Bedürfnisse aus diesem Behälter zuweilen sogar den, der lieber darin bliebe, herausheben.

Dieses Bedürfnis austretender Lehrer für den Staat und den höhern Geschäftskreis desselben noch abgerechnet, bedarf auch für sich selbst das literarische Institut solcher Männer. – Es gibt sehr weit von der Wurzel des wissenschaftlichen Systems abliegende, in ein sehr genaues Detail eines Faches gehende Kenntnisse, welche in die allgemeine Enzyklopädie und den gewöhnlichen Kreis des Unterrichts an der wissenschaftlichen Schule nicht eingreifen und ohne deren Kenntnis jemand ein sehr trefflicher Lehrer sein kann. Doch kann das Bedürfnis auch dieser Kenntnis für Lehrer und Lernende eintreten; es muß daher das Mittel vorhanden sein, sie irgendwo zu schöpfen. Dies seien fürs erste die ausgetretenen Lehrer. Vielleicht arbeiten sie ohnedies an einem Werke, in welchem sie ihre individuelle Bildung in das allgemeine Archiv des Buches niederlegen wollen, zu dem ihnen die Muße zu gönnen ist. Nebenbei mögen auch Lehrer und Lernende sich bei ihnen Rats erholen über das, worin sie vorzüglich stark sind; oder auch vorkommenden Falles beide sie um einige Vorlesungen ersuchen, in Gottes Namen über ein orientalisches Wurzelwort oder die Naturgeschichte eines einzelnen Mooses. Sie sind mit einem Worte Rat und Hilfe der Jüngern bei eintretenden Notfällen im Wissen sowohl als der Kunst.

Indem sie nun doch nicht mehr eigentliche und ordentliche Lehrer an der Universität und ihre noch fortdauernde Leistungen nur frei begehrte und frei gewährte Gaben sind, sind sie eine *Akademie der Wissenschaft* im *modernen* (eigentlich französischen) Sinne dieses Wortes; und für die Universitätsangelegenheiten der oben erwähnte *Rat der Alten*. Mit ihnen tritt bei dergleichen Beratschlagungen des Korps der wirklichen Lehrer, als *Rat der ausübenden Lehrer*, zusammen; daher sind auch die letztern natürliche Mitglieder der Akademie; und die gesamte Akademie ist, in Beziehung auf die Universität, der *Senat* derselben, nach den erwähnten beiden Hauptteilen in allen festzusetzenden besondern Klassen.

Freie Mitglieder der Akademie bleiben auch die zu andern Staatsämtern beförderten ausgetretenen Lehrer, und sie sind befugt und, inwiefern es ihre anderen Geschäfte erlauben, ersucht, an den Beratschlagungen derselben, als Mitglieder des Rates der Alten, teilzunehmen; (und sie werden gebeten werden, welche Dekorationen auch sonst ihnen zuteil geworden sein dürften, dennoch zuweilen auch unsere Uniform, welche überhaupt jeder Akademiker trägt, mit ihren Personen zu beehren).

In dieser Akademie Schoß bleibt ihnen auch immer, welche Schicksale auch sonst auf ihrer politischen Laufbahn sie betroffen haben möchten, der ehrenvolle Rückzug, und ist ihnen da ein sorgenfreies, geehrtes Alter bereitet, indem der Charakter eines Akademikers character indelebilis[118] wird.

§ 43

Noch wäre, in derselben Rücksicht, um sichern Rat und Hilfe in jeder literarischen Not zu finden, eine andere Art von Akademikern, die sogar niemals ordentliche Lehrer gewesen, anzustellen; ich meine jene lebendigen Repertorien der Bücherwelt und die, welche groß und einzig sind in irgendeiner seltenen Wisserei, obwohl sie es niemals zu einer enzyklopädischen Einheit der Ansicht ihres Faches, oder zu einer lebendigen Kunst in demselben, gebracht haben und darum als ordentliche Lehrer für uns nicht taugen. Wir wollen sie nur dazu, daß unser ordentlicher Lehrer diese lebendigen Bücher zuweilen nachschlage; die Klarheit und Kunstmäßigkeit wird er dem bei ihm geschöpften Stoffe für die Mitteilung an seine Schüler schon selber geben.

(So starb vor mehreren Jahren zu Jena ein gewisser B., der mehrere Hunderte von Sprachen zu wissen sich rühmte und von dem andere, auch nicht mit Unrecht, sagten, er besitze keine einzige. Dessen ohnerachtet, glaube ich, würde auch der Besitz eines solchen uns wünschenswürdig sein. Denn falls etwa, wie es denn in der Tat dergleichen Leute gibt, jemand glaubte, das gesamte menschliche Sprachvermögen sei im Grunde eins und die mancherlei besondern Sprachen seien nur, nach einem gewissen Naturgesetze, ohne einige Einmischung der Willkür fortschreitende weitere Bestimmungen und Ausbildungen jener *einen* Wurzel und es lasse sich sowohl diese Wurzel als jenes Naturgesetz finden; und etwa einer unsrer Akademiker an die Lösung dieser Aufgabe ginge, so würde diesem aus andern Gründen nicht füglich anzumuten sein, daß er alle Sprachen der Welt wisse; es möchte sie aber neben ihm und für seinen Gebrauch ein solcher B. wissen, der wiederum immer unfähig sein möchte, ein solches Problem zu denken und sein Wissen für die Lösung desselben zu gebrauchen. – So müssen wir denn den ganzen vorhandenen historischen Schatz aller Wissenschaft bei uns aufzuspeichern suchen, nicht, um ihn tot liegen zu lassen, sondern um ihn einst mit organisierendem Geiste zu bearbeiten. Ist dies geschehen, dann wird es Zeit sein, das caput mortuum[119] wegzuschaffen; bis dahin wollen wir nichts wegwerfen oder verschmähen.)

So ist, nachdem der Theologie der Alleinbesitz der orientalischen Sprachkunde und der der Kirchengeschichte abgenommen worden, kaum zu erwarten, daß beides, bis auf seinen letzten bekannten Detail, in den gesamten enzyklopädischen Unterricht der Philologie oder der Geschichte an unserer Kunstschule werde aufgenommen werden; daß wir sonach eines ordentlichen Lehrers der orientalischen Sprachen, oder der Kirchengeschichte kaum bedürfen werden. Dennoch müssen immerfort Männer in unsrer Mitte sein, bei welchen jeder, der aus irgendeinem Grunde das Bedürfnis hat, über das Enzyklopädische hinaus bis zu dem äußersten Detail dieser Fächer fortzugehen, sein durch das bloße Buch nicht also zu befriedigendes Bedürfnis zu befriedigen vermag.

Übrigens sind diese Anführungen nur als Beispiele zu verstehen. Eine systematische Übersicht der Summe unserer Bedürfnisse in dieser Rücksicht sowie die Angabe der bestimmten Männer, die wir zu diesem Behuf für den Anfang mit uns zu vereinigen hätten, werden die Beratschlagungen der oben erwähnten einzelnen Männer und Komitees, welche auch über diesen Teil unseres Plans zu instruieren wären, an die Hand geben.

Auch diese Art von Akademikern besitzt alle Rechte eines solchen und sitzt im *Rate der Alten*.

§ 44

Betreffend den Übergang aus dem Korps der Lehrlinge in das der Lehrenden oder praktisch Ausübenden:

Der Regulare müsse am Ende seines Studierens dokumentieren, daß der Zweck desselben bei ihm erreicht worden, sagten wir oben. Da nun der letzte Zweck unsrer Anstalt keineswegs die Mitteilung eines Wissens, sondern die Entwicklung einer Kunst ist, der in einer Kunst Vollendete aber Meister heißt, so würde jene Dokumentation darin bestehen, daß er sich als Meister bewähre.

Das Meisterstück würde am schicklichsten in einer zu liefernden Probeschrift bestehen, nicht über ein Thema freier Wahl, sondern über ein vom Lehrer seines Faches ihm gegebenes und *darauf* berechnetes, daß daran sich zeigen müsse, *ob der Lehrling die in seiner individuellen Natur liegende größte Schwierigkeit*, die dem Lehrer ja wohl bekannt sein muß, durch die kunstmäßige Bildung seines Selbst besiegt habe. (Wählt er selbst, so wählt er das, wozu er am meisten Leichtigkeit und Lust hat, daran aber zeigt sich nicht der Triumph der Kunst; der Lehrer soll ihm das aufgeben, was für seine Natur das Schwerste ist; denn das Schwere mit Leichtigkeit tun, ist Sache des Meisters.) Über diese seine eigene Schrift nun und auf den Grund derselben werde er, bis zur völligen Genüge des Lehrers, öffentlich examiniert.

Es sind zwei Fälle. Entweder wird in einem besondern empirischen Fache das Meistertum begehrt. In diesem Falle

118

gibt der Lehrer dieses Fachs das Thema; die Prüfung aber und das Tentamen[120] zerfällt in zwei Teile, von denen, wie auch bei den früheren Beurteilungen der Aufsätze der Studenten, der Lehrer des Faches nach der Erkenntnis, und beim Kandidaten des Meistertums insbesondre darnach forscht, ob er sie in der Vollständigkeit und bis zu demjenigen Detail, bis zu welchem der mündliche und Bücherunterricht an der Kunstschule fortgeht, gefaßt habe; die philosophische Klasse aber über die lebendige Klarheit dieser Erkenntnis ihn nach allen Seiten hinwendet und versucht.

Oder der Kandidat begehrte bloß in der Philosophie das Meistertum; so würde er in Absicht das Thema sowohl als der Prüfung auf den ersten Anblick lediglich der philosophischen Klasse anheimfallen und die Empirie an ihn keine Ansprüche haben. Da inzwischen die Philosophie gar keinen eigentlichen Stoff hat, sondern nur das allen Stoff der Wissenschaft und des Lebens in Klarheit und Besonnenheit auflösende Mittel ist; und derjenige, der sich für einen großen Philosophen ausgäbe, dabei aber bekennte, daß er weder etwas anderes gelernt, vermittelst dessen, als eines Mittelgliedes, er seinen philosophischen Geist im Leben einzuführen vermöchte, noch auch seine Philosophie unmittelbar von sich zu geben und sie andern mitzuteilen verstände, ohne Zweifel der Gesellschaft völlig unbrauchbar und keineswegs ein Künstler, sondern ein totes Stück Gut sein würde; so muß der, der sich auf die Philosophie beschränkt, wenigstens sein Vermögen, sie mitzuteilen und einen kunstmäßigen Lehrer in derselben abzugeben, dokumentieren. Und so kann keiner als Meister in der Philosophie anerkannt werden, der sich nicht auch zugleich als *Doktor* derselben bewährt hat.

Nun ist es ferner gar nicht hinlänglich, daß er in dieser Fertigkeit des Vortrages seiner Klasse genüge; er soll auch Nichtphilosophen, dergleichen ja, wenn er das Lehramt einst im Ernste verwaltet, alle seine Lehrlinge anfangs sein werden, verständlich werden können; und so fällt denn in dieser Rücksicht das Endurteil von seiner eigenen Klasse an die empirischen Klassen insgesamt, die es durch aus ihrer Mitte ernannte Stellvertreter verwalten können. Hier also entscheidet umgekehrt die philosophische Klasse über die

Richtigkeit des Inhalts, als Resultat der erlernten Kunst, die Gesetze des Denkens im Philosophieren frei zu befolgen, die empirischen über die Gewandtheit und Klarheit in dieser Kunst, die er durch den Vortrag darlegt. Mögen diese immerhin über das Vorgetragene kein Urteil haben; der Vortrag selbst wenigstens muß ihnen als meistermäßig einleuchten. – Es werden darum diejenigen, welche um das Meistertum in der Philosophie nachzusuchen gedenken, sich schon früher in dem Lehrerseminarium geübt haben, da der philosophische Vortrag ohnedies der vollkommenste und das Vorbild alles andern Vortrages bleiben muß und darüber an unsrer Kunstschule alles Ernstes zu halten ist.

Dagegen kann der empirische Gelehrte, der seine Kenntnisse vielleicht nur praktisch anzuwenden gedenkt, Meister sein, ohne gerade Doktor sein zu können. Macht er auch auf das letztere Anspruch und begehrt er an unserm Institute zu lehren, so muß er seine Fertigkeit darin noch besonders dartun, und hat er hierüber beiden, sowohl der philosophischen Klasse als der seines Faches, Genüge zu leisten.

Es läßt sich auch den Zugewandten das Recht, das Meistertum in Anspruch zu nehmen, nicht durchaus versagen. Da jedoch hierbei die den Lehrern auch von allen schwachen Seiten ihrer individuellen Natur oder Erkenntnis weit besser bekannten Regularen in Nachteil kommen würden, so wäre von den Zugewandten in diesem Falle, für Herstellung der Gleichheit, zu fordern, daß sie wenigstens *ein* Lehrjahr vor ihrer Erhebung zu Meistern ihren Anspruch dem Lehrer des Faches, so wie dem der Philosophie, bekannt machten und dieses Jahr hindurch sich dem allseitigen Studium dieser Lehrer bloßstellten. Könnten nicht diese beiden Lehrer am Ende des Jahres mit gutem Gewissen erklären, daß ihnen diese jungen Männer für die Absicht hinlänglich erkundet seien, so müßte die Beratung über ihr Gesuch abermals ein Lehrjahr hinausgesetzt werden, währenddessen sie zu diesen beiden in demselben Verhältnisse blieben wie im ersten Jahre. Sie möchten auch an diese Lehrer für diese eigentlich nicht im Kreise ihres Berufs liegende Mühe einen Ersatz auszahlen, der in jedem Falle, ob sie nun des Meistertums würdig befunden wären oder nicht, verfiele.

Erst durch die Erlangung des Meistertums beweist der Regulare seine würdige Benutzung des Instituts und tritt ein in sein Recht des ersten Anspruches auf die ersten Würden des Staates. Ganz gleich läßt sich ihm hierin nun einmal nicht setzen der Meister aus den Zugewandten, der uns die nähere Bekanntschaft mit seinem moralischen Charakter und seiner bisherigen sittlichen Aufführung versagt hat. Jedoch auch hierüber das Beste hoffend, und da er denn doch auch der Kunst Meister ist, könnte man ihm den ersten Anspruch da, wo kein Meister aus den Regularen sich gemeldet, zugestehen.

Den Regularen, die etwa in dem Gesuche des Meistertums durchfielen, so wie Zugewandten, die keinen Anspruch darauf machten, möchte man immerhin den gewöhnlichen *Doktor*grad erteilen, und mögen die empirischen Klassen über die dabei nötigen Leistungen etwas festsetzen. Ein gewöhnlicher und gemeiner Doktor nämlich ist derjenige, der nicht zugleich auch, wie die früher oben angeführten, Meister ist, und es ist in diesem Falle mit den beiden letzten Buchstaben nicht eigentlich Ernst, indem wirklich Doktor zu sein nur derjenige vermag, der Meister ist; sondern es ist jenes Wort nur euphemisch gesetzt, statt doctus, einer, der etwas erlernt hat.

Die rechten heißen Meister schlechtweg, und kann man den Doktor weglassen; wiewohl man auch, um den Unterschied noch schärfer zu bezeichnen, die letzten Titulardoktoren nennen könnte. Die philosophische Klasse hat bei dergleichen Promotionen gar kein Geschäft; denn die ihr selber gibt es nur Meister und Doktor in Vereinigung; um die andern Klassen aber bekümmert sie sich nur, wenn diese Anspruch auf den Rang des Künstlers machen, dessen diese letzte Art der Doktoren sich bescheidet.

Aus ihnen werden im Staate die subalternen Ämter besetzt. (Man kreierte magistros artium[121], und in den neuern Zeiten, da der Magistertitel in Verachtung geraten, hat man nur noch den für vornehmer geachteten Doktortitel führen mögen, da es doch offenbar weit mehr bedeutet, ein Meister zu sein, denn ein Lehrer. *Wir* haben mit jenen magistris artium gar nicht zu tun, da wir keineswegs *Künste* annehmen und in denselben etwa bis auf Sieben zählen, sondern nur *eine*, die Kunst schlechtweg, und diese zwar als unendlich, kennen; sondern unser Meister ist artis magister schlechtweg, der Kunst Meister, und es ist zu erwarten, daß die, die dieses Namens wert sind, sich seiner nicht schämen werden. Und so mögen sie denn immer Meister schlechtweg ohne Beisatz und ohne das, auch nur verringernde, Herr, angeredet werden, und sich schreiben: der Kunst Meister.

Vor der Neuerung haben wir uns auch nicht zu fürchten, denn auch andere Universitäten machen Neuerungen, wie die Jenaische, die anfing, gar keine magistros artium mehr, sondern nur Doktoren der Philosophie zu kreieren, oder die zu Landshut, die dermalen Doktoren der Ästhetik kreiert.

Nun ist dieser gradus magistri[122] dermalen nirgends vorhanden, und wir können uns denselben nicht erteilen lassen. Ohne Zweifel aber wird das Meisterstück der die Kunstschule anfangenden Lehrer dann geliefert sein, wenn sie andere Künstler gebildet haben. Indem sie nun mit gutem Gewissen diese für Meister erklären dürfen, erklären sie zugleich sich selbst dafür; sie erhalten den Grad, indem sie ihn erteilen, und können ihn drum von da an auch führen.)

§ 45

In allen den erwähnten Aufsätzen, so wie in denen über das Meistertum und den damit zusammenhängenden tentaminibus, wird die *deutsche* Sprache gebraucht, keineswegs etwa die lateinische. Der in diesem oft angeregten Streite dennoch niemals deutlich ausgesprochene entscheidende Grund ist der: Lebendige Kunst kann ausgeübt und dokumentiert werden lediglich in einer Sprache, die nicht schon durch sich den Kreis einengt, sondern in welcher man *neu* und *schöpferisch* sein darf, einer lebendigen, und in welche, als unsere Muttersprache, unser eignes Leben verwebt ist. Als die Scholastiker in der lateinischen Sprache mit freiem und originellem Denken sich regen wollten, mußten sie eben die Grenzen dieser Sprache erweitern, wodurch es nun nicht mehr dieselbe Sprache blieb und ihr Latein eigentlich nicht Latein, sondern eine der mehreren im Mittelalter entstehenden neulateinischen Sprachen wurde. Wir haben für diese freie Regung unsere vortreffliche deutsche Sprache: das Latein studieren wir ausdrücklich als das abgeschlossene Resultat der Sprachbildung eines untergegangenen Volkes, und wir müssen es darum in dieser Abgeschlossenheit lassen.

Der Philolog, eben weil er sein Geschäft in diesem fest abgeschlossenen Kreise treibt, kann bei Interpretation der Klassiker sich der römischen, und, wie in Gottes Namen zu wünschen wäre, auch der griechischen Sprache bedienen; und es wäre den Zöglingen unseres Instituts anzumuten, daß sie schon beim Austritt aus der niedern Schule diese Fertigkeit, auch lateinisch zu reden und sich zu unterreden, gelernt hätten. Sollte man in gewissen Fällen, z. B. wo der Anspruch auf ein Schulamt ginge, nötig finden, daß auch der Kandidat des Meistertums die Fortdauer und noch höhere Ausbildung dieser Fertigkeit zeigte, so könnte er dies tun, aber nur an Gegenständen jenes historisch geschlossenen Zyklus; wo aber ursprünglich schöpferisches Denken gezeigt werden soll, da wird die schon fertige Phrasis bald für uns denken, bald unser Denken hemmen; und darum bleibe bei diesem Geschäfte die tote Sprache ferne von uns.

§ 46

Wir gehen über zur Ökonomieverwaltung unsers Instituts.

Es ist vor allem klar, daß ein zu *fester Einheit* organisiertes Verwaltungskorps dieser Geschäfte eingesetzt werden müsse, dessen höchste Mitglieder wenigstens aus dem Schoße der Akademie selbst seien, etwa ausgetretene Lehrer, indem nur diesen die gebührende Liebe sich zutrauen läßt, die übrigen aber diesen und der gesamten Akademie verantwortlich sind.

Um den Folgen aus der Veränderlichkeit des Geldwertes für ewige Tage vorzubeugen, wären die Einkünfte des Instituts nicht auf Geld, sondern auf Naturalien festzusetzen, also daß es z. B. zu einem bestimmten Termine von einem bestimmten Bezahler so und so viel Scheffel Korn zu ziehen hätte, die allerdings nicht in Natur, sondern in klingender Münze abgeliefert würden; nicht jedoch nach einem für immer festgesetzten Preise, sondern nach dem, den dieses Korn am Termine der Zahlung auf dem Markte wirklich hätte. Ebenso hätte es nun auch an seine Besoldeten terminlich so und so viel Scheffel Korn zu bezahlen.

§ 47

Die beiden Hauptquellen von Einkünften, auf die wir fürs erste zu rechnen hätten, wären die Einkünfte des Kalenderstempels[123] von der Akademie, sodann die der eingegangenen Universität Halle, inwiefern dieselben uns verbleiben, wozu noch die Verwaltung der *Zahlstellen* im Korps der Regularen und späterhin andere, tiefer unten zu erwähnende, Hilfsquellen kommen würden. Nicht bloß darum, weil die Nation zahlt, sondern aus noch weit tiefern Gründen soll dieselbe innigst mit dieser Angelegenheit verflochten werden und unser Institut sehr deutlich als ein Nationalinstitut dastehen.

Wir werden dies auf folgende Weise erreichen. Da den eigentlichen wesentlichen Teil unsrer Anstalt, um dessen willen alles andere da ist, das Korps der Regularen bildet, so werden die Stellen in diesem Korps verteilt auf die *Kreise* und *Städte* der Monarchie*, nach dem Maßstabe, wie jeder, gezwungen oder freiwillig, beiträgt. *Stellen*, nicht in dem Sinne, daß nur der aus dem Kreise oder der Stadt Gebürtige diese Stelle haben könne, sondern jeder, dem eine solche Stelle zukommt und sie begehrt, erhält sie ohne Verzug; sondern also, daß zwischen dem Besitzer der Stelle und dem Kreise oder der Stadt, dem sie zufällt, ein Verhältnis entstehe wie zwischen Klienten und Patron; daß der erstere glaube, so wie sein eigentlicher Geburtsort ihn zu dem natürlichen Leben, so habe dieser Kreis oder diese Stadt ihn zu dem höhern wissenschaftlichen Leben geboren, daß die letztere an den Sukzessen dieses ihres Alumnus den Anteil von Ruhm nehme, den sie griechischen Städte an den aus ihnen stammenden Siegern in den olympischen Wettkämpfen nahmen, endlich, daß der erstere, wie hoch er auch jemals emporsteige, dennoch zeitlebens zu dankbarem Gegendienste bei jeder Gelegenheit bereit sei und aus dem

---

* Wie es z. B. mit den Stellen an den sächsischen Fürstenschulen die Einrichtung ist; auch mit den weiterhin beschriebenen Modifikationen.

Klienten ein Patron werde. Mehrere zarte sittliche Verhältnisse, die daher entspringen, abgerechnet, wird sich auch ein Interesse und eine Achtung für Wissenschaft durch die Nation als ein sie ehrenvoll auszeichnender Charakterzug verbreiten, der wiederum die Quelle großer Ereignisse werden kann. Stellen ferner, nicht in dem Sinne, daß die Zahl derselben jemals geschlossen sei, vielmehr soll jeder, der es wert ist und es begehrt, aufgenommen werden; sondern daß die vorhandenen und besetzten nach diesem bestimmten Maßstabe unter die Kreise etc. verteilt werden. Auch dem *deutschen* Ausländer (wer von anderer Nation wäre, qualifiziert sich wegen Abgang der Sprache nicht zum Wechselleben mit uns) soll, wenn er würdig ist, besonders wenn er beim Eintritte zugleich der Verpflichtung, die das vollkommne Bürgerrecht (§ 40) mit sich führt, sich unterwürfe, die Aufnahme unter die Regularen nicht abgeschlagen werden. Doch würde, nach dem Grundsatze, daß mit dem Auslande nur der Repräsentant der Einheit des Staates zu verhandeln hätte, diese Erlaubnis nur der König erteilen können, und wären somit alle an Ausländer gegebenen Plätze *königliche*, keineswegs aber *Landes*stellen. Doch wäre der König zu ersuchen, diese Erlaubnis den von dem Lehrerkorps Vorgeschlagenen nicht leicht, und nicht ohne höchst bewegende Gründe zu versagen; indem, anderer Rücksichten zu schweigen, hierdurch die preußische Nation recht laut ihre Anerkennung des allgemeinen deutschen Brudertumes dokumentiert und auch dies in der Zukunft wichtige Ereignisse nach sich ziehen kann.

§ 48

Nach Maßgabe, wie jeder Teil des Landes beiträgt, sollten auf ihn die Stellen verteilt werden, sagte ich. So möchte, ohne alle Rücksicht, ob dadurch die Verwaltung vereinfacht werde oder nicht, indem weit höhere Dinge (die wirkliche Beschäftigung der Nation mit diesem Gegenstande und derselben Folgen) zu beabsichtigen sind, der bisherige Kalenderpacht ganz aufgehoben werden, dagegen aber die Kreise und Städte sich selber taxieren, wie viele Scheffel Korn für diesen Stempel sie zahlen wollten, die sie hernach durch eigene Distribution der Kalender wieder beitrieben; wobei ihnen vorbehalten bleiben müßte, die Stempelgebühr nach Steigen oder Fallen der Kornpreise zu steigern oder zu verringern. Nach dieser ihrer Quote am Beitrage zum Ganzen richtete sich ihr Anteil an der Berechtigung auf Stellen. Falls nicht, was der Schreiber dieses in seiner damaligen Lage nicht erkunden kann, dadurch eine andere, schon eingeführte Stempeltaxe aufgehoben würde, so könnte diese Einnahme noch auf folgende Weise vermehrt werden, daß durch alle Teile der Monarchie dasselbe *eine* Maß und Gewicht eingeführt werde, was ohnedies seit langem sehr zu wünschen. Die Bestimmung eines solchen und des Mittels, es unwandelbar zu erhalten, ist ein natürlich einer Akademie der Wissenschaften anheimfallendes Geschäft. Die Übereinstimmung mit diesem Grundmaße und Gewicht wäre nun allen Maßen und Gewichten durch einen Stempel zu attestieren, dessen Ertrag dem Institute zugut käme und auf dieselbe Weise beigetrieben würde.

Ebenso würde das, woraus der bisherige Fond der Universität Halle bestanden, auf Naturalien gesetzt und denen, die es abzutragen schuldig sind, als Quotum ihrer Berechtigung zur Besetzung der Stellen angerechnet.

§ 49

Da die bei uns gebildeten Regularen den ersten Anspruch auf die ersten Stellen des Staates haben sollen, so würden, wenn noch andere Universitäten außer uns in der Monarchie bestehen sollten, dieselben entweder auch sich zur Kunstschule, und zu diesem Behufe ein Korps von Regularen in ihrer Mitte bilden müssen; oder sie würden, als reine Zugewandtheiten, in denen auch nicht einmal ein besserer Kern wirkte, zu betrachten sein und derselben Zöglinge ebenso am Verdienste wie an Rechte der unsrigen nachstehen. Es ist zu befürchten, daß das erstere ihnen nicht sonderlich gelingen werde, indem wir, die wir ohnedies im Anfange nicht einmal auf Vollständigkeit für unsern Behuf rechnen können, ihnen ohne Zweifel weder im Inlande noch im Auslande etwas für eine Kunstschule Taugliches übriglassen werden; daß sie sonach, bei dem besten Bestreben, dennoch in die zweite höchst nachteilige Lage kommen würden. Und so dürfte denn vielleicht das in Anregung Gebrachte zugleich die Veranlassung werden, um über eine tiefere bisher mannigfaltig verkannte Wahrheit die Augen zu öffnen.

Das Bestreben, die Schule und Universität recht nahe am väterlichen Hause zu haben und in dem Kreise, in welchem man dumpf und bewußtlos aufwuchs, ebenso dumpf fortzuwachsen und in ihm sein Leben hinzubringen, ist unseres Erachtens zuvörderst entwürdigend für den Menschen; denn dieser soll einmal herausgehoben werden aus alle den Gängelbändern, mit denen die Familien- und Nachbar- und Landmannsverhältnisse ihn immerfort tragen und heben, und in einem Kreise von Fremden, denen er durchaus nichts mehr gilt, als was er persönlich wert ist, ein neues und eignes Leben beginnen, und dieses Recht, das Leben einmal selbständig von vorn anzufangen, soll keinem geschmälert werden; sodann streitet es insbesondere mit dem Charakter des wissenschaftlichen Mannes, dem freier, über Zeit und Ort erhabener Überblick zukommt, das Kleben an der Scholle aber, höchstens dem gewerbtreibenden Bürger zu verzeihen, ihn entehrt; endlich wird dadurch sogar die organische Verwachsung aller zu einem und demselben Bürgertume gehindert, und lediglich daher entstehen die Absonderungen einzelner Provinzen und Städte vom großen Ganzen des Staats; daher, daß z. B. der Ostpreuße dem Brandenburger, der Thüringer dem Meißner, als etwas für sich bedeuten wollend, gegenübertritt und man sich nicht wundern muß, daß z. B. der Bayer dem Preußen gegenüber sich der gemeinsamen Deutschheit nicht entsinnt, da ja sogar der Ostpreuße zuweilen des gemeinsamen Preußens vergißt. Aus keinem in solcher Beschränktheit Aufgewachsenen ist jemals ein tüchtiger Mensch oder ein umfassender Staatsmann geworden. Wäre dieses Bestreben einmal in seiner wahren Natur erkannt und so eingesehen, daß dasselbe keineswegs geschont, sondern ohne Barmherzigkeit weggeworfen werden müsse, so wäre auch kein Grund mehr vorhanden, warum mehrere Universitäten in derselben Staatseinheit bestehen sollten; es würde erhellen, daß der Ausdruck *„Provinzial-Universität"* einen Widerspruch enthielte, indem die Universität das Besondere aufhebt, und daß *ein* Staat von Rechts wegen auch nur *eine* Universität haben sollte. Sollen und müssen einmal diejenigen Bürger des gemeinsamen Staats, die nicht bestimmt sind, aus der unbeweglichen Scholle den Nahrungsstoff zu ziehen, durcheinander gerüttelt werden zu allseitiger Belebung, so ist dazu die Universität der einzig schickliche Ort, und mögen sie von da an wiederum nach allen Richtungen verbreitet werden, jeder, nicht dahin, wo er geboren ist, sondern wohin er paßt, damit wenigstens an dieser edlern Klasse ein Geschlecht entstehe, das nichts weiter ist denn Bürger und das auf der ganzen Oberfläche des Staats zu Hause ist.

Nach diesen Prinzipien müßten die andern in der preußischen Monarchie vorhandenen Universitäten eingehen und die Fonds derselben zu unserer Anstalt gezogen werden. Die in die neue Anstalt nicht herübergezogenen Lehrer könnten ihre Gehalte fortziehen, oder auch nach Maßgabe ihrer Brauchbarkeit anderwärts versorgt werden. (Einen Teil derselben würden wir, als die § 42 beschriebene Art von Mitgliedern des Rats der Alten, sogar notwendig brauchen.) Diese herübergezogenen Fonds würden auf die Provinzen der eingegangenen Universitäten, als Quoten ihrer Berechtigung auf Stellen, verteilt, zum Ersatze des verlorenen Rechtes, im Schoße der Familie den gelehrten Hausbedarf an sich zu bringen. Über unsern Plan gehörig verständiget, ist sogar zu hoffen, daß sie sich diese Abänderung gern werden gefallen lassen.

(Als Einwürfe dagegen erwähne ich zuvörderst einen, den man kaum für möglich halten würde, wenn er nicht wirklich gemacht würde, den *von der weiten Reise*. Gerade die Möglichkeit, junge Menschen vorauszusetzen, welche die Unbequemlichkeit eines Transports scheuen wie Bäume, oder vor den Gefährlichkeiten einer Reise, z. B. von Königsberg nach Berlin, sich fürchten, beweiset, wie notwendig es sein möge, dem Mute mancher in der Nation hierin ein wenig zu Hilfe zu kommen. Oder ist der Kostenaufwand für ordinäre Post und Zehrung auf dieser kurzen Reise ihnen so fürchterlich, so könnte man ja den sich berechtigt glaubenden Provinzen aus den Fonds eine Reisestipendienkasse zugestehen, aus denen sie für die gar Dürftigen diese kleine Ausgabe bezahlten.

Sodann meint man, es könnte doch etwa einmal auf einer solchen Universität ein besonderer und interessanter Geist und Ton entstehen, den wir durch eine Aufhebung dieser Universität ganz unschuldig viele Jahre vor seiner Geburt morden würden, und man befürchtet, daß wir der Entwicklung der herrlichen Originalität innerhalb solcher kleinen Beschränkungen Eintrag tun würden. Hierauf dienet zur Antwort, daß zufolge der Zeit, in welcher die Wissenschaft steht, es in derselben nicht mehr Legionen Geister, die jeder für sich ihr Wesen treiben, sondern nur *einen* in seiner Einheit klar zu durchdringenden Geist gibt, für dessen ewige allseitige Anfrischung gerade an unserm Institute durch die sehr häufige Erneuerung des lehrenden Korps und durch den offen geführten edlen Wettstreit aller miteinander, vorzüglich gesorgt ist; daß aber diese vorgebliche Originalität innerhalb lokaler Beschränkung nicht Originalität, sondern vielmehr *Karikatur* sei, welche, so wie den schlechten Geschmack, der an ihr sich labt, immer mehr verschwinden zu machen, auch ein Zweck unserer Anstalt ist. Es bliebe nach Beseitigung dieser sich aussprechenden Einwürfe kein anderer übrig als das dunkle Gefühl des Strebens, doch ja nichts umkommen zu lassen, indem allerhand, uns freilich nicht bekanntes Heil durch irgendeine Zauberkraft daraus sich entwickeln könne, mit welchem, als selbst nicht auf deutliche Begriffe zu bringen, man in der Region deutlicher Begriffe nicht reden kann.)

§ 50

Die Stellen der Kanoniker an den Hochstiften waren ursprünglich für den Unterricht eingesetzt; und die Einkünfte könnten diesem ersten Zwecke füglich zurückgegeben werden. Auf die gleiche Weise ist der Streit gegen die Ungläubigen, wozu die Johanniter-Malteser-Ritter[124] gestiftet worden, nicht mehr an der Tagesordnung, wohl aber der geistige Krieg gegen Unwissenheit, Unverstand und alle die traurigen Folgen derselben; und könnten so auch diese Güter diesem Zwecke gewidmet werden. Sie würden auf dieselbe Weise, wie die früher erwähnten Einkünfte, als Recht auf Stellen unter die Beitragenden verteilt.

Ich sage nicht, daß unser einiges Institut diese ohne Zweifel sehr große Hilfsquellen verschlingen solle. Dieses Institut muß für sich den Grundsatz der Verwaltung haben, daß ihm alles dasjenige, dessen es für die Erreichung seiner Zwecke bedarf, unfehlbar werde, daß es aber auch durchaus nichts begehre, dessen es nicht bedarf; noch kann es einen andern haben, ohne durch überflüssiges Geschlepp und Gepäck sich selbst zur Last zu werden. Sodann wird zu bedenken sein, daß auch der demnächst sogleich zu reformierenden niedern Schule ihr Anteil zukomme; ferner, daß, wenn es über kurz oder lang zu einer ernstlichen Reform der Volkserziehung kommen sollte, auch für die Unterstützung dieses Zwecks das Nötige vorhanden sein müsse. Wir wollen nur sagen, daß gerade die gegenwärtige Zeit der Verlegenheit benutzt werden könne, um jene bisher anders angewendeten Güter für diesen größeren Zweck des gesamten Erziehungswesens in Beschlag zu nehmen, und daß es unter andern auch der Kunstschule freistehen müßte, von ihnen Gebrauch zu machen, falls einmal ihre andern Quellen nicht ausreichend befunden würden. Selbst auf den Fall, daß zunächst, oder irgendein andermal, der Staat für eigene Zwecke dieser Einkünfte bedürfte, worüber tiefer unten; so würde es immer ein freundlicheres Ansehn haben, wenn er sie zuerst für diesen, als Zweck der Nationalerziehung in Beschlag genommen hätte.

§ 51

Wie in Absicht der regularen Stellen überhaupt der Grundsatz feststeht, daß jedwedes Individuum, das zu einer solchen sich qualifiziert und sie begehrt, sie haben müsse, so steht in Absicht *der Zahlung* der Grundsatz fest, daß, wer zahlen könne, zahlen müsse, wer aber nicht zahlen könne, dieselbe, *inwiefern er nicht zahlen kann*, unweigerlich frei erhalte. Nicht die Zahlung qualifiziert, sondern die anderweitige Leistung; und so soll auch der doppelt oder dreifach Zahlende dennoch, als Ausländer bei dem Könige, als Inländer bei einem Kreise, eine Stelle als freie Gunst, nachsuchen, damit er wisse, daß in unserer Anstalt noch etwas gibt, das für Geld nicht zu haben ist, und soll der etwanigen ökonomischen Rücksicht, daß man den Zahlung Anbietenden in Absicht der Proben der Würdigkeit gelinder behandle, durchaus kein Einfluß gestattet werden. Ebenso schließt auch nicht das Unvermögen zu zahlen aus, sondern das geistige Unvermögen.
Die zu leistende Zahlung ist zu berechnen im Durchschnitte (am besten auch nach Scheffeln Getreide) auf die eben erwähnten dem Zöglinge in Natur zu liefernden Be-

dürfnisse, auf Honorar an die Lehrer für Unterricht und Prüfung bei Erteilung des Meistertums, auf Gebrauch der öffentlichen literarischen Schätze usw., und haben die Eltern oder Vormünder des zahlenden Zöglings der Ökonomieverwaltung Kaution zu leisten auf die Zeit, für welche der Zögling in das Institut aufgenommen wird, indem man ihn, um späterhin ausbleibender Zahlung willen, ja nicht ausstoßen könnte, dennoch aber die Verwaltung auf ihn als Zahler rechnet. Die Form dieser Sicherstellung wird leicht sich finden lassen. Und zwar werden alle jene in Rechnung kommenden Gegenstände also berechnet, wie es dem Zöglinge zu stehen kommen würden, wenn er einen Privathaushalt führte, keineswegs aber also, wie sie der alles in Ganzem an sich bringenden Verwaltung zu stehen kommen: wie denn dies, da dieser große Haushalt, ohne Zutritt des Einzelnen, als eine Einrichtung des Staates besteht, ganz billig ist und schon dadurch, zu Deckung der Freistellen, ein Beträchtliches gewonnen werden kann.

Es ist zu hoffen, daß unsre reichen Häuser, deren Glanz ja sonst bei also getroffenen Einrichtungen in ihrer Nachkommenschaft erlöschen würde, den Zutritt zu unsern Regularen fleißig nachsuchen und daß besonders unser Adel diese Gelegenheit mit Freuden ergreifen werde, um zu zeigen, daß es nicht bloß die versagte Konkurrenz war, die ihn bei seinem bisherigen Range erhielt, sondern daß er auch bei eröffneter freier Konkurrenz mit dem Bürgerstande denselben zu behaupten vermöge. Es könnte hiebei festgesetzt werden, daß die *Grafen* doppelte Zahlung leisteten, wie dies in Absicht der Kollegienhonorarien auch bisher also gehalten worden; andere Adelige noch die Hälfte des ganzen Quantum zuschössen.

Freistellen müssen nicht notwendig *ganze* Freistellen sein, indem eine Familie, die zwar nicht alle diese Kosten zu tragen vermöchte, doch vielleicht einen Teil derselben tragen kann. Es kann also Viertel-, Halbe-, Dreiviertel-freistellen geben, nach Maßgabe des Vermögens der Familie.

Doch sollen ganz Unvermögende auch ganz freie Station erhalten; und es soll in Rücksicht dieser sogar eine Veranstaltung getroffen werden, wodurch sie beim einstigen Austritte aus dem Kollegium der Regularen, wie dieser auch übrigens ausfallen möge, für die erste Zeit und bis zu einiger Anstellung gedeckt seien.

Die Entscheidung über diese teilweisen oder ganzen Befreiungen fällt der ökonomischen Verwaltung des Instituts zu, welcher zu diesem Behufe die Eltern oder Vormünder des Zöglings genügende Einsicht in die Vermögensumstände desselben zu geben haben. Es muß bei dieser Einsicht Genauigkeit stattfinden, indem hierüber das Ehrgefühl der Nation selbst geschärft werden soll, und so, wie Armut keine Schande, das Sicharmstellen und die Raubgier, welche den Ertrag milder Stiftungen wirklich Unvermögenden wegzunehmen sucht, zur großen Schande werden sollen. Hinwiederum ist mild und freundlich dem wirklichen Unvermögen das Gebührende zu erlassen, und es ist drum klar, daß diese Verwalter für den Fortgang der Wissenschaften redlich interessierte und talentvolle Jünglinge, auch wenn sie arm sind, herzlich liebende Männer und also selbst *Akademiker,* wo möglich *ausgetretene Lehrer* sein müssen.

Welcher nun unter den Zöglingen seine Stelle ganz, oder teilweise frei habe, braucht niemand zu wissen, außer die Eltern oder Vormünder eines solchen und die erwähnten Verwalter; indem dieses die beiden Teile sind, welche die Abkunft geschlossen, und sind diese allerseits zur Verschwiegenheit zu verpflichten. Denn obwohl Armut fernerhin keine Schande sein soll, so soll doch so lange, bis es allgemein dahin gekommen, dem zahlenden Zöglinge auch die Versuchung erspart werden, sich über den ihm bekannten Nichtzahler neben ihm zu erheben. Alle sollen in solche Gleichheit gesetzt werden, daß dem Reichsten das wenige, anständigkeitshalber vielleicht nötige Taschengeld von der Verwaltung nicht reichlicher gereicht werde als dem ganz freien Armen. Nicht einmal der freigehaltene Zögling selbst braucht diesen Umstand zu wissen; denn obwohl wir für das Dasein der Anstalt überhaupt die Dankbarkeit aller, Zahler oder Nichtzahler, in Anspruch nehmen, so wollen wir doch dafür, daß jedes Talent, auch ohne Äquivalent in Gelde, bei uns Entwicklung findet, keinen besondern Dank, indem wir dies für Pflicht sowie für den eigenen Vorteil des Vaterlandes erkennen. Und so sind denn die an die Kreise zu verteilenden Stellen keinesweges Kost-

oder Freistellen, sondern es sind Stellen überhaupt. Jede mögliche Stelle kann auch Freistelle werden; nur weiß der Kreis selber nicht, wie es sich damit verhält, sondern nimmt unbefangen Anteil an den wissenschaftlichen Fortschritten seines Klienten, ohne zu wissen, auf welche besondern ökonomischen Bedingungen er dieses ist.

§ 52

Indem der Ausfall, der durch diese erteilten Befreiungen in der Ökonomie des Regulats entsteht, aus der Gesamtheit der oben verzeichneten Quellen bestritten werden muß, dieser Ausfall aber, je nachdem das vorzüglichere Talent aus den reichen oder aus den unbegüterten Klassen der Nation hervorgeht, sehr wandelbar und veränderlich sein dürfte, so ist klar, daß in diesem Hauptteile der Ausgaben keine Fixierung stattfinde, daß der Verwaltung große Hilfsmittel zur Disposition stehen müssen, daß dieselbe durchaus kein Interesse hat, dieselben ohne Not zu verschwenden, daß sie demnach die entwanigen Ersparnisse getreulich zu den Händen der Regierung, welche über die Wahrhaftigkeit des Resultats der geführten Verwaltung durch eine gleichfalls auf Stillschweigen zu verpflichtende Behörde Einsicht nehmen kann, zurückliefern wird; endlich, daß dieser ganze Teil der Verwaltung dem übrigen Publikum ein dasselbe nicht angehendes und ihm undurchdringliches Geheimnis bleibe. Das lehrende Korps ist es eigentlich, das nach den gelieferten Aufsätzen oder der von der niedern Schule gebrachten Tüchtigkeit, ohne alle Rücksicht oder Notiz von den Vermögensumständen das Regulat erteilt; dies ist das Erste und Wesentliche. In dieser Erteilung können sie, nach dem aufgestellten Grundsatze, daß durchaus kein vorzügliches Talent ausgeschlossen werden solle, nicht beschränkt werden. Wie es mit dem also zum Regularen unwiederbringlich Ernannten in ökonomischer Rücksicht gehalten werden solle, ist die zweite außerwesentliche Frage, deren Beantwortung der Ökonomieverwaltung anheimfällt. Dieser verbietet Gerechtigkeitsgefühl und Rücksicht auf Ehrliebe der Nation, Befreiung ohne Not zu begünstigen; die Natur der ganzen Einrichtung aber, sie der dargelegten Not zu versagen; und so kann auch diese auf keine Weise eingeschränkt werden.

Ebensowenig findet im zweiten Hauptteile der Ausgaben, der Besoldung der Lehrer und anderer Akademiker, der Erhaltung oder neuen Anschaffung von Literaturschätzen und andrer den Fortgang der Wissenschaften befördern sollender Einrichtungen eine Fixierung statt. Denn obwohl sich auch etwa ein Maximum des Gehaltes für einen einzigen festsetzen ließe, so läßt sich doch durchaus nichts festsetzen über die Anzahl der zu Besoldenden von so höchst verschiedenen Arten und Klassen, sondern es richtet sich diese, so wie die andern angegebenen Veranlassungen von Ausgaben, nach dem jedesmaligen Zustande der Wissenschaft und ist wandelbar wie dieser. Die Mitglieder der Anstalt können in diesen Beurteilungen nur das Heil der Wissenschaft und ihrer Anstalt als höchstes Gesetz anerkennen, und sie sind diejenigen, denen gründliche Durchschauung desselben so wie herzliche Liebe dafür sich am vorzüglichsten zutrauen läßt; auch verbietet die Erwägung dieses Heils selbst ihnen ebenso unnötige Verschwendung in allen den erwähnten Zweigen als schädliche und unwürdige Sucht zu sparen. Und es geht denn auch für diesen Teil dasselbe Resultat hervor, das wir oben für den ersten Teil aufstellten; es gilt dasselbe demnach fürs Ganze.

§ 53

In Absicht des Besoldungssystems möchte festgesetzt werden 1) ein Gehalt, der dem Akademiker, als solche, gereicht wird, und der dem des vollkommenen Bürgerrechts teilhaftigen unter keiner Bedingung entzogen werden kann. Da nicht so leicht jemand bloß Akademiker sein wird, so ist dieser Gehalt nur als ein Beitrag, keineswegs aber als das, woraus der ganze anständige Unterhalt des Mannes zu bestreiten sei, zu betrachten. 2) Das Mitglied des Rates der Alten hat entweder ein anderweitiges Staatsamt oder eine von den mannigfaltigen ökonomischen oder Aufseherstellen, die aus der Natur unseres Instituts hervorgehen, wofür er besonders besoldet wird; auch wäre er für die Weisen, wie er durch vorübergehende Vorlesungen oder andere Leistungen uns nützlich wird, durch vorübergehende Remunerationen zu entschädigen. Arbeitet er an einem gelehrten Werke, so könnte ihm auch für diesen Behuf die Ökonomieverwaltung Unterstützung oder Vorschüsse leisten.

134

3) Der ausübende Lehrer wird nach Maßgabe seiner Arbeit an Vorlesungen und andern Übungen und Prüfungen besonders besoldet. Die Zugewandten zahlen für alle diese Gegenstände, inwiefern sie an denselben Anteil nehmen wollen, ein festzusetzendes Honorar; und zwar *voraus*. Denn es wird dadurch eines solchen Zugewandten, der sein vorausbezahltes Geld nun auch wiederum abhören will, Fleiß und Regelmäßigkeit sehr befördert; und mögen wir ihm diese Art der Ermunterung gern gönnen. Der Regular ist hierin frei, und wird eben der Gehalt des Lehrers als sein von der Verwaltung für ihn bezahlter Beitrag, der ja bei Zahlstellen auch angerechnet wird, betrachtet. Dieses von den Zugewandten zu ziehende Honorar ist jedoch dem Lehrer bei Fixierung seines Gehaltes nicht eben in Rechnung zu bringen, sondern derselbe also zu setzen, als ob er, neben seinem Gehalte als Akademiker, von diesem leben müßte; um ihn von dem Beifalle dieser Zugewandten ganz unabhängig zu erhalten.

Dasselbe Honorar von den Zugewandten haben auch die außerordentlichen Professoren zu ziehen.

Eigentlich ist es die Akademie selbst, welche als unumschränkte Ökonomieverwaltung (§ 52) sich selbst aus ihrer Mitte besoldet. So wie die andern Stände nicht verlangen sollen, daß diese in Anständigkeit des Auskommens ihnen nachstehen, so wird auch ihnen von ihrer Seite gerade jenes nicht zu vermeidende Verhältnis die Pflicht auflegen, vor den Augen der Nation nicht als unersättliche und habsüchtige, sondern als edle und sich bescheidende Männer dazustehen; und ist diese Denkart auf alle Weise in sie hineinzubringen.

§ 54

Für das erste Lehrjahr möchte es zweckmäßig sein, den enzyklopädischen Lehrern sowie etwa den andern nötig befundenen Unterlehrern, wenn, wie es größtenteils der Fall sein dürfte, sie schon außerdem, als Akademiker oder dgl., einen fixierten lebenslänglichen Gehalt haben, eine besondere Remuneration für die Arbeiten dieses ersten Lehrjahres zuzugestehen und für die folgenden Lehrjahre sich ein weiteres Bedenken vorzubehalten; unter andern auch, damit man erst sähe, wie sich jedes machte und ob nicht indessen etwas anderes sich findet, das sich noch besser macht. In Bestimmung dieser Remuneration wäre, inwiefern nicht etwa der Mann schon sonst ausreichend besoldet ist und man in dieser Rücksicht schon ohnedies einen Anspruch hat auf seine ganze Kraft, billig als Maßstab unterzulegen, was in dieser Zeit durch Schriftstellerei hätte erworben werden können. Denn obwohl das bisweilen auch übliche Ablesen eines vor langen Jahren angefertigten Heftes etwas höchst Bequemes ist und kaum eine andere Kraft fordert als die der Lunge, so dürfte doch eine solche Verwaltung des Lehramts, wie wir sie gefordert haben und die unter andern auch den größten Teil der alten Hefte unbrauchbar macht, alle Kraft und Zeit des Lehrers in Anspruch nehmen; und wer diese Verhältnisse kennt, weiß, daß Kollegienlesen auf die gewöhnlichen Bedingungen für einen nicht ungewandten Schriftsteller in ökonomischer Rücksicht ein Opfer ist, das zwar der wackere Mann gern bringt, der auch wackere aber nicht ohne Not fordert.

§ 55

Für dieses erste Jahr könnte nun der Universität vom Staate ein öffentlicher Hörsaal eingegeben werden. Die Studierenden löseten gegen ihr Honorar, etwa bei dem um der Inskriptionen willen auch gleich anfangs anzustellenden Justitiarius der Universität, *Belege* (Zutrittskarten), nach welchen ihnen, durch einen gleichfalls anzustellenden *famulus communis*[125], auf eine zu Jena seit 1790 übliche, dem Schreiber dieses wohlbekannte Weise ihre Plätze im Auditorium angewiesen werden. Da wir im ersten Jahre noch keine Regularen haben, (Novizen können wir haben, die aber doch immer nur als Zugewandte zu betrachten sind), sonach diese etwa künftigen Regularen, denen vielleicht auch künftig Freistellen gegeben werden, in der allgemeinen Masse der Zugewandten noch unentdeckt liegen, so soll der Justitiarius, nach einem ihm etwa anzugebenden Kanon, diese erwähnten Belege auch frei geben können, worüber er sich hernach mit dem Lehrer, der das Kollegium liest, zu berechnen hat. Ebenso wäre ein Plan zu entwerfen, wie man während dieses ersten Jahres unvermögende Studierende durch Stipendien, Freitische und dgl., unterstützen könne. Doch ist die Einführung gewöhnlicher Konviktorien-, Stipendiatenexamens u. dgl., durch welche der Unvermögende herausgehoben und bezeichnet wird, als mit unserm allerersten Grundsatze über diesen Gegenstand streitend, auch im ersten Jahre zu vermeiden. Sollte man nicht etwa späterhin über den Grundsatz sich einverständigen, *daß bei solchen, die da Regularen werden weder könnten noch wollten*, (wo bei Bejahung des letzten Falles die einigermaßen frei zu haltenden wenigstens *Novizen* sein müßten und es im Noviziate über diesen Punkt eben also gehalten werden könnte, wie oben [§ 51] für das Regulat vorgeschlagen worden), und da die zu subalternen Geschäften nötigen Handwerksfertigkeiten weit sicherer und schicklicher außerhalb der Universität erlernt werden, *das Studieren ein bloßer Luxus sei, der, wenn er ja statthaben solle, aus eigenen Mitteln, keinesweges aber auf Kosten des Staates bestritten werden müsse*; sondern sollte man darauf bestehen, die milden Stiftungen der über diese Dinge freilich nicht so scharf sehenden Vorwelt auf die bisherige Weise zu verwenden, so kann man nichts dagegen haben, daß dergleichen Benefiziaten[126] unter den bloßen Zugewandten auf alle Weise bezeichnet werden, und, so Gott will, ihnen sogar eine metallene Nummer an den Ärmel geheftet werde, damit die Liebeswerke doch auch recht in die Augen fallen. Nur soll man den nicht also behandeln, der einmal ein Ehrenjüngling und Regulare werden könnte.

§ 56

Diese also zu einem organischen Ganzen verwachsene Akademie der Wissenschaften, wissenschaftliche Kunstschule und Universität muß ein Jahresfest haben, an welchem sie sich dem übrigen Publikum in ihrer Existenz und Gesamtheit darstelle. Der natürlich sich ergebende Akt dieses Festes ist die Ablegung der Rechenschaft über ihre Verhandlungen das ganze Jahr über; und es sollten hiebei zugegen sein Repräsentanten der Nation, gewählt aus den zu den Stellen Berechtigten, und des Königs, beider als der Behörde, der die Rechenschaft abgelegt wird. Zu diesem Feste wäre der Geburtstag Friedrich Wilhelm des Dritten, als dessen Stiftung jener Körper existieren wird, falls er jemals zur Existenz kommt, unabänderlich und auf ewige Zeiten festzusetzen.

Die einzelnen Vorschläge dieses Entwurfs sind keineswegs unerhörte Neuerungen; sondern sie sind, wie sich bei einem so viele Jahrhunderte hindurch in so vielen Ländern bearbeiteten Gegenstande erwarten läßt, insgesamt einzeln irgendwo wirklich dagewesen und lassen sich bis diesen Augenblick in mehrern Einrichtungen der Universitäten Tübingen, Oxford, Cambridge, der sächsischen Fürstenschulen, in ihrem sehr guten, das Gewöhnliche weit übertreffenden Erfolge, darlegen. Lediglich darin könnte der gegenwärtige Entwurf auf Originalität Anspruch machen, daß er alle diese einzelnen Einrichtungen durch einen klaren Begriff in ihrer eigentlichen Absicht verstanden, sie aus diesem Begriffe heraus wiederum vollständig abgeleitet und sie so zu einem organischen Ganzen verwebt habe; welches, wenn es sich also verhielte, demselben keinesweges zum Tadel gereichen würde.

Den Haupteinwurf betreffend, den derselbe zu befürchten hat: den der Unausführbarkeit, muß in der Beratschlagung hierüber nur nicht die im Verlaufe von allen Seiten hinlänglich charakterisierte, übrigens ehrenwerte und von uns herzlich geehrte Klasse gefragt werden, welche, wenn nur sie allein in der Welt vorhanden wäre, mit ihrer Behauptung der absoluten Unausführbarkeit Recht behalten würde. Wir selbst geben zu, daß im Anfange die Ausführung am allerunvollkommensten ausfallen werde, glauben aber sicher rechnen zu dürfen, daß, wenn es überhaupt nur zu einigem Anfange kommen könne, der Fortgang immer besser geraten werde; selbst aber auf den Fall, daß wir befürchten müßten, es werde sogar nicht zu einem rechten Anfange kommen, müßten wir dennoch den Versuch nicht unterlassen, indem im allerschlimmsten Falle wir doch nichts Schlimmeres werden können denn eine Universität nach hergebrachtem deutschem Schlage.

Die allgemeinen Merkmale der Gründlichkeit eines Planes, der sich nicht bescheiden mag, ein bloßer schöner Traum zu sein, sondern der auf wirkliche und alsbaldige Ausführung Anspruch macht, sind diese: daß er zuvörderst nicht etwa die wirkliche Welt liegen lasse und für sich seinen

Weg fortzugehen begehre, sondern daß er durchaus auf sie
Rücksicht nehme, wiewohl allerdings nicht in der Voraussetzung, daß sie bleiben solle, wie sie sei, sondern daß sie
anders werden solle, und daß im Fortgange nicht *er* sich ihr,
sondern *sie* sich ihm bequeme; und daß er, nach Maßgabe
der Verwandtschaft, eingreife auch in die übrigen Verhältnisse des Lebens und wiederum von diesen getragen und
gehoben werde; sodann, daß er, einmal in Gang gebracht,
nicht der immer fortgesetzten neuen Anstöße seines Meisters bedürfe, sondern für sich selbst fortgehe und, so er's
braucht, zu höherer Vollkommenheit sich bilde. Nach diesen Merkmalen sonach ist jeder Entwurf zu prüfen, wenn
die Frage über seine Ausführbarkeit entschieden werden
soll.

Dritter Abschnitt
Von den Mitteln, durch welche unsere wissenschaftliche Anstalt auf
ein wissenschaftliches Universum Einfluß gewinnen sollte

§ 58

Das in unsrer Kunstschule einmal begonnene wissenschaftliche Leben soll nicht etwa in jeder künftigen Generation
sich so, wie es schon da war, nur *wiederholen*; viel weniger
noch soll es ungewiß herumtappen und so selbst Rückfällen
ins Schlimmere ausgesetzt sein; sondern es soll mit sicherm
Bewußtsein und nach einer Regel zu höherer Vollkommenheit fortschreiten. Damit dies möglich werde, muß diese
Schule die in einem gewissen Zeitpunkte errungene Vollkommenheit irgendwo deutlich und verständlich niederlegen; an welche also niedergelegte Stufe der Vollkommenheit dieses Zeitpunktes das beginnende frische Leben sich
selber und seine Entwicklung anknüpfe. Am besten wird
diese Aufbewahrung geschehen vermittelst eines *Buches*.

§ 59

Da aber das wirkliche, in unmittelbarer Ausübung befindliche Leben der wissenschaftlichen Kunst fortschreitet von
jeder errungenen Entwicklung zu einer neuen, jede dieser
Entwicklungen aber, als die feste Grundlage der auf sie folgenden neuen, niedergelegt werden soll im Buche; so folgt

daraus, daß dieses Buch selbst ein fortschreitendes, ein *periodisches* Werk sein werde. Es sind *Jahrbücher* der Fortschritte der wissenschaftlichen Kunst an der Kunstschule; welche Jahrbücher, wie ein solcher Fortschritt erfolgt ist, ihn bestimmt bezeichnet niederlegen für die nächste und alle folgende Zeit, und welche, wenn die wissenschaftliche Kunst nicht unendlich wäre, einst nach derselben Vollendung begründen würden eine *Geschichte* dieser – sodann vollendeten Kunst.

§ 60

Die Kunst schreitet fort auf zwiefache Weise: teils überhaupt, wie alles Leben, daß sie eben lebendig bleibe und niemals erstarre oder versteine; teils daß dieses überhaupt also fort*gehende* Leben auch fort*schreite* zu höherer Kraft und Entwicklung. Dies letztere geschieht wiederum auf doppelte Weise, nämlich zuerst in ihm selber und intensive, in Absicht des *Grades*; sodann nach außen hin und extensive, indem es immer mehr des ihm angemessenen Stoffes in sich aufnimmt, und ihn, mit sich ihn durchdringend, organisiert, also in Absicht der Ausdehnung. – Tot ist ein wissenschaftlicher Stoff, so lange er einzeln und ohne sichtbares Band mit einem Ganzen des Wissens dasteht und lediglich dem Gedächtnisse, in Hoffnung eines künftigen Gebrauches, anheimgegeben wird. Belebt und organisiert wird er, wenn er mit einem andern verknüpft und so zu einem unentbehrlichen Teile eines entdeckten größern Ganzen wird; und jetzt erst ist er der Kunst anheimgefallen. Wird dieses schon entdeckte und in den Jahrbüchern vorliegende Ganze mit einem klaren Begriffe durchdrungen (die Klarheit ist aber ein ins Unendliche zu Steigerndes), daß die Teile sich noch enger aneinander anschließen und durcheinander verwachsen, so hat die Kunst intensiv gewonnen; greift der vorhandene Einheitsbegriff weiter und erfaßt ein bis jetzt noch einzeln Dastehendes, so gewinnt sie extensive. Beide Arten des Fortschrittes unterstützen sich wechselseitig und arbeiten einander vor. Die *Erweiterung* des Begriffes macht seine *Verklärung*, seine *Verklärung* seine *Erweiterung* leichter.

In Absicht der zuerst erwähnten periodischen *Anfrischung* des wissenschaftlichen Lebens aber, die an sich kein Fortschreiten ist, weder intensiv noch extensiv, verhält es sich also: – Unabhängig, in Absicht der Materie, von der besonnenen und kunstmäßigen Entwicklung, und gerade um so mehr, in je höherem Grade die letztere vorhanden ist, schreitet das geistige Leben des Menschengeschlechtes durch sich selber wie nach einem unbewußten Naturgesetze fort. Die Sprache konzentriert, die Phantasie erhöht sich, die Schnelligkeit des Fassungsvermögens steigt, der Geschmack wird zarter, und so *ersterben* in einem spätern Zeitalter Formen, die der wahrhafte Ausdruck des Lebens eines frühern waren, und so muß oft das, dem in keiner Weise eine höhere innere Vollkommenheit sich geben ließe, dennoch aus der erstorbenen äußeren Form in die des dermaligen Menschengeschlechts aufgenommen werden. (Wir machen an folgendem Beispiele unsern Gedanken klärer. – Selber die Philosophie, als die reinste, stofflloseste Form, die auch im mündlichen Vortrage immer also, als reines Entwicklungsmittel der Kunst des Philosophierens, sich behandelt, geht dennoch in Beziehung auf stetigen Fortschritt der Wissenschaft auf *ein Buch* aus, welches *die durchgeführte richtige Anwendung der Denkgesetze*, als festes und stehendes Resultat, absetze. Fürs erste nun, was nicht unmittelbar dasjenige ist, was wir sagen wollen, sondern wodurch wir uns vorbereiten: – wäre nun ein solches Buch vorhanden, so würde dennoch bis ans Ende der Tage jedwedes Individuum, das ein Philosoph sein wollte, vielleicht jenes Buch als Leitfaden brauchend, jene Anwendung der Denkgesetze *selbst* und in eigener *Person* durchführen müssen und von dieser Arbeit jenes Buch ihn auf keine Weise entbinden. Dagegen hätte er davon folgenden Vorteil: führte sein Denken ihn auf ein anderes Resultat, als in jenem Buche vorliegt, so müßte er entweder deutlich und bestimmt nachweisen können, welche Fehler in Anwendung der Denkgesetze im Buche begangen worden, der dieses von dem seinigen verschiedene Resultat hervorgebracht hätte; oder er wüßte, so lange er dies nicht könnte, sicher, daß er mit seinem eignen Denken noch nicht im klaren sei, er müßte annehmen, daß sein Resultat ebensowohl irrig sein könnte als das im Buche vorliegende und hätte kein Recht, seinen Satz, der möglicherweise irrig sein könnte, an die Stelle eines andern, der freilich auch irrig sein kann, in dem allgemeinen Buchwesen zu setzen. Möchte er höchstens diesen seinen Satz, ausdrücklich als nicht sattsam begründet, für die weitere Untersuchung eines künftigen klärern Denkers aufbewahren. Und dies wäre denn, in dem ersten wie in dem zweiten Falle, der Erfolg des vorhandenen Buches für die Wissenschaft, dort sichere Erweiterung, hier Verwahrung vor blindem Herumtappen und dem Eigendünkel, der da will, daß *seine* unbewiesenen Behauptungen mehr seien als anderer, vielleicht bewiesene Behauptungen, indem nur er unfähig ist, den Beweis zu fassen. Hiervon reden wir nun zunächst nicht, sondern davon. Ob nun wohl auch jenes niedergelegte philosophische Buch also beschaffen wäre, daß es weder in seinem Inhalte noch im Grade der Klarheit überhaupt eine Verbesserung erhalten könnte, so möchte es doch immer einer *Erfrischung* durch das neue Leben der Zeit bedürfen.)

§ 61

Das bisher Beschriebene gäbe nun das *Kunstbuch* der Schule. Nun zeigt sich diese Kunst, und ihr Leben schreitet fort, in Organisation eines Stoffes. Inwiefern dieser Stoff wirklich schon organisiert ist, ist er aufgenommen in die Kunst und in derselben Buch, und es bedarf für ihn keines besondern Buches; inwiefern er aber noch nicht durchdrungen ist und er also die weitere Aufgabe für die Kunstschule enthält, muß diese Aufgabe irgendwo in fester Gestalt niedergelegt sein, und die Schule bedarf, außer ihrem Kunstbuche, auch eines *Stoffbuches*. Dies ist nun zum Teil schon vorhanden an dem ganzen vorliegenden Buchwesen, und muß nur die Schule dieses *kennen*. Die dahin gehörigen Einrichtungen sind schon im vorigen Abschnitte angegeben, und es läßt in dieser Kenntnis ein Fortschritt nur so sich denken, daß diese Kenntnis des vorhandenen Buchwesens vervollständiget und das allgemeine Repertorium desselben besser geordnet und einer leichtern Übersicht im ganzen zugänglicher gemacht werde, auf welchen Zweck auch unsere Schule in alle Wege anzuweisen ist. Jenes auf diese Weise schon vorhandene große Stoffbuch selber soll nun fortschreiten; zuvörderst, indem es seiner äußern Form nach erfrischt und erneuert wird, sodann, indem in Absicht des Inhalts es teils berichtigt und von den darin vorhandenen

Fehlern gereinigt, teils immerfort ergänzt und erweitert wird. Das letzte geschieht durch neue Entdeckungen auf dem Gebiete der Geschichte und der Naturkunde; welche Entdeckungen immerhin bei ihrer ersten Erscheinung zur Aufnahme in die Einheit sich nicht qualifizieren mögen, dennoch aber, bis ein mehreres zu ihnen hinzukommt, aufbehalten werden müssen. Durch diese neuen Entdeckungen verlängert sich wiederum das Stoffbuch nach der Peripherie hin, das nach der Seite seines Zentrum immer mehr verkürzt und von dem Kunstbuche aufgenommen wird.

Dieser Fortschritt, des Stoffbuches sowohl wie auch des Kunstbuchs, kann sich nun begeben entweder *bei uns* oder *bei andern*; wo wir im letztern Falle die Ausbeute in unsre Schule und unser Buch aufzunehmen haben, damit das gesamte Buch des Menschengeschlechts und sein wissenschaftlicher Fortschritt Einheit behalte.

Zum Fortschritte dieses gesamten Buches gehören auch diejenigen Bestrebungen, dasselbe zu verbessern, die nur noch Versuche sind und noch nicht zu der Festigkeit gediehen, daß man sie in einem Buche niederlegen könne. Auch diese Versuche, wenn sie bei andern angestellt werden, kennenzulernen, wenn wir sie anstellen, uns dabei der Beobachtung andrer nicht zu entziehen, müssen wir Anstalt treffen.

§ 62

Um über den Fortschritt der wissenschaftlichen Kunst, die im Kunstbuche dargelegt werden soll, ganz verständlich zu werden, legen wir unsere Gedanken dar an einem Beispiele.

Wenn also z. B. mit der Universalgeschichte es dahin zu kommen bestimmt wäre, daß man einsähe, sie sei nicht ein Zufälliges, das auch entbehrt werden könne, sondern sie habe eine bestimmte, dem Menschengeschlechte sich aufdringende Frage, nach bestimmten gleichfalls im menschlichen Geiste schon vorliegenden Fragartikeln, zu beantworten; als etwa, wie unser Geschlecht zu menschlicher Lebensweise, zu Gesetzlichkeit, zu Weisheit, zur Religion und worin noch etwa sonst die Ausbildung zum wahren Menschen bestehen mag, sich allmählich erhoben habe, –

hier einseitig, dann zurückfallend, um auch andere bisher vernachlässigte Bildungsweisen in sich aufzunehmen; und man über diese Fragen zu einigen bestimmten und unveränderlichen Resultaten gekommen wäre: so würde man sodann auch einsehen, daß die bisher abgesteckten Epochen nach Entstehung oder Untergang großer Reiche, nach Schlachten und Friedensschlüssen, die Regententafeln u. dgl. nur provisorische Hilfsmittel, berechnet auf eine Denkart, die nur durch die Erschütterung des äußeren Sinnes berührt wird, gewesen seien, um die Sphäre jener bessern Ausbeute indessen zu erhalten; und man würde nur an jene inniger an das Interesse der menschlichen Wißbegier sich anschmiegenden Epochen die Geschichte anknüpfen, welche nun allerdings auch jene ersten weniger bedeutenden mit sich fortführen würden, damit das Gemälde sein vollkommnes Leben bis auf den wirklichen Boden herab bekäme. Man würde z. B. nicht mehr sagen: unter der Regierung des und des wurde der Pflug erfunden, sondern umgekehrt: als der Pflug erfunden wurde, regierte der und der, dessen Leben vielleicht auf die weitern Begebenheiten des Pfluges, auf welches letztern Geschichte es hier doch allein ankommt, Einfluß hatte. Die Kunst der Geschichte wäre dadurch ohne Zweifel fortgeschritten, indem man nunmehro erst recht wüßte, wonach man in derselben zu fragen und worauf in ihr zu sehen habe; sie wäre mit einem klaren Begriffe durchdrungen.

Dadurch wäre auch die ganze Bearbeitung derselben an unsrer Kunstschule verändert. Vorher bestand ihre eigentliche Aufgabe darin, jenen klaren Begriff und die festen Data, die eine Übersicht der Begebenheiten nach seiner Leitung gibt, *zu finden*, und in diesem Finden bestand die gemeinschaftliche Arbeit unserer Kunstschule. Jetzt ist dies da: es wird abgesetzt im Buche, das unser Zögling selber lesen mag. Vorher mußte er ein nach andern Epochen eingeteiltes Buch lesen, das ihm jetzt auch in alle Wege nicht ganz erlassen werden kann, das aber ihm, der einen Leitfaden von höherer Potenz hat, weit leichter haften wird, als seinem frühern Vorgänger. Die unmittelbar zu treibende Kunst an unserer Schule erhält in Beziehung auf die Geschichte eine andere Aufgabe; ohne Zweifel die, jene Data weiter auszuarbeiten und zu verbinden und so mehr des bisher noch nicht durchdrungenen Stoffes der Fakta durch den Grundbegriff zu durchdringen.

So in allen andern Fächern. Die Kunst gräbt fortgehend sich tiefer in bisher unsichtbare Welten; die in dem nunmehr ausgegrabenen Schachte gewonnene Ausbeute legt sie nieder als Ausgangspunkt und als Instrument ihres weitern Verfahrens.

Und so wäre denn 1) in unsern Jahrbüchern des Fortschrittes der Kunst an unserer Schule, als Hauptbestandteile und als epochemachend, niederzulegen die enzyklopädischen Ansichten jedes unserer Lehrer von seinem Fache; kurz, versteht sich, und im großen und ganzen. Sollte ihm, wie dies also zu erwarten, diese klare und ewig dauernde Rechenschaft auch nicht während der Ausübung seines Lehramtes angemutet werden können, so kann sie dennoch nach dem Austritte ihm nicht füglich erlassen werden und hat er darauf schon während der Ausübung zu rechnen.

2) Da unsere Schüler auch Bücher lesen sollen und wir ihnen überhaupt nichts zu sagen gedenken, was eben so gut im Buche steht, so gehört zu jener enzyklopädischen Rechenschaft eines Lehrers allerdings auch die Angabe, welche Lektüre er vorschreibe. Diese Lektüre mag für den Anfang in schon vorhandenen Büchern stehen, und es wird in diesem Falle genug sein, diese zu zitieren.

Späterhin aber werden wir, teils um die allenfalls veraltete äußere Form anzufrischen, teils aber und vorzüglich wegen des durch den Fortschritt der Kunst ganz veränderten Ausgangspunktes der von uns wirklich zu *treibenden* Kunst, Lesebücher für unsere Zöglinge (ein corpus jedes einzelnen Faches, wie es bisher nur ein corpus iuris[127] gab) eigens drucken lassen müssen. In Absicht des ersten – des Erfrischens – wird zu beobachten sein, daß dies nicht von dem Ermessen des Einzelnen abhängen könne, sondern mehrere die Tüchtigkeit eines Einzelnen für diesen Behuf anerkennen müssen, indem nicht in jedem der gesamte lebendige Zeitgeist sich ausspricht und mancher versucht wird, seinen individuellen Geist für jenen zu halten. In Absicht des zweiten haben wir, so wie im Lehren den Grundsatz, nicht zu sagen, was schon gedruckt ist, im Schreiben den, nicht zum zweitenmale drucken zu lassen, was einmal gedruckt ist. – Wird einmal das Bedürfnis solcher eigenen Lesebüchern eintreten, so werden uns die Mittel nicht abgehen, demselben abzuhelfen, und können wir recht füglich von denen, die bei uns Meister und Doktor zu werden verlangen, dergleichen Probestücke begehren.

Wir erhielten an jenen enzyklopädischen Rechenschaften, von denen jede künftige die vorhergegangene entweder formaliter, durch Klarheit und Leichtigkeit, oder materialiter, durch weitere Umfassung des Stoffes, übertreffen müßte, – oder sie könnte nicht aufgenommen werden, und dies wäre ein Beweis, daß die Kunst dermalen bei uns stille stände – eine *fortgehende* und *eng zusammenhängende Reihe* von Fortschritten in der Wissenschaft, welche der Nachwelt, die einen beträchtlichen Teil derselben übersehen und vielleicht das *Gesetz* dieses Fortschrittes entdecken könnte, wiederum als Mittel weit höherer Fortschritte dienen könnte. Wir erhielten an dem, mit jener und ihrem Gesetze gemäße fortschreitenden *Lesebuche*, das nicht gerade in den Kontext jener Jahrbücher eingewoben sein müßte, sondern selbständig existieren könnte, ein äußerliches Dokument und einen Exponenten der Jahrbücher.

Dieses Lesebuch würde, so wie es von einer Seite durch Steigerung der Gesichtspunkte anwüchse, von der andern durch Auswerfung des sattsam bearbeiteten Stoffes abnehmen. Wir machen dies deutlich an demselben Beispiele der Geschichte. Wenn man durch Erfassung etwa des angegebenen Standpunktes für diese – die Geschichte –, vielleicht auch aufgeben wird den Zweck, in derselben *Psychologie* oder *Staatswissenschaft* zu lernen – Zwecke, die man leicht für Vorspiegelungen halten dürfte, um dem Philosophen gegenüber sich aus der Verlegenheit, deutlich einen Zweck seines Studiums anzugeben, zu ziehen, – begreifend, daß man diese Zwecke weit wohlfeilern Kaufes mit der Philosophie erreichen könne; daß aber die Regierungs*kunst*, die durchaus etwas anderes sei denn die durch Philosophieren zu schöpfende Regierungs*wissenschaft*, eine leichte und sich von selbst findende Zugabe des rechten Studiums der Geschichte sei: – wenn man, sage ich, diese Zwecke aufgeben wird, alsdann wird man einer Menge Untersuchungen, die nur den psychologischen oder politischen Zwecke unter die Arme greifen sollen, sich gern überheben. – (Solange es, um über die Echtheit eines gewissen Dokuments urteilen zu können, auf die Untersuchung, welchen Zuschnitt der Bart eines gewissen Kaisers gehabt habe, ankommt, muß man in alle Wege diese Untersuchung gründlich treiben. Sollte aber durch einstige Vollendung dieser Untersuchung die Echtheit oder Unechtheit des Dokuments, gemeingültig für alle künftige Zeit, ausgemittelt sein, so mag man nun den Bart immer fahren lassen; ja dieses um so mehr, wenn sogar an der Echtheit oder Unechtheit des Dokuments selber uns nichts mehr liegen sollte, indem, was dadurch entschieden werden soll, indes anderwärts her entschieden worden. Freilich müßte man zu diesem Behufe auch darüber mit sich einig sein, daß es in allen Fächern Gewißheit und eine feste, unwidersprechliche Beweisführung gebe, und nicht etwa gerade in das blinde Herumtappen und in die Wiederholung desselben Kreislaufes durch jegliche Generation die Perfektibilität des Menschengeschlechtes setzen.)

So, wenn nun jemand durchaus kein anderes Mittel hat, um über den Wert einer gewissen Meinung zu entscheiden, außer daraus, daß sie die Meinung eines gewissen alten Philosophen gewesen, dabei aber doch noch immer Zweifel hegt, ob dieselbe nicht vielmehr die Folge der Gesundheitsbeschaffenheit dieses Philosophen als seiner Spekulation gewesen; so ist diesem die Frage über die Hypochondrie oder Nichthypochondrie des Mannes allerdings höchstbedeutend: wer aber auf anderm Wege über den in Frage gestellten Wert Bescheid hätte, der könnte jenen Philosophen samt seinem Gesundheitszustande ruhig an seinen Ort gestellt sein lassen.

§ 63

Neben diesem ersten und wesentlichen Teile der Jahrbücher, den enzyklopädischen Rechenschaften der Lehrer, gibt es noch einen zweiten, zum ersten notwendig gehörenden Teil, die Ausarbeitungen der Schüler. Denn es soll ja nicht bloß die Kunst der gesamten Schule in Bearbeitung des wissenschaftlichen Stoffes, es soll auch die besondere Kunst der Lehrer gezeigt werden, selber Künstler aus dem ihnen gegebenen Stoffe der Zöglinge zu bilden, und, so Gott will, der Fortgang auch dieser Kunst. Über die Lehrmethode derselben wird schon ihre enzyklopädische Rechenschaft, auch ohne ausdrückliches Vermelden, die nötige Auskunft geben. Über so viele andere, in Worten auch nicht füglich zu beschreibende Kunstmittel mögen sie schweigen und dieselben eben üben; aber ihr *Werk*, den Künstler, der aus ihren Händen hervorgeht, mögen sie vorzeigen.

Im Anfange zwar und in den ersten Jahren werden wir noch nichts dieser Art vorzuweisen haben; einen sichern Anfang aber müssen dennoch auch die Jahrbücher sich setzen, indem es außerdem wohl immer bei dem Versprechen bleiben könnte. Dieser Anfang könnte erscheinen zu Anfang des zweiten Lehrjahrs, und er müßte enthalten 1) die enzyklopädischen Ansichten der angestellten Lehrer jedes Faches, die sie ja ohne Zweifel bei der Vorbereitung auf dieses ihnen großenteils neue Kollegium schriftlich entworfen und während des mündlichen Vortrages und der mit den Lehrlingen angestellten Übungen verbessert haben würden. 2) Die Probeaufsätze der Studierenden, welche gebilligt und deren Verfassern die Befugnis, das Regulat nachzusuchen, gegeben worden. Sollte das letztere zu weitläuftig ausfallen, so könnten aus den gelungenen nur die gelungensten ausgewählt, der andern aber nur im allgemeinen mit dem gebührenden Lobe gedacht werden.

(Der zweite Punkt wäre zugleich die den Lehrern, die das Regulat zuerst besetzen, allerdings nicht zu erlassende öffentliche Rechenschaft, daß sie hierbei nach festen Grundsätzen und keinesweges willkürlich verfahren; ingleichen die Weisung an Studierende und deren Eltern, was bei künftigem Anspruche auf dasselbe Regulat von ihnen *wenigstens* gefordert werden würde. Wenigstens: denn es könnte so kommen, daß das erstemal, um denn doch überhaupt ein an Personal auch nicht gar zu schwaches Regulat einzusetzen, nach ein wenig mildern Grundsätzen verfahren werden müßte denn späterhin.)

Aus denselben Bestandteilen, Nachträgen der Lehrer zu ihren enzyklopädischen Ansichten und Probeaufsätzen neuer Kandidaten des Regulats würden die Jahrbücher auch zu Anfange des dritten, vierten usw. Lehrjahres bestehen, so lange, bis wir Aufsätze von solchen, die bei uns das Meistertum erhalten hätten, mitteilen, und so die Aufsätze der Schüler ungedruckt lassen könnten. Erst mit diesen ginge die eigentliche Rechenschaftsablegung des Lehrers über seine Lehrerkunst an.

Hier auch hebt die eigentliche Rechenschaft der gesamten Kunstschule über den Fortschritt des Lehrertalents und der Künstlerbildung an ihr an. Werden, noch abgerechnet die Steigerung des Begriffes selbst, (wovon § praeced.), in der *Form* die Aufsätze der künftigen Meister klärer, gewandter, freier, leichter denn die der frühern, so steigt die Kunst; das Gegenteil davon wäre ein Beweis, daß sie wenigstens in dieser Rücksicht fiele, und die gesamte Akademie hätte zusammenzutreten und Anstalten zu treffen, ne detrimenti quid capiat respublica.[128]

Schon in den andern mit den Lehrlingen anzustellenden Übungen, recht eigentlich aber, und auch andern sichtbar in diesen Jahrbüchern, kann ein Lehrer sehen, ob ein anderes, jugendlicheres und gewandteres Lehrertalent neben ihm aufkomme, und er hat sodann ohne Säumen auszutreten und diesem seinen Lehrstuhl zu überlassen. Der eigentliche Vater dieses Studium und der fortdauernde Berater und Warner in demselben bleibt er immerfort.

Der hier entworfene Begriff solcher Jahrbücher wäre dem ersten anhebenden Teile derselben in einer das große Publikum befriedigenden Deutlichkeit vorn anzusetzen, und hätten wir in dieser Einleitung uns auf alle hier aufgestellten Grundsätze für uns und unsere Nachkommen, vor Welt und Nachwelt, auf ewig zu verpflichten.

§ 64

Betreffend den Fortgang insbesondere des Stoffbuches durch uns geht dieser, wie sich versteht, auch bei uns, so wie in der übrigen Welt, seinen Weg fort. Es wäre hierbei nur folgendes anzumerken. Zuvörderst ist wohl von keinem unserer Akademiker zu erwarten, daß er, entweder um das Dasein seiner Person kund zu tun oder um an den Ehrensold irgendeines schlecht unterrichteten Buchhändlers zu kommen, Geschriebenes schreibe und, kompilierend aus zehn Büchern, ein elftes mache, und hätte, falls dergleichen doch einem beikäme, die gesamte Akademie die gemeinschaftliche Ehre zu retten und die Schmach des Einzelnen von sich abzuwehren. Sodann, dergleichen Vermehrungen des Stoffbuches von seiten unsrer Akademiker müßten zunächst auf das gegenwärtige Bedürfnis unsrer Kunstschule gehen und bestimmt sein, diesem abzuhelfen; und es wäre Arbeiten von dieser Beziehung der Vorzug vor andern zu geben. Im Falle eines solchen Bedürfnisses könnten wir auch Auswärtige zur Mithilfe durch Aussetzung eines *Preises* auffordern; der Akademiker selbst ist für den Preis zu hoch; dem Bedürfnisse der Familie abzuhelfen, wenn er kann, ist ihm ohne dies Pflicht wie Freude, und sind die vom Rate der Alten recht eigentlich für dieses Geschäft, auch in Absicht des Buchwesens, eingesetzt.

Einen Teil des fortschreitenden Stoffbuches jedoch müssen wir als ein notwendiges Glied in unsern Plan aufnehmen und die regelmäßige Fortsetzung desselben organisieren; ich meine die Niederlegung der an unserer Akademie gemachten neuen Entdeckungen für Geschichte und Naturwissenschaft, zu welcher letztern auch das in der ärztlichen Praxis Entdeckte, das einen wissenschaftlichen Aufschluß über die Natur verspricht, gehört, und wir deswegen auch, ohnerachtet wir die ärztliche Praxis ganz von uns auszuschließen gedenken, für diesen letztern Behuf einen, oder etliche Männer unter unsern Akademikern haben müssen. Es ist unsere Pflicht sowohl als unser Vorteil, daß diese, sobald sie zu einer bestimmten schriftlichen Relation haltbar genug geworden, nicht innerhalb unserer Gesellschaft bleiben, sondern auch das auswärtige Publikum, das uns ja auch diesen neuen Stoff bearbeiten helfen soll, Kunde davon erhalte. Es müßten drum angelegt werden *Jahrbücher der wissenschaftlichen Entdeckung an unserer Akademie*. Ob der Stoff so reich ausfalle, daß er einer selbständigen periodischen Schrift bedürfe, oder ob diese Jahrbücher mit dem tiefer unten zu erwähnenden Werke, der Bibliothek der Akademie, vereinigt werden sollten, mag entschieden werden, wenn es an die wirkliche Ausführung geht. So viel ist klar, daß wir kein Bändchen der Fortsetzung solcher Jahrbücher liefern können, wenn wir innerhalb der Zeit nichts Neues entdeckt haben, daß sie somit keineswegs bestimmte Termine ihrer Erscheinung halten können.

Noch ein Hauptgegenstand der Beachtung unserer Akademie ist die Benutzung des außerhalb unsers und anderwärts fortschreitenden *Stoff-* sowie auch *Kunstbuches* und die Nutzbarmachung desselben für diejenigen unserer Mitglieder, die wegen andrer Geschäfte nicht Zeit haben, aufs bloße Geratewohl zu lesen (die ausübenden Lehrer und Studierenden), von denjenigen aus uns, die diese Zeit haben, (dem Rate der Alten).

Es ist dazu erforderlich zuvörderst, daß man diesen Fortschritt, d. h. die neu erschienenen Schriften historisch kenne. Für diesen Behuf erscheint nun zu Leipzig der bekannte Meßkatalog als das Verzeichnis ihrer zu Markte gebrachten Ware, dessen Besorgung, wie sich versteht, eine Sache des Verkäufers der Ware ist. Es mochte gut sein, daß sich fertigere Federn fanden, welche diesen Meßkatalog paraphrasierten; doch war und blieb dies immer eine rein merkantilische Sache, zum Dienste des Käufers und Verkäufers; und eine allgemeine Literaturzeitung kann durchaus auf keinen höheren Wert Anspruch machen als auf den eines Journals des Luxus und der Moden. Daß diese subalternen Handarbeiter durch schlecht unterrichtete Schmeichler sich überreden ließen, sie verwalteten zugleich das Geschäft der Kritik und dieses lasse sich eben mit der durchaus merkantilischen Rücksicht, *den ganzen Meßkatalog herunter zu rezensieren,* vereinigen; daß, nachdem die Meinung einmal entstanden, sogar solche, die da wohl fähig gewesen wären, das Amt der Kritik zu verwalten, sich verleiten ließen, zuweilen ein treffenderes Wort in jenen unwürdigen Kontext hineinzuwerfen, ist in unsern Tagen eine der ergiebigsten Quellen des literarischen und andern Verderbens geworden, und es ist darüber, auf Handlanger und Unternehmer solcher Paraphrasen des Meßkatalogs, ein größeres Maß von Spott gefallen, als sie Kraft hatten zu verdienen. Da die Liebhaberei unserer Leser noch immer nach dergleichen Literaturzeitungen sich hinzuwenden scheint und, so viel dem Schreiber dieses bekannt ist, der eigentliche Grund ihrer Verwerflichkeit selten rein ausgesprochen und ins Auge gefaßt wird, so sagen wir noch bestimmt, daß dieser unser Entwurf anmute, zu begreifen folgendes: daß, wenn auch etwa überhaupt, was wir hier an seinen Ort gestellt sein lassen, die Zeit sich herausnehmen dürfe, die Zeit zu kritisieren, diese Kritik wenigstens nicht an *der Allheit der erscheinenden Bücher,* so wie die einzelnen uns unter die Hände fallen, geübt werden könne, indem ein solcher Vorsatz selbst einen absolut unkritischen, unphilosophischen, der Einheit unempfänglichen, planlosen Geist voraussetzt, und nur eine planlose und verworrene Geburt erzeugen kann; sondern daß sie *an ganzen Klassen und Arten von Büchern,* die nach innern Kriterien schon vorher unterschieden worden, geübt werden müsse; daß jener Vorsatz, alles aus der Presse Hervorgegangene zu rezensieren, offenbar die Rücksicht auf gleiche Gerechtigkeit gegen alle Verleger, als Warenlieferanten, dartue, wie es denn auch die Verleger sind, welche auf die Vollständigkeit der Literaturzeitungen am meisten dringen und über Vergewaltigung laut klagen, wenn einer ihrer Artikel unangezeigt geblieben; daß demnach der merkantilische Zweck der wesentliche, den Plan und das Grundgesetz solcher Unternehmungen bestimmende; der kritische aber nur der hinterher, als Vorwand hinzugekommene ist, und daß man sogar auch darüber sich niemals ernsthaft beratschlaget, ob eine Vereinigung dieser beiden Zwecke auch wohl möglich sei.

Möge wenigstens von unserer Akademie eine solche Verwirrung, welche ihr und der Kunstschule Wesen sogleich im Beginn zerstören würde, fern bleiben!

Übrigens mag in Gottes Namen, und es wäre dieses sogar höchst ratsam, in der Hauptstadt unserer Monarchie, neben dem Sitze der Akademie, auch eine solche vollständige Paraphrase des Meßkatalogs erscheinen; wäre es auch nur darum, um die anderwärts erscheinenden aufgeblasenen Zwitternaturen von unsern weniger unterrichteten Mitbürgern abzuhalten. Es sei dies ein Privatunternehmen eines, etwa des akademischen Buchhändlers. Die Sache ist Handarbeit, welcher der Leipziger unparaphrasierte Meßkatalog zur Basis diene. Der Referent versichert als Augenzeuge, daß das Buch wirklich erschienen sei und er es unter den Augen gehabt habe; das sei sein Titel, so viel koste es, und hierauf läßt er die Inhaltsanzeige und irgendeine Stelle aus dem Buche abdrucken. Über die Wahl dieser Stellen, auch etwa über ganz auszulassende Schriften, mag er die Akademie derjenigen Klassen, die ohnedies aus andern Gründen diese Bücher durchzulaufen haben, befragen dürfen, und wäre diesen eine allgemeine Aufsicht und Zensur dieses Meßkatalogus, jedem in seinem Fache, zu übertragen. – Halte zu diesem Behuf der Unternehmer sich einige Zugewandte, wiewohl auch ganz unstudierte Kaufmannsbursche das Geschäft versehen könnten.

Was dagegen der Akademie als solcher in Beziehung auf die auswärtige Vermehrung des Buchwesens recht eigentlich zukommen würde, wäre folgendes:

1) Die Mitglieder des Rates der Alten nehmen, jeder für sein Fach, die durch die letzte Messe erfolgte Vermehrung des Buches für dieses Fach vollständig in Augenschein, welches, wenn die Literatur der Deutschen ihren bisherigen Charakter noch lange behält, großenteils mit Durchsicht der Inhaltsanzeigen, der Register, der Vorreden und einigem Durchblättern sich wird abtun lassen. Sollte in dieser Durchsicht dem einen etwas vor die Augen kommen, das nicht eigentlich zur Kompetenz seines Faches gehörte und hier sich nur in dasselbe verloren hätte, so macht er den, in dessen Fach es eigentlich gehört, aufmerksam.

2) Was nun in dieser dermaligen Vermehrung des Buches sich findet als Fortschritt, d. i. als Verbesserung oder Erweiterung des Stoffbuches in diesem Fache oder auch als Erhöhung des Kunstbuches, nach dem oben angegebenen Maßstabe einer solchen Erhöhung, wird niedergelegt in einem andern periodischen Werke, welches man *Jahrbücher der Fortschritte des Buchwesens* oder auch die *Bibliothek der Akademie* nennen könnte. Was bloße Wiederholung des schon Bekannten ist, wird mit Stillschweigen übergangen. Rückfälle in schon widerlegte Irrtümer mögen, falls nämlich zu befürchten wäre, daß ein Mitglied unserer Akademie dadurch geirrt werden könnte, angezeigt werden. Da eine solche Übersicht ausgeht von der bisherigen Literatur des Faches, die ihre feststehenden Abteilungen schon haben wird, so kann sie recht füglich an diese, als den Grundleitfaden, sich haltend zeigen, wie jeder dieser Teile bereichert worden sei, und so das Buch, wo diese Bereicherung sich vorfindet, auf Veranlassung des Inhalts, keinesweges aber den Inhalt auf Veranlassung des Buches, wie dies die Paraphrase des Meßkatalogs tut, anführen.

Bücher, in denen gar nichts Neues steht, ohne daß sie doch auch als eine Erfrischung des bisherigen Buchwesens in diesem Fache gelten könnten, und die daher gar nicht existieren sollten, werden in dieser Bibliothek ganz übergangen. Es würde ganz zweckmäßig sein, daß dergleichen, nach Angabe dieser Referenten in der Bibliothek, die man darüber zu befragen hätte, auch in dem Meßkatalog übergangen würden, damit, so wie wir selbst auf die bloße Buchmacherei Verzicht tun, wir auch die Unterstützung der auswärtigen Buchfabriken durch den Ankauf unserer weniger unterrichteten Mitbürger verhindern. Das Publikum wisse, daß es desjenigen, das sogar unser Meßkatalog übergeht, sicherlich nicht bedarf.

Diese Bibliothek ist *unsere Akademie* Bibliothek und zunächst für deren Gebrauch geschrieben. Mit dem ersterwähnten Durchwühlen des ganzen durch die Messe herbeigeführten Schuttes braucht keiner unserer Lehrer oder unserer Schüler sich zu bemühen; selber der alte Akademiker und Mitarbeiter an der Bibliothek braucht es nur mit dem, der auf seinen Teil gefallen ist; die übrigen Teile haben andere für ihn übernommen. Und so hat denn unser Akademiker nur diese Bibliothek zu lesen und findet in ihr die bestimmte Nachweisung, was er etwa noch außerdem neu Erschienenes zu lesen habe. Für ihn ist daher diese Bibliothek allerdings *Kritik*, Scheidung des zu Lesenden von dem nicht zu Lesenden, des ganzen neusten Buches.

Will auch das auswärtige Publikum, und unter ihnen die Verfasser und Verleger dieses gesamten neusten Buches, diese Bibliothek, die durchaus nicht ihnen zuliebe geschrieben ist, dennoch lesen, so steht ihnen dies ganz frei. Wollen sie ferner dieselbe als allgemein und so auch für sie geltende Kritik setzen, so tun sie das auf ihre eigene Verantwortung. Wir wenigstens, uns auf die Unsrigen beschränkend, haben niemals einen solchen arroganten Anspruch gemacht, unsern Richterspruch der ganzen Welt aufzudringen; dringt er sich ihnen aber etwa von selbst in ihrem eigenen Bewußtsein auf, so ist dies ein desto ehrenvolleres Zeugnis für uns. Was daraus entstehen möge, so haben wir mit Verfassern oder Verlegern nichts abzutun, indem wir uns diesen niemals für etwas verbunden haben.

(Daß, weil wir nicht blind herumtappen, sondern nach einem festen Plane einhergehen, wir gar bald zu großem Ansehen gelangen werden und daß dies mächtig zur Verbesserung des ganzen Literaturwesens wirken werde, läßt sich voraussehen. Jedoch ist sogar diese große Folge nur eine zufällige, die wir nicht beabsichtigen; denn zu bescheiden, das Heil der ganzen Welt auf unsre Schultern laden zu wollen, denken wir zunächst nur auf unser eignes Heil.)

§ 66

Noch sind allein übrig die oben erwähnten Anstalten, wodurch wir von den Bemühungen anderer wissenschaftlicher Körper, welche Bemühungen noch nicht Festigkeit genug erhalten haben, um im Buche niedergelegt zu werden, zeitig Notiz erhalten und diese Körper in die Lage setzen, von den gleichen Bemühungen bei uns Notiz zu nehmen. Es wäre in dieser Rücksicht vorzuschlagen:

1) daß wir an allen bedeutenden Akademien und Universitäten des deutschen Vaterlandes sowohl als des Auslandes uns einen besondern Freund und Repräsentanten erwählten aus den Mitgliedern eines solchen Korps; gegenseitig diesen erlaubend und sie einladend, dasselbe bei uns zu tun. Diese Repräsentanten wären ersucht, alles, was an ihrem Orte von der eben erwähnten Art sich zutrüge, davon sie glaubten, daß es die befreundete Akademie interessieren könnte, derselben durch Korrespondenz zu melden.

2) Damit wir jedoch, tiefer denn diese fremden Berichte, die nur die erste Aufmerksamkeit erregen sollen, und selbst dasjenige, was diese etwa mit Stillschweigen übergehen, mit eigenen Augen zu sehen uns in den Stand setzen, sollen, womöglich ununterbrochen, junge Männer aus unserer Mitte zu ihnen gesendet werden und bei ihnen einige Zeit sich aufhalten, die nach erfolgter Rückkehr uns mündlichen Bericht abstatten, wie sie alles befunden. Diese sind zu allernächst an unsern Repräsentanten adressiert, der ihnen mit Rat und Tat an die Hand gehe. Es versteht sich, daß wir dasselbe den verbündeten Gesellschaften zugestehen und die Ihrigen also behandeln, wie wir wollen, daß die Unsrigen von ihnen behandelt werden. So wünschen wir ohne Zweifel, daß die Unsrigen den unbeschränktesten Zutritt zu allen wissenschaftlichen Übungen der Auswärtigen erhalten, und müssen drum diesen denselben Zutritt bei uns

geben. Keinesweges aber wünschen wir, daß den Unsern bei diesen Besuchen etwa das Sehwerkzeug des Auslandes untergeschoben werde, sondern daß sie sich ihres eigenen Auges, so wie es bei uns gebildet worden, bedienen; wir sind darum ebensowenig befugt oder, falls wir unsern Augpunkt für besser zu halten berechtiget sein sollten, verpflichtet, ihn unsern Gästen zu leihen, sondern mögen sie das Vermögen zu sehen eben schon mitgebracht haben. Der hierüber nötigen Politik mögen sich sowohl unsere zu diesen Gesandtschaften gebrauchten Mitbürger als alle unsere Akademiker befleißen; und es haben z. B. die ersten nicht gerade nötig, dem Ausländer gegenüber laut über ihn zu denken, sondern sie mögen sich berichten lassen; ihres Herzens wahre Gedanken aber, bis zu ihrer Rückkehr in unsere Mitte, für sich behalten.

Die zu diesen wissenschaftlichen Gesandtschaften am besten sich qualifizierenden Subjekte wären bei uns gezogene und gelungene Regularen, und könnten sie damit sehr füglich die Zeit zwischen ihrem Austritte aus dem Regulat und ihrem Eintritte in die Akademie ausfüllen.

Vorzüglich würden zu diesen Geschäften gebraucht werden und, falls sie nur geradeso gut wie andere sich dazu qualifizierten, diesen sogar vorgezogen werden müssen die Söhne aus der Universitätsstadt und besonders die unserer Akademiker; es versteht sich, wenn die Hauptbedingung, daß sie gelungene Regularen wären, von ihnen erfüllt wäre. Dieses zwar keineswegs als ein *persönliches Vorrecht*, dergleichen bei uns keine Geburt gibt, sondern vielmehr als *Gleichstellung* mit den übrigen und *Entschädigung* dafür, daß sie die Universitätsstadt an ihrem Geburtsorte finden und im Grunde aus dem Umkreise der Ihrigen zu einem völlig selbständigen Leben noch niemals herausgekommen sind und so die hiermit verknüpften, oben erwähnten Vorteile bisher verloren haben.

§ 67
Korollarium

Unsere Akademie an und für sich betrachtet gibt in der von uns angegebenen Ausführung das Bild eines vollkommnen Staats; redliches Ineinandergreifen der verschiedensten Kräfte, die zu organischer Einheit und Vollständigkeit verschmolzen sind, zur Beförderung eines gemeinsamen Zwekkes. An ihr sieht der wirkliche Staatskünstler immerfort dieselbe Form gegenwärtig und vorhanden, welche er auch seinem Stoffe zu geben strebt, und er gewöhnt an sie sein von nun an durch nichts anderes zu befriedigendes Auge.

Dieselbe Akademie stellt in ihrer Verbindung mit den übrigen, außer ihr vorhandenen wissenschaftlichen Körpern dar das Bild des vollendet rechtlichen Staatenverhältnisses. Alle, in sich übrigens allein, geschlossen und selbständig bleibend, kämpfen aus aller ihrer Kraft um denselben Preis, die Beförderung der Wissenschaft und der wissenschaftlichen Kunst; aber ihr Wettkampf ist notwendig redlich, und keiner kann den errungenen Sieg verkennen oder schmälern, ohne sich selbst der, allen gemeinschaftlichen, und bei unendlicher Teilung dennoch immer ganz bleibenden Ausbeute des Sieges zu berauben. Ihr Wettkampf ist liebend; das beleidigte Selbstgefühl des Überwundenen hebt sogleich sich wieder empor an der Freude über den gemeinsamen Gewinn, und die augenblickliche Eifersucht geht schnell über in Dank an den Förderer des gemeinen Wesens.

Diese Form einer organischen Vereinigung der aus lauter verschiedenen Individuen bestehenden Menschheit vermag in ihrer Sphäre die Wissenschaft zu allererst, und dem Kreise der übrigen menschlichen Angelegenheiten lange zuvorkommend, zu realisieren. Als einzelne Republik darum, weil zuvörderst das Interesse, das in dieser Sphäre scheiden, trennen und voneinander halten könnte das zu Einigende, bei weitem nicht so dringend und gebieterisch herrscht als das der sinnlichen Selbsterhaltung, welches auf des Staates Gebiet entzweit und sich befeindet; sodann, weil selber das Element, das die Wissenschaft bearbeitet, die Denkart veredelt und die Selbstsucht schmählich macht. Als ein Verein von Republiken darum, weil alle genau wissen und verstehen, was sie eigentlich wollen; dagegen die politischen Entzweiungen der Völker und weltverheerende Kriege sich sehr oft auf die verworrensten und finstersten unter allen möglichen Vorstellungen gründen. In dieser frühern Realisierung der für alle menschlichen Verhältnisse eben also angestrebten Form ist sie an dem einen, das sie gestaltete, Weissagung, Bürge und Unterpfand, daß auch das übrige einst also gestaltet sein werde, der strahlende Bogen des Bundes, der in lichten Höhen über den Häuptern der bangen Völker sich wölbt.

Aber selbst indem sie noch verheißet, erfüllet sie schon und ist gedrungen zu erfüllen. Die einzige Quelle aller menschlichen so Schuld wie Übels ist die Verworrenheit derselben über den eigentlichen Gegenstand ihres Wollens; ihr einiges Rettungsmittel daher Klarheit über denselben Gegenstand; eine Klarheit, welche, da sie nicht uns fremd bleibende Dinge erfaßt, sondern die innerste Wurzel unsers Lebens, unser Wollen ergreift, auch unmittelbar einfließt in das Leben. Diese Klarheit muß nun jeder wissenschaftliche Körper rund um sich herum, schon um seines eigenen Interesse willen, wollen und aus aller Kraft befördern; er muß daher, so wie er nur in sich selbst einige Konsistenz bekommen, unaufhaltsam, fortfließen zur Organisation einer Erziehung der Nation, als seines eigenen Bodens, zur Klarheit und Geistesfreiheit, und so die Erneuerung aller menschlichen Verhältnisse vorbereiten und möglich machen; durch welche Erwähnung der Nationalerziehung wir wieder am Schlusse unsers ersten Abschnittes niedergesetzt werden und so den bis ans Ende durchlaufenen Kreis schließen.

FRIEDRICH DANIEL ERNST SCHLEIERMACHER[129]

Gelegentliche Gedanken
über
Universitäten
in
deutschem Sinn

Nebst
einem Anhang
über
eine neu zu errichtende

Vorrede

Nur ein kleines Vorwort für die kleine Schrift. Schon durch
die Art, wie sie sich bezeichnet, will sie gern diejenigen ab-
weisen, welche hier etwa aus irgendeinem Mißverstand
eine wissenschaftliche erschöpfende Behandlung des Gegenstandes suchen möchten. Es wäre falsche Bescheidenheit, wenn, was so gemeint ist, sich nur für etwas Gelegent-
liches ausgeben wollte; wie es Anmaßung wäre und leere
Prahlerei, wenn, was nur gelegentlich entstanden ist und
nur so wirken soll, sich wissenschaftlich gebärden wollte.
Die Sache verträgt allerdings eine strenge und gründliche
Behandlung; das wissenschaftliche Feld, wohin sie gehört,
mag auch dem Verfasser nicht ganz fremd sein, und er
hofft, daß die hier vorgetragenen Gedanken selbst größtenteils auch dort eine Stelle würden finden müssen. Nur hier
macht er gar nicht Anspruch auf wissenschaftliche Reife
oder strenge Darstellung. Er trägt seine Ansicht ohne diesen Grad der Vollendung vor, gelegentlich und soviel
möglich leicht hingeworfen als ein verständliches Wort,
zur Beherzigung für eine Zeit, welche während der Zer-
störung so vieles Alten auch so manche neue Keime entwickelt.

Wer bei Pflanzung oder Erneuerung wissenschaftlicher Anstalten mitzuwirken hat, kann sich doch nicht genug vorsehn, ob er auch den Gegenstand, über den er zu ratschlagen hat, und seine einzelnen Teile in ihrer wahren Beziehung aufgefaßt habe. Schon seit langer Zeit werden die entgegengesetztesten Ansichten über diese Sache aufgestellt. Jede enthält unstreitig etwas Wahres und ist beherzigungswert; aber wenn es doch nur eine Seite ist, die sie nach Neigung oder nach Umständen heraushebt, so muß doch die Vorstellung des Ganzen, die sich bloß hieraus bildet, unsicher, störrig und verschroben ausfallen; denn einzelne Beziehungen können nie das Maß der Sache selbst sein, ja auch ihr eignes Maß nicht in sich haben. Und leider, wie schwer ist es nicht zu vermeiden, daß Neigung, daß besondere Verhältnisse, daß oft sogar ein fremdartiges Bedürfnis nicht Einfluß erhalte auf die Überlegungen derer, die eben zu handeln haben!

Drum soll auch derjenige nicht unwillkommen seine Stimme vernehmen lassen, der Muße hat, sich vor dem Gegenstand niederzulassen, und ihn, wie er sich seit langer Zeit verschiedentlich unter uns gestaltet hat, von allen Seiten zu betrachten. Denn auch, wo Neues gebaut werden soll, ist es von der größten Wichtigkeit zu wissen, was von dem Bisherigen wesentlich oder zufällig, und was vielleicht gar in Irrtum und Mißverständnis gegründet gewesen, und also verwerflich ist, wie sich dessen in allen Zweigen des menschlichen Tuns und Wirkens immer finden muß.

Eine solche Betrachtung eignet sich am meisten zur öffentlichsten Mitteilung, weil sie nicht nur für die wenigen angestellt wird, welche auf diesem Gebiet schaffen, umbilden, regieren sollen, sondern für alle, die einen lebhaften Anteil an der Sache nehmen. Diese alle daher möchte sich der Verfasser einladen, ihm bei seiner Beschauung zuzuschauen, und dadurch aufgeregt zu werden, den Gegenstand, es sei nun so wie er oder besser als er, auf jeden Fall aber gründlicher als zuvor zu erkennen.

1.
Vom Verhältnis des wissenschaftlichen Vereins zum Staate.

Man kann annehmen, daß fast allgemein die Voraussetzung gemacht wird, es solle unter den Menschen nicht nur Kenntnisse aller Art geben, sondern auch eine Wissenschaft. Die Ahndung von ihr, das Verlangen nach ihr regt sich überall. Selbst die, welche ihr Geschäft am allermeisten nach hergebrachter Gewohnheit behandeln, berufen sich auf die Voreltern; was gar keinen Sinn hat, wenn nicht das dunkle Gefühl darin liegt, diese müßten bei dem gleichen Verfahren nicht bloß das Recht der Gewohnheit für sich gehabt haben, sondern vielmehr einen höheren Grund. Ebenso die, welche in menschlichen Dingen irgend etwas durch die Kraft des bloßen Instinkts weiter fördern, berufen sich darauf, daß andern obliegen müsse, ihr Tun zu erklären und verständig zu rechtfertigen. Dies alles weiset auf die Wissenschaft hin.

Daß aber diese durchaus nicht Sache des einzelnen sein, nicht von e i n e m allein zur Vollendung gebracht und vollständig besessen werden kann, sondern ein gemeinschaftliches Werk sein muß, wozu jeder seinen Beitrag liefert, so daß jeder in Absicht ihrer von allen übrigen abhängig ist, und nur einen herausgerissenen Teil sehr unvollkommen allein besitzen kann, auch das muß gewiß allgemein einleuchten. Wie genau hängt doch alles zusammen und greifet ineinander auf dem Gebiete des Wissens, so daß man sagen kann, je mehr etwas für sich allein dargestellt wird, um desto mehr erscheine es unverständlich und verworren, indem streng genommen jedes einzelne nur in der Verbindung mit allem übrigen ganz kann durchschaut werden, und daher auch die Ausbildung jedes Teiles von der aller übrigen abhängig ist. Diese notwendige und innere Einheit aller Wissenschaft wird auch gefühlt überall, wo sich bestimmte Bestrebungen dieser Art zeigen. Alle wissenschaftlichen Bemühungen ziehen einander an und wollen in *eines* zusammengehen, und schwerlich gibt es auch auf irgendeinem andern Gebiete des menschlichen Tuns eine so ausgebreitete Gemeinschaft, eine so ununterbrochen fortlaufende Überlieferung von den ersten Anfängen an, als auf dem der Wissenschaft. Freilich nicht, als ob nicht auch hier die Bemühungen der Menschen gesondert und mannigfaltig geteilt, ja hie und da sogar gewaltsam und willkürlich auseinander gerissen wären. Was verschiedene Völker gleicher Zeit wissenschaftlich betreiben, hängt oft äußerlich gar wenig zusammen; und noch mehr erscheinen ganze Zeitmassen voneinander gesondert. Allein wer die Sache etwas im Großen ansieht, dem kann auch hier in dem fortschreitenden Bestreben, alles Getrennte allmählich zusammenzubringen, die vorherrschende Gewalt einer inneren Einheit nicht entgehen.

Bei diesem Zusammenhange nun kann es nur ein leerer Schein sein, als ob irgendein wissenschaftlicher Mensch abgeschlossen für sich in einsamen Arbeiten und Unternehmungen lebe. Vielmehr ist das erste Gesetz jedes auf Erkenntnis gerichteten Bestrebens: Mitteilung; und in der Unmöglichkeit, wissenschaftlich irgend etwas auch nur für sich allein ohne Sprache hervorzubringen, hat die Natur selbst dieses Gesetz ganz deutlich ausgesprochen. Daher müssen sich rein aus dem Triebe nach Erkenntnis, wo er nur wirklich erwacht ist, auch alle zu seiner zweckmäßigen Befriedigung nötigen Verbindungen, die verschiedensten Arten der Mitteilung und der Gemeinschaft aller Beschäftigungen von selbst gestalten; und es wäre irrig zu glauben, daß alle dergleichen Anstalten, wie es jetzt scheint, nur das Werk des Staats sein könnten. Niemand wird angeben können, wie dieser darauf gekommen sein sollte, das Wissen, wenn es ursprünglich ganz zerstreut gewesen wäre, auf solche Weise zu sammeln. Nur da werden alle Unterrichtsanstalten eigentlich vom Staate ausgehen müssen, wo über ein noch ganz rohes Volk eine kleine Anzahl eines gebildeten bildend herrscht und den Trieb des Wissens erst in jenem erwecken will. Man sehe nur, wie schon im Schoße der Familie die Elemente zum Unterricht und zur Gemeinschaft der Kenntnisse sich selbst bilden; wie zweifelhaft es im allgemeinen bleibt auch von den größeren Vorkehrungen, ob sie von selbst entstanden, oder vom Staat, oder von der Kirche gegründet sind. Ergibt sich nicht aus allem, daß wir, um der Natur der Sache getreu zu bleiben, alle solche Veranstaltungen als etwas Ursprüngliches, aus freier Neigung, aus innerem Triebe Entstandenes ansehen müssen?

Aber freilich je mehr sie sich ausbilden, um desto mehr erfordern sie Hilfsmittel, Werkzeuge mancher Art, Befugnis der Verbundenen, auch als solche mit andern auf eine rechtsbeständige Art zu verkehren. Dies alles kann freilich nur durch den Staat erlangt werden, und daher ergeht an ihn die Anmutung, diejenigen, die sich zum Behuf der Wissenschaft miteinander verbunden haben, wie wir uns ausdrücken, als eine moralische Person anzuerkennen, zu dulden und zu schützen. Bei deutschen Völkerschaften und Verfassungen kann diese Zumutung am wenigsten befremdlich sein, da wir bei ihnen beständig eine Menge freier Vereinigungen zu allerlei Zwecken bestehen und entstehen sehen, die der Staat nicht nur duldet, so lange sie sich als unverdächtig ausweisen, so daß man ihnen, um Verfolgung gegen sie zu erregen, immer etwas Unbürgerliches, Staatzerstörendes erweisen muß, sondern denen er auch Vorrechte mancher Art einräumet, wie sie zusammengesetzten Personen, die ja doch größer sind als einzelne, wohl geziemen mögen.

Wie es aber auch mit andern Vereinigungen vielfältig geschieht, daß, wenn der Staat von ihrer Nützlichkeit überzeugt ist, er sie sich allmählich so aneignet und sie in sich aufnimmt, daß man hernach nicht mehr unterscheiden kann, ob sie frei für sich entstanden oder von der verwaltenden Macht gestiftet worden sind, dasselbige ist auch, wie wir sehen, sogar mit den wissenschaftlichen Verbindungen geschehen; wiewohl, wenn die Erfahrung nicht so klar vor Augen stände, jeder zweifeln möchte, ob wirklich, bei dem genauen Zusammenhang aller wissenschaftlichen Bestrebungen derselben gebildeten Zeit, diejenigen, die innerhalb eines gewissen Staates entstanden sind, sich gutwillig von den übrigen trennen und dagegen dem Staat, der ihnen eigentlich fremd ist, sich so genau würden anschließen wollen. Und freilich fehlt es auch nicht an einer ebenso in die Augen fallenden Widersetzlichkeit des wissenschaftlichen Vereins gegen diese zu genaue Verbindung. Das Wahre und Natürliche von der Sache scheint aber dieses zu sein.

Alle wissenschaftlichen Tätigkeiten, welche sich in dem Gebiet *einer* Sprache bilden, haben eine natürliche genaue Verwandtschaft, vermöge deren sie näher unter sich als mit irgend anderen zusammenhängen und daher ein eignes gewissermaßen abgeschlossenes Ganzes in dem größeren

Ganzen bilden. Denn was in *einer* Sprache wissenschaftlich erzeugt und dargestellt ist, hat teil an der besonderen Natur dieser Sprache; wenn es sich nicht ganz unmittelbar auf Erfahrungen und Verrichtungen bezieht, die überall notwendig dieselben sein müssen, wie im Gebiete der Mathematik und der experimentalen Naturlehre, so läßt es sich nicht genau ebenso in eine andere Sprache übertragen und bildet daher unter sich vermöge des Zusammenhanges mit der Sprache ein gleichartiges Ganzes. Für die Wissenden bleibt es allerdings eine notwendige Aufgabe, auch die Trennung zwischen diesen verschiedenen Gebieten wieder aufzuheben, die Schranken der Sprache zu durchbrechen und, was durch sie geschieden zu sein scheint, vergleichend aufeinander zurückzuführen; eine Aufgabe, in welcher vielleicht die wissenschaftliche Beschäftigung mit den Sprachen ihr höchstes Ziel findet. Allein diese Aufgabe ist offenbar für die Gemeinschaft des Wissens die höchste, vielleicht nie aufzulösende, und eben dadurch bewährt sich nur desto mehr jene Absonderung als eine unumgängliche. Denken wir uns also auf allen Punkten aus freiem Triebe nach Erkenntnis wissenschaftliche Verbindungen entstehend, so werden sich diese zunächst so weit zu vereinigen streben, als das Gebiet einer und derselben Sprache reicht. Dies wird der engste Bund sein, und jede darüber hinausgehende Gemeinschaft nur eine weitere.

Dem Staat aber leuchtet auch ein, daß Kenntnisse und sogar Wissenschaften etwas Heilsames und Treffliches sind. Wie groß oder klein er auch sei, wie recht oder unrecht er daran tue, ein eigner sein zu wollen: er kann als solcher nur durch eine Masse von Kenntnissen bestehn, die sich möglichst der Totalität nähert, so wenigstens, daß von allen Zweigen des Wissens einige Spur, einiges Bewußtsein in ihm vorkomme durch lebendigen Sinn, durch Nachfrage, durch williges Aufnehmen, wenn denn auch zu einer eigentümlichen Art der Vollendung nur einiges in ihm gedeiht. Wenigstens ein anständiges und edles Leben gibt es für den Staat ebensowenig als für den einzelnen, ohne mit der immer beschränkten Fertigkeit auf dem Gebiete des Wissens doch einen allgemeinen Sinn zu verbinden. Für alle diese Kenntnisse nun macht der Staat natürlich und notwendig eben die Voraussetzung wie der einzelne, daß sie in der

Wissenschaft müssen begründet sein und nur durch sie recht können fortgepflanzt und vervollkommnet werden. Er sucht sich daher in einen lebendigen Zusammenhang zu setzen mit allen Bestrebungen, die zu dieser Vervollkommnung führen; er nimmt sich der Anstalten an, die er selbst müßte gestiftet haben, wenn er sie nicht gefunden hätte; und da auch der wissenschaftliche Verein ein Bedürfnis hat, vom Staate geschützt und begünstiget zu werden, so werden beide ein Bestreben haben, sich miteinander zu verständigen und zu einigen. Der Staat aber arbeitet nur für sich, er ist, wie er geschichtlich erscheint, durchaus zunächst selbstsüchtig und will also auch die Unterstützung, die er der Wissenschaft bietet, nicht über seine Grenzen hinaus wirksam sein lassen. Wenn nun der Staat das Gebiet seiner Sprache ganz erfüllt, so strebt auch die wissenschaftliche nähere Vereinigung nicht über seine Grenzen hinaus; und so geht die Verbindung zwischen beiden ohne allen Zwiespalt vor sich, schneller oder langsamer, je nachdem beide Teile lebendiger überzeugt sind oder nur mangelhafter einsehen, wie sie einer des andern bedürfen und was sie einander leisten können. Wenn aber der Staat dieses Gebiet nicht ausfüllt: so haben er und der wissenschaftliche Verein bei ihrer abzuschließenden Verbindung ein verschiedenes Interesse. Die wissenschaftlichen Männer wollen den Staat und seine Unterstützungen nur gebrauchen, um in dem größeren Gebiet der Sprache recht kräftig wirken zu können zu ihrem Zwecke; die engeren Grenzen des Staates wollen sie nicht für die ihrigen anerkennen; und müssen sie ihm für seine Unterstützungen Dienste leisten, so sehen sie diese nur als etwas Untergeordnetes an. Die Regierungen hingegen sind nur um so mehr eifersüchtig aufeinander, als sie einander näher stehen, und fürchten von der weiterstrebenden wissenschaftlichen Verbindung Gleichgültigkeit für den Staat oder gar Vorliebe für fremde Einrichtungen und andere nachteilige Einflüsse auf den Geist der Untertanen; sie tun daher das Mögliche, um den näheren Verein auch der Gelehrten in den Grenzen des Staates eingeschränkt zu halten. Umgekehrt, wenn ein Staat das Gebiet mehrerer Sprachen umfaßte: so würde er alle Gelehrten in seinem Umfange einladen, sich gleich nahe zu vereinigen und auch als solche ein Ganzes zu bilden. Diese aber würden offenbar zwei Parteien darstellen, jede Zunge würde die Begünstigung des Gewalthabers der anderen abzuringen suchen, und aufrichtige Verbrüderung würde nur unter denen stattfinden, die *eine* Sprache reden. Daß es unnatürlich ist, wenn ein Staat sich über die Grenzen der Sprache hinaus vergrößern will, hat neuerlich ein großer Herrscher[130] selbst behauptet, so daß man sich nur wundern muß, was doch für eine dringende Notwendigkeit selbst ein so klares Bewußtsein wie das seinige beherrschen konnte. Ob es ebenso unnatürlich ist, wenn das Gebiet einer und derselben Sprache sich in so viele kleine Staaten zerteilt, als Deutschland erleidet, das sei dahingestellt. Wenigstens scheint es ratsam, wenn sie in einer genauen Verbindung bleiben, und töricht, wenn jeder von ihnen seine wissenschaftlichen Einrichtungen abgeschlossen für sich besitzen will. Denn nur äußerlich und erzwungen können diese ein Ganzes bilden, welches, je kleiner der Staat, desto lächerlicher werden wird, wenn es sich vollständig gestalten will; der Natur der Sache nach können sie immer nur Teile des weitergreifenden Vereins sein und müssen sich, je mehr sie sich absondern wollen, um so mehr des wohltätigen Einflusses der übrigen Teile und damit zugleich ihrer Nahrung und Gesundheit berauben. In der Tat wunderlicher und von dem, was das gemeine Wohl erfordert, entfernter kann wohl nichts sein, als wenn ein deutscher Staat sich mit seinen wissenschaftlichen Bildungsanstalten einschließt. Vielmehr inniger sollte sich die Gemeinschaft, in welcher solche Staaten stehen müssen, nirgends aussprechen als in wissenschaftlichen Dingen; und wenn gar die natürliche Richtung dahin gehen sollte, daß sie ebenso *eins* würden, wie die Sprache immer mehr *eine* wird, wo gäbe es wohl ein leichteres, sichreres und natürlicheres Vorbereitungsmittel hiezu, als wenn auf dem wissenschaftlichen Gebiet, welches in so genauer Wechselwirkung sowohl mit dem Staate als mit der Sprache steht, die vielseitigste, treueste, eifersuchtsloseste Gemeinschaft gestiftet würde, durch welche die innere Einheit des äußerlich Getrennten recht klar zutage käme? Und wodurch soll denn endlich klar und leidenschaftlos entschieden werden, wie lange diese Absonderung dauern, und wie weit sie gehen soll, als durch die möglichst weit verbreitete wissenschaftliche Bildung, welche die Besonnenheit erhält, von keinem einzelnen Interesse geblendet wird und die kleinlichen Leidenschaften und Vorurteile allmählich ausrottet? Dennoch haben sich wenige von unsern vaterländischen Regierungen von allen Fehlern in dieser Hinsicht frei gehalten; sondern, anstatt daß jede bei sich sollte gepflegt haben, was sie konnte, und überall Regierung und Volk mitgenießend und benutzend froh und stolz gewesen sein über alles, was sich irgendwo im Umfang des deutschen Vaterlandes bildete, haben je länger je mehr zwei ganz entgegengesetzte Maßregeln überhandgenommen. Einige Regierungen nämlich wetteiferten miteinander darin, die ihnen untergebenen Bildungsanstalten zum Mittelpunkt alles wissenschaftlichen Verkehrs für ganz Deutschland zu machen, indem sie darauf bedacht waren, von weit umher alles, was sich wissenschaftlich auszeichnet, an sich zu ziehen, sollten auch andere Staaten dadurch in Dürftigkeit versetzt werden. Wenn hiebei nur ein wahrer Wetteifer zum Grunde gelegen hätte, ja nicht hinter dem zurückbleiben zu wollen, was man tun konnte; wenn dabei die gute Meinung gewesen wäre, für die kleinern Staaten, die hierauf nicht zu viel verwenden konnten, mit zu arbeiten, Anstalten für sie mit zu unterhalten und Talente für sie mit zu belohnen: so wäre nicht viel dagegen zu sagen gewesen. Die Absicht war aber eigentlich zuerst, daß jeder Staat in Befriedigung seiner wissenschaftlichen Bedürfnisse sich unabhängig machen wollte von jedem andern, da doch die wahre Unabhängigkeit hierin nur die sein kann, wenn zu des gemeinschaftlichen Gutes Erhaltung und Vermehrung jeder nach Verhältnis reichlich beiträgt, jenes aber nur eine hochmütige, verderbliche Prahlerei ist. Dann wollte man auch durch geistiges Übergewicht dem Staate Macht und Ansehn verschaffen über sein eigentliches Gebiet hinaus. Dies ist freilich die friedlichste und schönste Art der Eroberung; aber der Wissenschaft kann es leicht gefährlich werden, wenn das bloße Geld den Gelehrten zur Lockspeise gemacht wird. Und werden diese Eroberungen im Mißverhältnis mit der natürlichen Wichtigkeit des Staates oder in einem kleinlichen Stile betrieben: so ist das überhaupt lächerlich oder krankhaft. Die andere Maßregel ist die wissenschaftliche Sperre, wenn nämlich die Regierungen das wissenschaftliche Verkehr mit dem Auslande beschränken oder aufheben und ihre Bürger hindern, auf jede Art, wie sie es wünschen, an den wissenschaftlichen Bemühungen benachbarter Staaten teilzunehmen. Geschieht dies, wo die Kirche den Staat beherrscht, wie bis neuerlich größtenteils im katholischen Deutschland: so ist das ein bedauernswürdiger Beweis eines finstern Zustandes. Versucht diese Sperre ein mäßiger Staat, der von größeren umgeben ist, und fühlt, daß er sich auf alle Weise anstrengen und alle Mittel zu Hilfe nehmen muß, um seine Selbständigkeit so lange als möglich gegen sie zu behaupten: so ist zu beklagen, daß man sich so gewaltig verrechnen kann bei so löblicher Absicht, indem doch geistige Beschränktheit, die aus solcher Absonderung entstehen muß, niemals die Selbständigkeit sichern oder vermehren kann. Wenn aber gar ein selbst mächtiger Staat, und der auch jenes Erobern mit Erfolg betreibt, wenig zufrieden mit dem, was er in diesem Fache schon geleistet hat, bis er das Fehlende ersetzen kann, auch noch die Sperre verordnet: so ist das offenbar ein Hochmut, eine Illiberalität, eine niedrige und geldsüchtige Ökonomie, die auch auf die Absicht jener Eroberungen ein noch nachteiligeres Licht wirft und mehr als irgend etwas eine solche Regierung bei allen Gebildeten der Nation verhaßt machen muß.

Allein in einem noch wesentlicheren Punkte pflegt der Staat, indem er sich der wissenschaftlichen Anstalten annimmt, von der Art, wie sie müssen geleitet und geordnet werden, eine ganz andere Ansicht zu haben als die Gelehrten, welche zum Behuf der Wissenschaft selbst näher unter sich verbunden sind. Beide Teile würden gewiß sehr einig sein, wenn der Staat von den Forderungen eines alten Weisen, wenn auch nicht die erste, daß die Wissenden herrschen sollen, doch die zweite, daß die Herrschenden wissen sollen, recht wollte gelten lassen in ihrem vollen Sinne. Die Staatsmänner, auch diejenigen, welche das gemeine Wesen am meisten fortbilden, erscheinen sich und anderen mehr den Künstlern ähnlich, als daß sie wissenschaftlich zu Werke gingen, indem sie den Staat handhaben. Glücklich ahndend, das Rechte herausfühlend, bringen sie unbewußt hervor, und gestalten mit geschickter Hand nach einem ihnen einwohnenden Urbilde, wie jeder Künstler nach dem seinigen. Das ist leicht zu erkennen und aufrichtig zu loben, und so herrschen sie allerdings nicht als Wissende. Aber daß dieser künstlerische Sinn doch bei denen am gebildetsten und richtigsten sein wird, welche entweder selbst die Tatsachen und Erfahrungen wissenschaftlich anzusehn verstehn oder wenigstens Darstellungen derselben, die diesen Endzweck haben, zu benutzen; daß der Staatsmann, wie jeder, der künstlerisch etwas hervorbringt, aus dem Schatze der Wissenschaft mittelbar oder unmittelbar für seine Kunst schöpfen muß, wie gewiß auch er ihn seinerseits durch seine Werke wiederum bereichert; daß wahre Verbesserungen in allen Zweigen der Staatsverwaltung nur um so sicherer eingeleitet werden und gedeihen können, als die Herrschenden und soviel möglich auch die Beherrschten die wahre Idee des Staates überhaupt sowohl, als auch dieses bestimmten richtig aufgefaßt haben und mit dem Bewußtsein derselben Beispiele aus dem ganzen Gebiet der Geschichte zu benutzen wissen und daß also auf jede Weise wahrhaft gewußt werden muß, wenn gut geherrscht werden soll: dies sollte wenigstens um so mehr anerkannt werden, da schon die Erfahrung zeigt, daß, wenn man sich auf irgendeinem Gebiet von dieser Einsicht entfernt, in demselben entweder ein tumultuarischer, anarchischer Zustand sich bildet, wie im ehemaligen Polen und in manchem anderen Reiche, welches bei vielen Kenntnissen nur gar wenig Wissenschaft besitzt, oder auch ein Kastenwesen entsteht, eine ärmliche Empirie, die sich streng und ängstlich an die Tradition anschließt, im offenbaren Mißverhältnis mit andern besser geleiteten und daher fortschreitenden Zweigen. Allein eben dies wird doch oft gar nicht anerkannt, sondern vielmehr der Einfluß, den die Wissenschaft auf den Staat zu gewinnen sucht, gehaßt und gefürchtet. Der Staat ist alsdann natürlich nur von dem unmittelbaren Nutzen der Kenntnisse überzeugt und ergriffen. Ausgebreitete Bekanntschaft mit Tatsachen, Erscheinungen und Erfolgen aller Art sucht er zu begünstigen, und wenn er sich der wissenschaftlichen Anstalten annimmt, sie vorzüglich hierauf zu lenken. Denjenigen hingegen, welche sich zum Behuf der Wissenschaft freiwillig vereinigen, kommt es auf ganz etwas anderes an als allein auf die Masse der Kenntnisse. Was sie vereiniget, ist das Bewußtsein von der notwendigen Einheit alles Wissens, von den Gesetzen und Bedingungen seines Entstehens, von der Form und dem Gepräge, wodurch eigentlich jede Wahrnehmung, jeder Gedanke, ein eigentliches Wissen ist. Und eben dieses Bewußtsein suchen sie vornehmlich zu erwecken und zu verbreiten, durch welches allein auch in allen Kenntnissen und in jeder Erweiterung derselben die Wahrheit und die Sicherheit kann erhalten werden. Darum arbeiten sie überall schon bei einer mäßigen Summe von Kenntnissen darauf hin, ihnen diesen wissenschaftlichen Charakter zu geben. Wo nur erst das Notdürftigste über einen Gegenstand in Erfahrung gebracht ist, ziehn sie ihn in das Gebiet der Wissenschaft, suchen die Einheit darin auf, aus welcher alles Mannigfaltige begreiflich wird, trachten das Ganze in jedem Einzelnen zu sehen und wiederum jedes Einzelne nur im Ganzen. So auch jeden Menschen, den sie sich ähnlich bilden wollen, führen sie, auch nur mäßig ausgerüstet, gleich auf diesen Hauptpunkt wissenschaftlicher Einheit und Form, üben ihn in dieser Art zu sehen, und lassen ihn nur, nachdem er sich so festgesetzt hat, noch tiefer in das Einzelne hineingehn, weil er alles wirklich wissen soll im strengeren Sinn und sonst alles Anhäufen einzelner Kenntnisse nur ein unsicheres Umhertappen wäre, was immer nur in bezug auf eine bessere Behandlung einen vorläufigen Wert haben könnte. Der Staat hingegen verkennt nur zu leicht den Wert dieses Bestrebens, und je lauter sich die Spekulation – so wollen wir immer nennen, was sich von wissenschaftlichen Beschäftigungen überwiegend nur auf die Einheit und die gemeinschaftliche Form alles Wissens bezieht – je lauter sich diese gebärdet, desto mehr sucht der Staat sie zu beschränken, und allen seinen Einfluß, den aufmunternden und den einengenden, dazu zu gebrauchen, daß die realen Kenntnisse, die Massen des wirklich Ausgemittelten, auch ohne Hinsicht darauf, ob jenes Gepräge der Wissenschaft ihnen aufgedrückt ist oder nicht, allein gefördert werden und als die einzig echten Früchte alles auf Erkenntnis gehenden Bestrebens erscheinen. Dieser Richtung nun muß der wissenschaftliche Verein notwendig entgegenstreben, und die edleren Mitglieder desselben werden daher immer darnach trachten, sich möglichst zur Unabhängigkeit vom Staat heraufzuarbeiten, indem sie teils ihre Vereinigung der Gewalt und Anordnung des Staates zu entziehen, teils ihren eigenen Einfluß auf denselben zu erhöhen suchen. Womöglich flößen sie dem Staate eine würdigere und wissenschaftlichere Denkungsart ein; wo aber nicht, so suchen sie wenigstens sich selbst je länger je mehr Glauben und Ansehn zu verschaffen. Je mehr aber die wissenschaftlich Gebildeten so in den Staat verflochten sind, daß das Wissenschaftliche bei ihnen vom Politischen überwogen wird und nicht zum klaren Bewußtsein kommt, desto eher werden sie sich diesen Eingriffen des Staates fügen; und je genauer sich in diesem Sinn beide Teile verbinden, um desto mehr isoliert sich ein solcher Teil des größeren wissenschaftlichen Nationalvereins von allen übrigen, die ihre eigentümlichen Prinzipien fester halten, und sinkt zu einer bloßen Veranstaltung für den Gebrauch des Staates herab. Vorzüglich, wo der Staat schon das gesamte Gebiet der Sprache zu *einem* Ganzen verbunden hat und also sehr mächtig und glänzend ist, schlägt dieser Kampf gewöhnlich zum Nachteil der Wissenschaft aus. Und wenn man dem entgegengesetzten Zustand einige Vorzüge zugestehen will, so ist gewiß dies keiner der geringsten, daß alsdann der Staat wenigstens in dieser Hinsicht die Wissenschaft freier gewähren läßt, wäre es auch nur, um sich mit ihr zu schmücken.

Auf dasjenige, was in dieser Darstellung flüchtig hingeworfen ist, werden wir öfters zurückweisen müssen; denn ohne die vornehmsten Momente dieser Gegenwirkungen zwischen Staat und Wissenschaft im Auge zu haben, ist es nicht möglich, die äußeren Schicksale der letzteren zu begreifen oder, wenn eine bestimmte Aufgabe gelöset werden soll, einen dem jedesmaligen Verhältnis zwischen Staat und Wissenschaft angemessenen Gang einzuschlagen. Am wenigsten aber kann man sonst verstehen, warum der Staat die Universitäten gerade so, wie wir sehen, zu behandeln pflegt und warum diese so sehr nach der Unabhängigkeit von ihm trachten und es als die vorteilhafteste Lage ansehn, wenn sich der Staat in ihre Verwaltung wenigst möglich einmischt. Doch wir müssen zuerst sehen, welchen Platz eigentlich die Universitäten einnehmen in dem wissenschaftlichen Verein und welches ihr vorzüglichstes Geschäfte ist.

2.
Von Schulen, Universitäten und Akademien

Unter Akademien werden hier, was man gelehrte Gesellschaften nennt, von aller Art verstanden und die Verbindung, in welcher sie untereinander stehen sollten und innerlich gewiß auch stehen. Von Schulen aber denken wir
hier nur an diejenigen, die man wenigstens ansehn kann,
als wären sie unmittelbar aus dem Bedürfnis und Trieb nach
Erkenntnis entstanden, also nur die gelehrten, deren Vorsteher notwendig vollkommen wissenschaftlich gebildete
Männer sein müssen und in denen Kenntnisse mitgeteilt
werden, die unmittelbar in das Gebiet der Wissenschaft fallen.
Alsdann sind dieses die drei Hauptformen, in welche sich
jetzt alle Vereinigungen zum Betrieb der Wissenschaften
gestalten. Sie kommen zwar überall im neueren Europa vor;
aber auch deshalb könnte man wohl Deutschland als den
Mittelpunkt der Bildung ansehn, weil in anderen Ländern
zwar einzelne dieser Formen, Schulen besonders und Akademien, in einem größeren Stil vorkommen, alle drei ne-
beneinander aber nirgends so rein heraustreten als bei uns.
Auch könnte man wohl sagen, der ganze Typus, der sich
darin zeigt, sei ursprünglich deutsch und schließe sich genau der Bildung anderer auch aus Deutschland hervorge-
gangener Verhältnisse an. Die Schule als das Zusammensein der Meister mit den Lehrburschen, die Universität mit
den Gesellen, und die Akademie als Versammlung der Meister unter sich. Doch für die meisten, die von einer tiefen
Verachtung für alles Zunftwesen durchdrungen sind, heißt
dies wohl wenigstens das, was erst beschrieben werden soll,
durch Dunkleres erläutern, wo nicht gar die wissenschaftlichen Anstalten herabwürdigen durch Gleichsetzung mit
diesen verschrienen Formen, denen aber doch auch gar viel
Schönes zum Grunde liegt. Betrachten wir also diese drei
Verbindungen, Schule, Universität und Akademie, lieber
für sich und fragen, was doch jede bedeutet und wie sie unter sich zusammenhängen. Denn ohne sie alle drei verstanden zu haben, möchte es uns schwerlich gelingen, über das
Wesen und die zweckmäßige Einrichtung der einen, auf die
es uns ankommt, einig zu werden.

Die Wissenschaft, wie sie in der Gesamtheit der gebildeten Völker als ihr gemeinschaftliches Werk und Besitztum vorhanden ist, soll den Einzelnen zur Erkenntnis hinanbilden, und der Einzelne soll auch wiederum an seinem Teil die Wissenschaft weiter bilden. Dies sind die beiden Verrichtungen, auf welche alles gemeinschaftliche Tun auf diesem Gebiet hinausläuft. Man sieht leicht, wie die erste von ihnen in der Schule ganz die Oberhand hat, und in der Akademie dagegen die andere. Die Schulen sind durchaus gymnastisch, die Kräfte übend, und besitzen ihren fremden Namen mit Recht. Den Knaben von besserer Natur und hervorstechenden Gaben, welche die Vermutung erregen, er könne für die Wissenschaft empfänglich sein oder wenigstens eine Masse von Kenntnissen vorteilhaft verarbeiten, diesen übernehmen sie und versuchen auf alle Weise, ob dem wirklich also sei. Zweierlei aber ist, woran sich zeigen muß, ob ein Mensch für diese höhere Bildung sich eigne, auf der einen Seite ein bestimmtes Talent, welches ihn an ein einzelnes Feld der Erkenntnis fesselt, auf der andern der allgemeine Sinn für die Einheit und den durchgängigen Zusammenhang alles Wissens, der systematisch philosophische Geist. Zusammentreffen muß beides, wenn der Mensch sich zu etwas Ausgezeichnetem bilden soll. Auch das entschiedenste Talent wird ohne diesen Geist keine Selbständigkeit haben und nicht weiter gedeihen können, als daß es ein tüchtiges Organ wird für andere, die das wissenschaftliche Prinzip in sich haben. Und der systematische Geist ohne ein bestimmtes Talent wird sich mit seinen Produktionen in einem sehr engen Kreise herumdrehen und sich in wunderlichen Auswüchsen, Wiederholungen und Umbildungen immer des nämlichen höchst Allgemeinen erschöpfen, weil er eben keines Stoffes recht Meister ist.
Dies hindert aber nicht, daß nicht auch, bei der Vereinigung beider, bei einigen das Talent hervorherrsche, bei andern der allgemeine wissenschaftliche Geist. Beides aber bedarf, wo es nicht in einem ganz ausgezeichneten Grade vorhanden ist, um erweckt und ans Licht gebracht zu werden, bald mehr, bald minder eines absichtlich angebrachten Reizes, einer kunstmäßigen Behandlung. Und so muß die Schule auf beides wirken. Sie muß elementarisch auf der einen Seite den gesamten Inhalt des Wissens in bedeutenden

Umrissen vorführen, so daß jedes schlummernde Talent zu seinem Gegenstande sich kann angelockt fühlen, und muß auf der andern dasjenige besonders herausheben und mit vorzüglichem Fleiß behandeln, worin die wissenschaftliche Form der Einheit und des Zusammenhanges am frühsten kann deutlich angeschaut werden und was aus demselben Grunde zugleich das allgemeine Hilfsmittel alles andern Wissens ist. Aus dieser Ursache sind mit Recht Grammatik und Mathematik die Hauptgegenstände auf Schulen, ich möchte sagen: die einzigen, die mit einem Anklang von Wissenschaftlichkeit können vorgetragen werden. Zugleich muß aber auch die Schule methodisch alle geistigen Kräfte so üben, daß sie bestimmt auseinander treten und ihre verschiedenen Funktionen klar eingesehen werden, und sie so stärken, daß jede sich eines gegebenen Gegenstandes mit Leichtigkeit ganz bemächtigen kann. Dies vereinigt durch die einfachsten und sichersten Operationen zu bewirken, ist das Ziel der Schulen. Gewiß wird keine auch bei der besten Einrichtung und Leitung dies alles in gleicher Vollkommenheit leisten, sondern die eine mehr in diesem, die andere mehr in jenem Teil sich Vorzüge erwerben. Aber nur um desto nötiger wird es sein, daß man überall den Gesamtzweck vor Augen behalte, damit jede auf dem Wege zu der ihr angemessenen Virtuosität sich vor verderblicher Einseitigkeit bewahren könne; und desto mehr ist eine höchst allgemeine Leitung zu wünschen, um von jeder solchen Anstalt ganz den Nutzen für das wissenschaftliche Gebiet zu ziehen, den sie gewähren kann.

In der Akademie hingegen finden sich die Meister der Wissenschaft vereinigt; und wenn nicht alle auf gleiche Weise Mitglieder derselben sein können, so sollen wenigstens alle durch sie repräsentiert werden und zwischen den Mitgliedern und den übrigen des Namens würdigen Gelehrten ein solcher lebendiger Zusammenhang stattfinden, daß die Arbeiten der Akademie wirklich als das Gesamtwerk ihrer aller können angesehen werden. Jeder muß darnach streben, dieser Verbindung anzugehören, weil das Talent, was einer in sich ausgebildet hat, ohne die Ergänzung der übrigen doch nichts wäre für die Wissenschaft. Darum bilden alle ein Ganzes, weil sie sich eins fühlen durch den lebendigen Sinn und Eifer für die Sache des Erkennens überhaupt und durch die Einsicht in den notwendigen Zusammenhang aller Teile des Wissens; eben darum aber sondern sie sich auch wieder in verschiedene Abteilungen, weil jeder Zweig des Wissens einer noch engern Vereinigung bedarf, um gründlich und zweckmäßig bearbeitet zu werden. Je feiner diese Verzweigung sich vervielfältiget und je lebendiger dabei die Einheit des Ganzen bleibt, ohne sich in eine leere Form zu verlieren, so daß in jedem Einzelnen die Teilnahme an den Fortschritten des Ganzen und der Eifer für sein besonderes Fach einander gegenseitig beleben und also die engste Gemeinschaft zwischen den verschiedenen Teilen der Wissenschaft in dem Schoß der Akademie auf das leichteste unterhalten wird: um desto vollkommner ist die Einrichtung des Ganzen.

Wie viele Akademien nach dieser Idee Deutschland wohl haben sollte? Eine höchstens oder zwei, eine nördliche und eine südliche, die aber auch in der innigsten Verbindung stehn und überall, teils wo ein natürlicher Zusammenfluß von Gelehrten aller Art entstünde, teils wo ein Ort für ein besonderes wissenschaftliches Gebiet sich vorzüglich eignete, ihre Töchter haben müßten. So lange eine solche Vereinigung, nach welcher der Natur der Sache wegen alles strebt, noch nicht erfolgt ist, können sich also unsere zerstreuten gelehrten Gesellschaften nur als Bruchstücke ansehn und nur durch das lebhafteste Verkehr untereinander sich ihr Dasein bis zu diesem Zeitpunkt, der vielleicht nicht mehr fern ist, erhalten.

Mit dieser Ansicht von Schulen und Akademien stimmt auch das ganze Verfahren dieser Anstalten zusammen. Die Schulen geben in den öffentlichen Prüfungen eine Ausstellung, die ganz gymnastisch[131] ist und nur zeigen kann, wie weit die intellektuellen Kräfte für das Wissen geübt sind. Literarische Produktionen aber kommen ihnen als solchen gar nicht zu, weil nichts öffentlich erscheinen soll, was nicht die Wissenschaft weiter fördert. Darum sieht man auch immer den Programmen oder Einladungsschriften der Vorsteher das Mißverhältnis an, indem sie entweder gar nicht verdienen aufgestellt zu werden, oder wenn das, sich für das Publikum nicht eignen, welches sie doch zunächst in Anspruch nehmen. Daher in vieler Hinsicht ein vortreffliches Zeichen für eine Schule ist, wenn dergleichen gar nicht von ihr gefertigt werden. Dagegen fordert man von jeder Akademie, daß sie Werke hervorbringt, nämlich nicht große, das Ganze umfassende oder gar revolutionäre Bücher, sondern Sammlungen von Aufsätzen, welche einzelne noch unerforschte Gegenstände beleuchten, eigene Entdeckungen darlegen, neuerfundene Methoden ans Licht bringen oder prüfen. Denn so durch viele kleine Beiträge die Wissenschaften, welche schon Umfang und Sicherheit in gewissem Maß gewonnen haben, zu fördern, das ist die Sache der Akademie; und je mehr Gehalt und Zusammenstimmung sich in ihren Werken zeigt, um desto mehr Verdienst wird man ihr zuschreiben. In demselbigen Sinne läßt auch die Akademie Aufgaben zur Auflösung ergehen, teils um sich für einzelne Fälle, wo der Versuche nicht genug gemacht werden können oder wo Untersuchungen erforderlich sind, die sich nicht an jedem Ort anstellen lassen, auch außerhalb ihrer Mitte Hilfe zu verschaffen – daher mit Recht die eigentlichen Mitglieder ausgeschlossen sind von der Preisbewerbung –, teils auch, um auszuspüren, wer, noch nicht zu ihr gehörend, sich mit wissenschaftlichen Gegenständen aus einzelnen Gebieten ernsthaft und erfolgreich beschäftiget, damit sie sich aus diesen von Zeit zu Zeit würdige Genossen aneignen könne.

Was ist nun aber die Universität zwischen beiden, der Schule und der Akademie? Man könnte denken, daß diese beiden sich in alle wissenschaftlichen Verrichtungen teilten und jene ganz überflüssig wäre zwischen ihnen. So urteilen auch gewiß manche unter uns, schwerlich mit echt deutschem Sinn; denn diese Ansicht ist ja die herrschende eines anderen Volkes, welchem, je mehr es sich in sich selbst konsolidierte, um so mehr alles ausgegangen ist, was einer Universität ähnlich sieht, und nichts übriggeblieben als Schulen und Akademien in unzähliger Menge und in den mannigfaltigsten Formen.[132] Allein man übersieht hiebei offenbar einen sehr wesentlichen Punkt. Die Schulen beschäftigten sich nur mit Kenntnissen als solchen; die Einsicht in die Natur der Erkenntnis überhaupt, den wissenschaftlichen Geist, das Vermögen der Erfindung und der eigenen Kombination suchen sie nur vorbereitend anzuregen, ausgebildet aber wird dies alles nicht in ihnen. Die Akademien aber müssen dies alles bei ihren Mitgliedern voraussetzen:

nur von einem gemeinschaftlichen Mittelpunkt aus und durch das Bewußtsein desselben – das spricht ihre ganze Organisation aus, wenn sie auch keine Veranlassung finden, es ausdrücklich zu erklären – wollen sie die Wissenschaften fördern; auch kann dies nur so auf eine übereinstimmende Weise geschehen. Wie leer müßten die Werke einer Akademie sein, wenn sie überall bloße Empirie triebe und an keine Prinzipien in jeder Wissenschaft glaubte! Wie leer wäre der ganze Gedanke einer gemeinschaftlichen Beförderung aller Wissenschaften, wenn diese Prinzipien nicht wiederum zusammenstimmten und *ein* Ganzes bildeten! Und wie jämmerlich die Ausführung, wenn etwa die Mitglieder über alle diese Prinzipien uneins wären! Offenbar also wird vorausgesetzt, jedes Mitglied einer Akademie sei über die philosophischen Prinzipien seiner Wissenschaft mit sich selbst und den übrigen verstanden, jedes behandle sein Fach mit philosophischem Geist und eben dieser in allen sich ähnliche Geist in seiner Vermählung mit dem jedem Einzelnen eigentümlichen Talent mache nur jeden zu einem wahren Gliede der Vereinigung. Soll dieser Geist dem Menschen von ohngefähr kommen im Schlaf? Soll nur das wissenschaftliche Leben aus dem Nichts entstehen, nicht wie jedes andere durch Erzeugung? Soll nur dieses in seinen ersten zarten Äußerungen keiner Pflege bedürfen und keiner Erziehung? Hier also liegt das Wesen der Universität. Diese Erzeugung und Erziehung liegt ihr ob, und damit bildet sie den Übergangspunkt zwischen der Zeit, wo durch eine Grundlage von Kenntnissen, durch eigentliches Lernen die Jugend erst bearbeitet wird für die Wissenschaft, und der, wo der Mann in der vollen Kraft und Fülle des wissenschaftlichen Lebens nun selbst forschend das Gebiet der Erkenntnis erweitert oder schöner anbaut. Die Universität hat es also vorzüglich mit der Einleitung eines Prozesses, mit der Aufsicht über seine ersten Entwicklungen zu tun. Aber nichts Geringeres ist dies als ein ganz neuer geistiger Lebensprozeß. Die Idee der Wissenschaft in den edleren, mit Kenntnissen mancher Art schon ausgerüsteten Jünglingen zu erwecken, ihr zur Herrschaft über sie zu verhelfen auf demjenigen Gebiet der Erkenntnis, dem jeder sich besonders widmen will, so daß es ihnen zur Natur werde, alles aus dem Gesichtspunkt der

177

Wissenschaft zu betrachten, alles Einzelne nicht für sich, sondern in seinen nächsten wissenschaftlichen Verbindungen anzuschauen, und in einen großen Zusammenhang einzutragen in beständiger Beziehung auf die Einheit und Allheit der Erkenntnis, daß sie lernen, in jedem Denken sich der Grundgesetze der Wissenschaft bewußt zu werden, und eben dadurch das Vermögen selbst zu forschen, zu erfinden und darzustellen, allmählich in sich herausarbeiten, dies ist das Geschäft der Universität. Hierauf deutet auch dieser ihr eigentlicher Name, weil eben hier nicht nur mehrere, wären es auch andere und höhere, Kenntnisse sollen eingesammelt, sondern die Gesamtheit der Erkenntnis soll dargestellt werden, indem man die Prinzipien und gleichsam den Grundriß alles Wissens auf solche Art zur Anschauung bringt, daß daraus die Fähigkeit entsteht, sich in jedes Gebiet des Wissens hineinzuarbeiten. Hieraus erklärt sich die kürzere Zeit, welche jeder auf der Universität zubringt als auf der Schule; nicht, als ob nicht, um alles zu lernen, mehr Zeit erfordert würde, sondern weil man das Lernen des Lernens wohl abmachen kann in kürzerer; weil eigentlich, was auf der Universität verlebt wird, nur *ein* Moment ist, nur *ein* Akt vollbracht wird, daß nämlich die Idee des Erkennens, das höchste Bewußtsein der Vernunft, als ein leitendes Prinzip in dem Menschen aufwacht. Hierauf weisen alle Eigentümlichkeiten hin, welche die Universität von der Schule auf der einen, von der Akademie auf der andern Seite unterscheiden. Auf der Schule geht man nach den Gesetzen des leichtesten Fortschrittes von einem Einzelnen zum andern über und ist wenig bekümmert darum, ob jeder überall etwas Ganzes vollende. Auf der Universität dagegen ist man hieraus so sehr bedacht, daß man in jedem Gebiet das Enzyklopädische, die allgemeine Übersicht des Umfanges und des Zusammenhanges als das Notwendigste voranschickt, und zur Grundlage des gesamten Unterrichts macht. Und die Hauptwerke der Universität als solcher sind Lehrbücher, Kompendien, deren Endzweck nicht ist, die Wissenschaft im einzelnen zu erschöpfen oder zu bereichern, wo auch weder das Leichteste noch das Schwerste noch das Seltenste den Vorzug genießt bei der Auswahl, sondern deren Verdienst in der höhern Ansicht, in der systematischen Darstellung besteht und welche dasjenige am meisten herausheben, worin sich am faßlichsten die Idee des Ganzen darstellt und wodurch Umfang und innere Verbindung desselben am anschaulichsten wird. Ferner, in den Akademien kommt alles darauf an, daß das Einzelne vollkommen richtig und genau herausgearbeitet werde im Gebiet aller realen Wissenschaften; dagegen die reine Philosophie, die Spekulation, die Beschäftigung mit der Einheit und dem Zusammenhang aller Erkenntnisse und mit der Natur des Erkennens selbst durchaus zurücktritt. Gewiß nicht als etwas für das reale Wissen Geringfügiges oder gar an sich Verwerfliches und Nichtiges. Denn, wie man sich auch anstelle, alles einzelne Wissen ruht doch immer auf jenem Allgemeinen; es gibt kein wissenschaftlich hervorbringendes Vermögen ohne spekulativen Geist, und beides hängt so zusammen, daß, wer keine bestimmte philosophische Denkungsart sich gebildet hat, auch nichts Tüchtiges und Merkwürdiges wissenschaftlich selbständig hervorbringen wird, sondern er wird immer, bewußt oder unbewußt, auch da, wo er durch einen wunderbaren Instinkt erfindet, von einer spekulativen Richtung der Vernunft abhängen, die sich vielleicht nur in andern deutlich offenbart. Auch wird eines jeden philosophische Denkungsart sich in der Sprache, in der Methode, in der Darstellung, bei jedem wissenschaftlichen Werke aussprechen. Sondern deswegen tritt die Philosophie hier zurück, weil, wenn auf akademische Weise die Wissenschaften gemeinschaftlich sollen gefördert werden, alles rein Philosophische schon so muß in Richtigkeit gebracht sein, daß fast nichts mehr darüber zu sagen ist. Diese Voraussetzung scheint freilich bisher nirgends unter uns vollkommen begründet gewesen zu sein, und man würde vielleicht nicht zu viel einräumen, wenn man gestände, eine solche völlige Einigung und Befriedigung in Sachen der Philosophie könne sogar unter *einem* Volk, wenn es ihm wirklich ernst ist mit der Sache, nie als wirklich vollendet gegeben sein, sondern nur durch eine immer fortschreitende Annäherung und Verständigung. Allein jede Akademie macht dennoch diese Voraussetzung notwendig, wenigstens insofern, daß es ihr natürlich ist, dasjenige, was in dieser Hinsicht schon geschehen ist, als die Hauptsache anzusehn, und was noch übrig ist, als das Kleinere. Eine spekulative Abteilung kann sie eigentlich nur in dem Sinne haben, daß sie, voraussetzend, es gebe unter *einem* Volke nur *eine* philosophische Denkungsart, die Einerleiheit dessen, was zu verschiedenen Zeiten verschieden ausgedrückt worden ist, darstellt, die in einer und derselben Zeit gegeneinander tretenden Differenzen beleuchtet, was sich philosophisch gebärdet und doch nur Polemik gegen die Philosophie ist, in seiner Blöße zeigt, kurz durch historische und kritische Behandlung des auf diesem Gebiete Vorhandenen jene Annäherung und Selbstverständigung der Nation befördert. Selbst hervorzubringen aber und neue Wege einzuschlagen auf dem Gebiete der eigentlichen Philosophie, dies scheint der Akademie weniger zuzukommen. Dagegen ist für die Universität allgemein anerkannt der philosophische Unterricht die Grundlage von allem, was dort getrieben wird; und weil eben diese höchsten Ansichten vorzüglich mitgeteilt werden sollen, und zwar auf die individuellste Weise, so müssen sie auch in ihrer Differenz von allem, was Gleichartiges neben ihnen besteht, dargestellt werden, daher auf und zwischen Universitäten vorzüglich die philosophischen Streitigkeiten ihren Platz haben und auf ihnen vornehmlich die philosophischen Schulen sich bilden.

So ist die Universität in Absicht ihres Hauptzweckes etwas ganz Eigentümliches, von Schule und Akademie gleich wesentlich Verschiedenes; allein äußerlich, das will nicht sagen zufällig, sondern so wie es für jedes Innere notwendig ein Äußeres gibt, äußerlich hat sie ebenso notwendig etwas Ähnliches von beiden; sonst würde es auch wunderliche Sprünge geben in dem wissenschaftlichen Leben der einzelnen Menschen. Der wissenschaftliche Geist als das höchste Prinzip, die unmittelbare Einheit aller Erkenntnis kann nicht etwa für sich allein hingestellt und aufgezeigt werden in bloßer Transzendentalphilosophie, gespensterartig, wie leider manche versucht und Spuk und unheimliches Wesen damit getrieben haben. Leerer läßt sich wohl nichts denken als eine Philosophie, die sich so rein auszieht und wartet, daß das reale Wissen, als ein niederes, ganz anders woher soll gegeben oder genommen werden; und vergeblicher für die Wissenschaft würde wohl nichts die Jünglinge in den schönsten Jahren vorzüglich beschäftigen als eine Philosophie, die keine bestimmte Leitung für das künftige wissenschaftliche Leben in allen Fächern gäbe, sondern höchstens diente, den Kopf aufzuräumen, was man ja schon an der gemeinen Mathematik rühmt. Sondern nur in ihrem lebendigen Einfluß auf alles Wissen läßt sich die Philosophie, nur mit seinem Leibe, dem realen Wissen zugleich läßt dieser Geist sich darstellen und auffassen. Daher werden auf der Universität auch Kenntnisse mitgeteilt, höhere zum Teil und andere, die in dem Plan der Schule gar nicht lagen. Insofern entsteht also Zulernen, und die Universität ist zugleich Nachschule. Ebenso ist sie auch Vorakademie. Der wissenschaftliche Geist, der durch den philosophischen Unterricht geweckt ist und durch Wiederanschauung des vorher schon Erlernten aus einem höheren Standpunkt sich befestiget und zur Klarheit kommt, muß seiner Natur nach auch gleich seine Kräfte versuchen und üben, indem er von dem Mittelpunkt aus sich tiefer in das Einzelne hineinbegibt, um zu forschen, zu verbinden, Eignes hervorzubringen und durch dessen Richtigkeit die erlangte Einsicht in die Natur und den Zusammenhang alles Wissens zu bewähren. Dies ist der Sinn der wissenschaftlichen Seminarien und der praktischen Anstalten auf der Universität, welche alle durchaus akademischer Natur sind. Daher auch beide Benennungen wieder in die Universität hineinspielen und sie oft hohe Schule genannt wird und dann wieder Akademie. Daher es Unverstand ist zu behaupten, Universitäten dürften solche Anstalten nicht haben, weil sie nur für Akademien gehörten.

Dies scheint im wesentlichen, wie aus der Betrachtung ihrer Hauptzüge hervorgeht, das Verhältnis jener drei verschiedenen Anstalten zu dem gemeinschaftlichen Zwecke zu sein; und in der Tat, wenn sie wohl eingerichtet sind und recht ineinandergreifen, so scheint gar nichts zu fehlen, sondern dieser Zweck vollständig durch sie erreicht werden zu müssen. Um desto verderblicher aber muß es auch sein, wenn sie ihr Gebiet und ihre Grenzen verkennen. Verderblich, wenn die Schulen sich hinauf versteigen wollen und spielen mit philosophischem Unterricht, um vorzuspiegeln, als sei es nur ein leerer Schein mit dem wesentlichen Unterschiede zwischen ihnen und den Universitäten. Denn nicht sicherer können die Zöglinge verdorben werden für letztere und für das wissenschaftliche Leben überhaupt, als wenn man sie anleitet, auch die höchste Wissenschaft, die nur

Geist und Leben sein kann und sich sehr wenig äußerlich gestaltet, nur so anzusehen wie eine Summe einzelner Sätze und Angaben, die man ebenso erwerben und besitzen kann wie andere Schulkenntnisse. Verderblich, wenn die Universitäten ihrerseits jenes Vorgeben wahr machen und in der Tat nur fortgesetzte Schulen werden, indem sie zwar voreiligerweise Akademien vorstellen und vollendete Gelehrte treibhäuslich bei sich ausbilden wollen durch immer tieferes Hineinführen in das Detail der Wissenschaften, dabei aber, was ihnen eigentlich obliegt, nämlich den allgemeinen wissenschaftlichen Geist zu wecken und ihm eine bestimmte Richtung zu geben, darüber vernachlässigen. Verderblich, wenn die Akademien von Parteigeist ergriffen sich in spekulative Streitigkeiten einlassen, oder ebenso verderblich, wenn sie, in ein nicht allzuwohl begründetes reales Wissen eingehüllt, hochmütig herabsehend auf jene Zwistigkeiten, denen etwa die Lebhaftigkeit der mitteilenden Begeisterung den Anschein des Leidenschaftlichen gibt, sich wenig darum kümmern, ob diejenigen, die sie zur Bereicherung der Wissenschaften unter sich aufnehmen, durch diese spekulativen Untersuchungen hindurchgegangen sind oder nicht.

Woher aber diese Mißverständnisse so häufig? Gewiß großenteils aus Mangel an innerer Einheit in allem, was für die Wissenschaft und durch sie unter uns da ist. Wer nur in *einer* dieser Formen des wissenschaftlichen Vereins lebt, dem kann es gar leicht begegnen, daß er, durch Vorurteile verleitet, vergessend, was ihm die andern früher gewesen sind, sie für nichts hält und die seinige zu allem machen will. Diese Vorurteile finden sich auch überall. Was ist gewöhnlicher, als daß akademische Gelehrte auf den Schulmann als auf einen Unglücklichen, in hartes Joch Verdammten herabsehn, der, um nur seine Pflicht zu erfüllen, sich unvermeidlich gewöhnen müsse, pedantisch an Kleinigkeiten zu haften, und der in den Vorhof der Wissenschaften eingezwängt, die höchsten Genüsse derselben für immer entbehre? Was gewöhnlicher, als daß sie den Universitätslehrer als einen sich vornehmer dünkenden Schulmann betrachten, der gleichsam nur ihr Diener sei, bestimmt, die Wissenschaften, wie sie sie ihm übergeben, fortzupflanzen und ihrem Gange demütig zu folgen als der Unsterblichen

Fußtritte? So verschreit wiederum der Schulmann die Akademiker als Müßiggänger, weil sie wenig täten im Vergleich mit ihm zur Ausbreitung des Reiches der Wissenschaften, und klagt über die Universitätslehrer als über anmaßende Undankbare, die oft die bessere Hälfte von dem wieder verdürben, was er gebaut hat. Diese wiederum beweisen den Schulmännern Geringschätzung als solchen, die nur am Buchstaben kleben und denen der Geist ihrer eignen Wissenschaft größtenteils fremd bleibt, und schildern die Akademien als Versorgungs- oder Mitleidsanstalten für zudringliche, falschberühmte oder abgelebte Gelehrte. Wie verkehrt ist dieses alles! Der tüchtige Vorsteher einer gelehrten Schule muß als Gegengewicht gegen das, was er beständig auszuüben hat, und selbst als Leitung dafür, eine Umsicht des Ganzen besitzen, durch die er in seiner Person die Akademie repräsentiert; er bedarf derselben wissenschaftlichen Besonnenheit, desselben reinen Beobachtungsgeistes wie einer, der die Wissenschaft weiter fördert, und die Entwicklung der Jugend, die er leitet, ist wohl schwieriger als irgendeine einzelne Untersuchung. Wie der Akademiker in einsamer Meditation alle vorhandenen Resultate erwägen, alle Andeutungen benutzen und so neue Entdeckungen fördern, und wie der Universitätslehrer immer in demselben Kreise sich umdrehend mit der erkenntnislustigen Jugend leben und sie auf alle Weise erregen, dies sind freilich zwei sehr verschiedene Beschäftigungen: aber von der einen aus über die andere als über etwas weit Geringeres hinwegsehen, das kann doch nur der, welcher gar nicht beide miteinander verbindet. Und es ist unmöglich, daß dies dem ausgezeichnetern Gelehrten begegne. Denn auch der stillste emsigste Forscher muß eben in seinen glücklichsten Augenblicken, in denen der Entdeckung, welche doch allemal auch zu einer neuen lebendigern Ansicht des Ganzen führt, sich zu der belebendsten begeisterten Mitteilung aufgelegt fühlen und wünschen, sich im Geiste der Jünglinge ausgießen zu können. Und kein bedeutender Universitätslehrer kann wohl eine Zeitlang seinen Lehrstuhl würdig ausgefüllt haben, ohne auf Untersuchungen und Aufgaben gestoßen zu sein, die ihm den großen Wert einer Vereinigung fühlbar machen, in der jeder bei allen Unterstützung und Hilfe findet auf seinem wissenschaftlichen

Wege. Um aber diese gegründete gegenseitige Wertschätzung bei allen immer zu erhalten, müßte eine genauere Gemeinschaft gestiftet sein zwischen den öffentlichen Bildungsanstalten; die vortrefflichsten Schulmänner, Universitätslehrer und Akademiker müßten gemeinschaftlich an der Spitze der wissenschaftlichen Angelegenheiten stehen, dann würde sich wahrer Gemeinsinn für ihre ganze Sache von ihnen aus unter allen Gelehrten immer weiter verbreiten.

Geschieht das nicht? wird man fragen; vereinigt nicht der Staat Gelehrte aus allen diesen verschiedenen Klassen in den Verwaltungsräten, durch welche er die Sache des öffentlichen Unterrichtes leitet? Wohl; aber als Staatsdiener vereiniget er sie da mit andern Geschäftsmännern, unter ihm eigentümlichen, ihnen aber fremden Formen, zu einer Aufsicht, die alles immer vorzüglich in Beziehung auf den Staat betrachtet. Von hier aus gibt es für die Verhältnisse dieser Anstalten eine ganz andere Ansicht; und je mehr bei so beamteten Gelehrten ihr Verhältnis als Staatsdiener überwiegt, was so natürlich erfolgen muß, um desto leichter tragen sie dann auch diese Ansicht auf ihren eigentlich wissenschaftlichen Wirkungskreis über, alles schätzend und behandelnd nach seinem unmittelbaren Einfluß auf den Staat und, wie auch die Erfahrung lehrt, gewiß nicht zum Vorteil der geistigen Verbesserung. Es ist dem ganzen Gang neueuropäischer Bildung angemessen, daß die Regierungen auch der Wissenschaften sich aufmunternd annehmen und die Anstalten zu ihrer Verbreitung in Gang bringen mußten, wie es mit Künsten und Fertigkeiten aller Art der Fall zu sein pflegt. Allein hier wie überall kommt eine Zeit, wo diese Vormundschaft aufhören muß. Sollte diese nicht für Deutschland allmählich eintreten und wenigstens in dem protestantischen Teile desselben bald ratsam sein, daß der Staat die Wissenschaften sich selbst überlasse, alle innern Einrichtungen gänzlich den Gelehrten als solchen anheimstelle und sich nur die ökonomische Verwaltung, die polizeiliche Oberaufsicht und die Beobachtung des unmittelbaren Einflusses dieser Anstalten auf den Staatsdienst vorbehalte? Die Akademien, denen die Regierungen immer nur einen mittelbaren Einfluß auf ihre Zwecke zutrauten, sind von jeher freier gewesen und haben sich wohl dabei befunden. Aber Schulen und Universitäten leiden je länger, je mehr darunter, daß der Staat sie als Anstalten ansieht, in welchen die Wissenschaften nicht um ihret-, sondern um seinetwillen betrieben werden, daß er das natürliche Bestreben derselben, sich ganz nach den Gesetzen, welche die Wissenschaft fordert, zu gestalten, mißversteht und hindert, und sich fürchtet, wenn er sie sich selbst überließe, würde sich bald alles in dem Kreise eines unfruchtbaren, vom Leben und von der Anwendung weit entfernten Lernens und Lehrens herumdrehen, vor lauter reiner Wißbegierde würde die Lust zum Handeln vergehn und niemand würde in die bürgerlichen Geschäfte hinein wollen. Dies scheint seit langer Zeit die Hauptursache zu sein, weshalb der Staat sich zu sehr auf seine Weise dieser Dinge annimmt. Und allerdings kann man nicht leugnen, daß, wenn den Reden zu glauben wäre, die bisweilen einige Philosophen führen, so würden diese alle ihre Schüler, und sie wissen die Jugend sehr zu fesseln, von aller bürgerlichen Tätigkeit zurückhalten. Allein warum sollte man das, und warum dem vorübergehenden Reiz einen so dauernden Einfluß zuschreiben? So ist von jeher gesprochen worden, und von jeher sind die jungen Männer aus den Schulen der Weisen unmittelbar in die Säle der Gerichtshöfe und die Verwaltungskammern geströmt, um die Menschen beherrschen zu helfen. Schauen und Tun, wenn sie auch gegeneinander reden, arbeiten einander immer in die Hände; das Verhältnis zwischen denen, welche sich der bloßen Wissenschaft widmen, und den übrigen bestimmt die Natur selbst immer richtig und sehr ebenmäßig. Man vergleiche nur den großen Haufen derer, welche durch die Schulen und Universitäten hindurchgehn, mit der kleinen Anzahl derer, welche endlich die Akademie eines Volkes bilden, und betrachte, wie viele auch von den letzteren noch zugleich angesehene Staatsdiener sind, um sich hierüber für immer zu beruhigen und zu gestehen, daß der Staat Vorsprung genug hat durch die vielen Vorteile, die er allein bieten kann, und durch die Gewalt, mit welcher politisches Talent, wo es sich irgend findet, immer durchzubrechen weiß. Nährt aber der Staat durch falsche Besorgnisse und darauf gegründete Anordnungen jene Mißverständnisse der mit der Verbreitung der Wissenschaften beschäftigten Gelehrten unter sich: so werden die Schulen ungründlich; auf den Universitäten wird die Hauptsache unter einer Menge von Nebendingen erstickt; die Akademien werden verächtlich, wenn sie sich je länger je mehr mit lauter unmittelbar nützlichen Dingen beschäftigen, und der Staat beraubt sich selbst auf die Länge der wesentlichsten Vorteile, welche ihm die Wissenschaften gewähren, indem es ihm je länger je mehr an solchen fehlen muß, die Großes auffassen und durchführen und mit scharfem Blick die Wurzel und den Zusammenhang aller Irrtümer aufdecken können.

3.
Nähere Betrachtung der Universität im allgemeinen

Die Vergleichung der Universität mit den Schulen und Akademien hat uns ihren wesentlichen Charakter gezeigt, vermöge dessen sie notwendig in die Mitte tritt zwischen beide, daß nämlich durch sie der wissenschaftliche Geist in den Jünglingen soll geweckt und zu einem klaren Bewußtsein gesteigert werden. Und dies haben wir fast ohne Beweis, wie es denn höchst anschaulich ist für sich, hinzugenommen, daß hiezu die formelle Spekulation allein nicht hinreiche, sondern diese gleich verkörpert werden müsse in dem realen Wissen. Auch genügt hiezu nicht etwan eine beliebige Auswahl von Kenntnissen, wie auf Schulen zur gymnastischen Übung. Denn der wissenschaftliche Geist ist seiner Natur nach systematisch, und so kann er unmöglich in einem Einzelnen zum klaren Bewußtsein gedeihen, wenn ihm nicht auch das Gesamtgebiet des Wissens wenigstens in seinen Grundzügen zur Anschauung kommt. Noch weniger können sich in den Einzelnen der allgemeine Sinn und das besondere Talent vereint zu einem eigentümlichen intellektuellen Leben ausbilden, wenn nicht auf der Universität jeder dasjenige findet, was sein besonderes Talent anregen kann. Die Universität muß also alles Wissen umfassen und in der Art, wie sie für jeden einzelnen Zweig sorget, sein natürliches inneres Verhältnis zu der Gesamtheit des Wissens, seine nähere oder entferntere Beziehung auf den gemeinschaftlichen Mittelpunkt ausdrücken. Nur *eine* Abweichung hievon, scheint es, kann man gestatten, daß nämlich dasjenige überwiegend hervorgezogen werde, wohin sich überhaupt das Talent der Nation vorzüglich neigt; eine Abweichung, die sich auch nur in den der Akademie sich nähernden Veranstaltungen der Universität zeigen dürfte.

So müßte es sein, wenn ohne fremden Einfluß der wissenschaftliche Trieb allein die Universitäten errichtete und ordnete. Sehen wir aber, wie sie sind, so finden wir alles ganz anders. Wissenschaftlich angesehen erscheint das meiste höchst unverhältnismäßig, dem Unbedeutenden ein großer Raum vergönnt, vieles, was an sich gar nicht zusammenzugehören scheint, äußerlich verbunden, Wichtiges dagegen verkürzt, oder noch ganz neu aussehend, als ob es erst hinzugekommen wäre, vieles auch so behandelt, als wäre es gar nicht für die bestimmt, in denen wissenschaftlicher Geist sich entwickeln will, sondern für die, denen er ewig fremd bleiben muß.

Offenbar geht dieser Geist nicht in jedem, auch nicht in allen denen auf, die wohl fähig und geneigt sind, eine schöne Masse von Kenntnissen zu sammeln und in gewissem Sinne zu verarbeiten. Deshalb soll schon die gelehrte Schule nur eine Auswahl junger Naturen in sich fassen und aus diesen selbst wiederum nur eine Auswahl zur Universität senden; allein, weil sie nur vorbereitend ist, und nicht bestimmt, diese Gesinnung selbst schon ans Licht zu bringen, so kann sie auch über den Grad der wissenschaftlichen Fähigkeit nicht zuverlässig und definitiv entscheiden. Sie schließt aus der Lust und Leichtigkeit, mit welcher die von ihr dargebotenen Kenntnisse aufgefaßt werden, aus der mehr oder minder aufkeimenden Vorliebe für den wissenschaftlichen Gehalt in denselben. Aber das alles ist ziemlich trüglich und das Sicherste davon grade am wenigsten in eine äußerlich gültige Form zu bringen. Wie oft findet man erstaunlichen Fleiß und große Lust und Liebe, die sich nur für den Kenner durch etwas gar unbewußtes Tierisches unterscheidet, bei gar wenig Geist und Talent. Ja, bei manchen öffnet sich grade in dieser entscheidenden Zeit eine taube Blüte, die nur zu leicht für fruchtbar gehalten wird. Und wiederum, wenn die Schule sich in ihrem Urteil die größte Strenge zum Gesetz machen wollte: wie manche, die sich erst später entwickelt hätten, würden dann voreilig der ferneren Pflege beraubt! Kurz, es ist unvermeidlich, daß viele zur Universität kommen, die eigentlich untauglich sind für die Wissenschaft im höchsten Sinne, ja, daß diese den größeren Haufen bilden, weil in der Tat dies weit weniger nachteilig sein kann, als wenn ein einziges großes und entschiedenes Talent die wohltätigen Einflüsse dieser Anstalt ganz entbehren müßte. Der Gedanke, schon auf der Schule oder beim Abgehn von derselben eine Trennung festzusetzen zwischen denen, welche der höchsten wissenschaftlichen Bildung fähig, und denen, die für eine untergeordnete Stufe bestimmt sind, und für letztere eigene Anstalten zu stiften, wo sie ohne die philosophischen Anleitungen der Universität gleich für ihr bestimmtes Fach der Erkenntnis mehr handwerksmäßig und traditionell weitergebildet würden, dieser Gedanke ist jedem furchtbar und schrecklich, der an der Bildung der Jugend einen lebendigen Anteil nimmt. Nicht in eine Zeit gehört er, wo jede Aristokratie der Natur der Sache nach untergehen muß, sondern in eine solche, wo man sie erst recht pflegen und erweitern will. Oder meint man, angehende Jünglinge, welche sich auf gelehrten Schulen auch nur mit einigem Erfolge gebildet haben, sollten sich selbst zu einer Zeit, wo sie unmöglich schon sich selbst zu erkennen vermögen, das Urteil einer solchen Herabsetzung sprechen und nicht vielmehr nach aller Herrlichkeit der Wissenschaft ihre Hand ausstrecken wollen? Solche verdienten wirklich, ganz verstoßen und verunehrt zu werden! Nein, man lasse zusammen die trefflicheren und die minderen Köpfe erst die entscheidenden Versuche durchgehen, welche auf der Universität angestellt werden, um ein eignes wissenschaftliches Leben in den Jünglingen zu erzeugen, und erst, wenn diese alle ihres höchsten Zweckes verfehlt haben, werden sich von selbst die meisten auf die untergeordnete Stufe treuer und tüchtiger Arbeiter stellen. Solcher bedarf der wissenschaftliche Verein gar sehr; denn die wenigen wahrhaft herrschenden und bildenden Geister können gar viele Organe in Tätigkeit setzen. Darum müssen die Universitäten so eingerichtet sein, daß sie zugleich höhere Schulen sind, um diejenigen weiter zu fördern, deren Talente, wenn sie auch selbst auf die höchste Würde der Wissenschaft Verzicht leisten, doch sehr gut für dieselbe gebraucht werden können. Und zwar darf sich dies nicht als eine besondere Veranstaltung äußerlich unterscheiden lassen, weil ja auch beide Klassen von Lernenden nicht äußerlich unterschieden sind, sondern sich erst durch die Tat selbst voneinander trennen sollen. Noch mehr aber bedarf der Staat von diesen Köpfen der zweiten Klasse. Er kann sehr wohl einsehen, daß die obersten Geschäfte in jedem Zweige nur denen mit Vorteil anvertraut werden, welche von wissenschaftlichem Geiste durchdrungen sind, und wird doch danach streben müssen, daß ihm auch der größte Teil von jenen untergeordneten Talenten anheimfalle, welche auch ohne diesen höheren Geist ihm durch wissenschaftliche Bildung und eine Masse von Kenntnissen brauchbar sind. Daher muß er nun aus demselben Grunde dafür sorgen, daß die Universitäten zugleich höhere Spezialschulen seien für alles dasjenige, was von den in seinem Dienst nutzbaren Kenntnissen zunächst mit der eigentlichen wissenschaftlichen Bildung zusammenhängt; und wenn es auch auf diesem Gebiete nicht ebenso notwendig ist, ist es doch natürlich genug, auch hier die äußere Unterscheidung zu vermeiden.

So weit ist also alles gut und auch dies letztere nicht als ein Mißbrauch oder als eine Verunreinigung rein wissenschaftlicher Anstalten anzusehen; sondern vielmehr vortrefflich, weil auf diese Weise doch auch in der größeren Masse der Gebildeten so viel, als jedem möglich ist, aufgeregt werden kann, wenigstens vom Sinn für wahre Erkenntnis, weil denen, die eine solche Schule gemacht haben, wenigstens eingeprägt bleiben muß das Gefühl der Abhängigkeit der Kenntnisse, die sie dort einsammelten von den höheren wissenschaftlichen Bestrebungen, und weil die Bildungsanstalten für den Dienst des Staates durch ihre Verbindung mit den rein wissenschaftlichen empfänglicher bleiben müssen für jede Verbesserung und in sich selbst lebendiger. Und dieses ist unstreitig das Wesen der deutschen Universitäten, wie sie seit langer Zeit wirklich sind. Wenn aber hie und da die Regierungen anfangen, den politischen Teil dieser Anstalten für die Hauptsache anzusehen, hinter welcher das eigentlich Wissenschaftliche in jedem streitigen Falle zurückstehen müsse: so ist das schon ein sehr verderblicher Mißverstand; und wenn sie gar wünschen, der Form der Universität ganz überhoben zu sein und an die allgemeinen gelehrten Schulen gleich die Spezialschulen für die verschiedenen Fächer des Staatsdienstes anknüpfen zu können, so ist dies ein trauriges Zeichen davon, daß man den Wert der höchsten Bildung für den Staat verkennt und daß man den bloßen Mechanismus dem Leben vorzieht. Ja, wo ein Staat die Universitäten, den Mittelpunkt, die Pflanzschule aller Erkenntnis zerstörte und alle dann nur noch gleichsam wissenschaftlichen Bestrebungen zu vereinzeln und aus ihrem lebendigen Zusammenhang herauszureißen suchte: da darf man nicht zweifeln: die Absicht oder wenigstens die unbewußte Wirkung eines solchen Verfahrens ist Unterdrückung der höchsten freiesten Bildung und alles wissenschaftlichen Geistes, und die unfehlbare Folge das Überhandnehmen eines handwerksmäßigen Wesens und einer kläglichen Beschränktheit in allen Fächern. Unüberlegt handeln diejenigen oder sind von einem undeutschen verderblichen Geiste angesteckt, die uns eine Umbildung und Zerstreuung der Universitäten in Spezialschulen vorschlagen; so wie in jedem Lande, wo jene Form von selbst ausstürbe oder wo, auch wenn die Regierung es nicht hinderte, doch nie eine wahre Universität zustande käme, sondern alles immer schulmäßig bliebe, die Wissenschaft gewiß im Rückgang und der Geist im Einschlafen begriffen sein müßte.

Wie nun, so lange der Staat die Grenzen des rechtmäßigen Einflusses, den ihm die Wissenschaft gestatten kann, nicht überschreitet, der Unterricht auf der Universität sich gestalten muß, das läßt sich an jeder nur noch mittelmäßig eingerichteten leicht erkennen. Das Allgemeinste nämlich ist allen gemein, und alle beginnen damit und trennen sich erst späterhin auf dem Gebiete des Besondern, nachdem in jedem sein eigentümliches Talent und mit demselben die Liebe zu dem Geschäft erwacht ist, in welchem er es vorzüglich kann geltend machen. Alles also beginnt mit der Philosophie, mit der reinen Spekulation und was etwa noch propädeutisch als Übergang von Schule zu Universität dazu gehört. Nur beruht das Leben der ganzen Universität, das Gedeihen des ganzen Geschäftes darauf, daß es nicht die leere Form der Spekulation sei, womit allein die Jünglinge gesättigt werden, sondern daß sich aus der unmittelbaren Anschauung der Vernunft und ihrer Tätigkeit die Einsicht entwickele in die Notwendigkeit und den Umfang alles realen Wissens, damit von Anfang an der vermeinte Gegensatz zwischen Vernunft und Erfahrung, zwischen Spekulation und Empirie vernichtet und so das wahre Wissen nicht nur möglich gemacht, sondern seinem Wesen nach wenigstens eingehüllt gleich mit hervorgebracht werde. Denn ohne hier über den Wert der verschiedenen philosophischen Systeme zu entscheiden, ist doch klar, daß sonst gar kein Band sein würde zwischen dem philosophischen Unterricht und dem übrigen, und gar nichts bei demselben herauskommen als etwa die Kenntnis der logischen Regeln und ein in seiner Bedeutung und Abstammung nicht verstandener Apparat von Begriffen und Formeln. Die Aussicht also muß eröffnet werden schon durch die Philosophie in die beiden großen Gebiete der Natur und der Geschichte, und das Allgemeinste in beiden muß nicht minder allen gemein sein. Von der höhern Philologie, sofern in der Sprache niedergelegt sind alle Schätze des Wissens und auch die Formen desselben sich in ihr ausprägen, von der Sittenlehre, sofern sie die Natur alles menschlichen Seins und Wirkens darlegt, müssen die Hauptideen jedem einwohnen, wenn er auch seine besondere Ausbildung mehr auf der Seite der Naturwissenschaft sucht; so wie sich kein wissenschaftliches Leben denken läßt für den, dem jede Idee von der Natur fremd bliebe, die Kenntnis ihrer allgemeinsten Prozesse und wesentlichsten Formen, der Gegensatz und Zusammenhang in dem Gebiete des Organischen und Unorganischen. Daher das Wesen der Mathematik, der Erdkenntnis, der Naturlehre und Naturbeschreibung jeder innehaben muß. Je mehr aber ins Besondere hinein, in Geschichtsforschung, Staats- und Menschenbildungskunst, in Geologie und Physiologie, desto mehr auch beschränkt sich jeder auf das Einzelne, wozu er berufen ist; und an diese Beschränkung wendet sich hernach der Staat mit seinen besondern Instituten für die, welche an der politischen und religiösen Fortbildung sowie an der physischen Erhaltung und Vervollkommnung der Bürger arbeiten sollen; Institute welche, wenn sie der Universität nicht ganz fremd und verderbliche Auswüchse auf ihr sein sollen, sich selbst abhängig erklären und erhalten müssen von der wissenschaftlichen Behandlung der Natur und der Geschichte und mithin von der Philosophie.

Weil aber selbst hierin, und ohnerachtet an diesem Unterricht viele teilnehmen, denen der philosophische die wahre Weihe nicht gegeben hat, dennoch der äußere Unterschied, um auch von dieser Seite die Einheit des Ganzen nicht zu stören, möglichst vermieden wird, weil in jedem Unterricht, wenn er noch einigermaßen dem Charakter der Universität treu bleibt, die wissenschaftliche Darstellung die Hauptsache ist und das Detail nur Wert hat als Beleg, als Handhabe, als roher Stoff für die Versuche in eigner Kombination und Darstellung: so ist auch die Lehrweise mit geringen Abstufungen überall dieselbe.

Wenige verstehen die Bedeutung des Kathedervortrages; aber zum Wunder hat er sich, ohnerachtet immer von dem größten Teile der Lehrer sehr schlecht durchgeführt, doch immer erhalten, zum deutlichen Beweise, wie sehr er zum Wesen einer Universität gehört und wie sehr es der Mühe lohnt, diese Form immer aufzusparen für die wenigen, die sie von Zeit zu Zeit recht zu handhaben wissen. Ja, man könnte sagen, der wahre eigentümliche Nutzen, den ein Universitätslehrer stiftet, stehe immer in gradem Verhältnis mit seiner Fertigkeit in dieser Kunst.

Jede Gesinnung, die wissenschaftliche wie die religiöse, bildet und vervollkommnet sich nur im Leben, in der Gemeinschaft mehrerer. Durch Ausströmung aus den Gebildetern, Vollkommenern wird sie zuerst aufgeregt und aus ihrem Schlummer erweckt in den Neulingen; durch gegenseitige Mitteilung wächst sie und stärkt sich in denen, die einander gleich sind. Wie nun die ganze Universität ein solches wissenschaftliches Zusammenleben ist, so sind die Vorlesungen insbesondere das Heiligtum desselben. Man sollte meinen, das Gespräch könne am besten das schlummernde Leben wecken und seine ersten Regungen hervorlocken, wie denn die bewundernswürdige Kunst des Altertums in dieser Gattung noch jetzt dieselben Wirkungen äußert. Es mag auch so sein zwischen zweien, oder wo aus einer ganzen Menge einer als Repräsentant derselben mit Sicherheit kann aufgestellt werden, oder wenn einzelne die niedergeschriebenen trefflichen Werke dieser Art genießen und gleichsam das Dargestellte an sich wiederholend durchleben. Allein es muß wohl nicht so sein unter vielen und in der neueren Zeit, weil doch ohnerachtet so mancher erneuerten Versuche das Gespräch nie als allgemeine Lehrform auf dem wissenschaftlichen Gebiet aufgekommen ist, sondern die zusammenhängende Rede sich immer erhalten hat. Es ist auch leicht einzusehen warum. Unsere Bildung ist weit individueller als die alte, das Gespräch wird daher gleich weit persönlicher, so daß kein Einzelner im Namen aller als Mitunterredner aufgestellt werden kann und das Gespräch eine viel zu äußerliche, nur verwirrende und störende Form sein würde. Aber der Kathedervortrag der Universität muß allerdings, weil er Ideen zuerst zum Bewußtsein bringen soll, doch in dieser Hinsicht die Natur des alten Dialogs haben, wenn auch nicht seine äußere Form; er muß darnach streben, einerseits das gmeinschaftliche Innere der Zuhörer, ihr Nichthaben sowohl als ihr unbewußtes Haben dessen, was sie erwerben sollen, andererseits das Innere des Lehrers, sein Haben dieser Idee und ihre Tätigkeit in ihm recht klar ans Licht zu bringen. Zwei Elemente sind daher in dieser Art des Vortrages unentbehrlich und bilden sein eigentliches Wesen. Das eine möchte ich das populäre nennen: die Darlegung des mutmaßlichen Zustandes, in welchem sich die Zuhörer befinden, die Kunst, sie auf das Dürftige in demselben hinzuweisen und auf den letzten Grund alles Nichtigen im Nichtwissen. Dies ist die wahre dialektische Kunst, und je strenger dialektisch, desto populärer. Das andere möchte ich das produktive nennen. Der Lehrer muß alles, was er sagt, vor den Zuhörern entstehen lassen; er muß nicht erzählen, was er weiß, sondern sein eignes Erkennen, die Tat selbst, reproduzieren, damit sie beständig nicht etwa nur Kenntnisse sammeln, sondern die Tätigkeit der Vernunft im Hervorbringen der Erkenntnis unmittelbar anschauen und anschauend nachbilden. Der Hauptsitz dieser Kunst des Vortrags ist freilich die Philosophie, das eigentlich Spekulative; aber alles Lehren auf der Universität soll ja auch hievon durchdrungen sein, also ist doch dies überall die eigentliche Kunst des Universitätslehrers. Zwei Tugenden müssen sich in ihr vereinigen: Lebendigkeit und Begeisterung auf der einen Seite. Sein Reproduzieren muß kein bloßes Spiel sein, sondern Wahrheit; so oft er seine Erkenntnis in ihrem Ursprung, in ihrem Sein und Gewordensein vortragend anschaut, so oft er den Weg vom Mittelpunkt zum Umkreise der Wissenschaft beschreibt, muß er ihn auch wirklich machen. Bei keinem wahren Meister der Wissenschaft wird das auch anders sein; ihm wird keine Wiederholung möglich sein, ohne daß eine neue Kombination ihn belebt, eine neue Entdeckung ihn an sich zieht; er wird lehrend immer lernen, und immer lebendig und wahrhaft hervorbringend dastehn vor seinen Zuhörern. Ebenso notwendig ist ihm aber auch Besonnenheit und Klarheit, um, was die Begeisterung wirkt, verständlich und gedeihlich zu machen, um das Bewußtsein seines Zusammenseins mit den Neulingen immer lebendig zu erhalten, daß er nicht etwa nur für sich, sondern wirklich für sie rede und seine Ideen und Kombinationen ihnen wirklich zum Verständnis bringe und darin befestige, damit nicht etwa nur dunkle Ahndungen von der Herrlichkeit des Wissens in ihnen entstehen statt des Wissens selbst. Kein Universitätslehrer kann wahren Nutzen stiften, wenn er von einer dieser Trefflichkeiten ganz entblößt ist; und die rechte gesunde Fülle der Anstalt besteht darin, daß, was etwa einem Lehrer, der von der einen Seite sich vorzüglich auszeichnet, an der andern menschlicherweise abgeht, durch einen andern ersetzt werde. Diese beiden Tugenden des Vortrags sind die wahre Gründlichkeit desselben, nicht eine Anhäufung von Literatur, welche dem Anfänger nichts hilft und vielmehr in Schriften muß niedergelegt als mündlich mitgeteilt werden; aus ihnen fließt die echte Klarheit, nicht besteht sie in unermüdetem Wiederkäuen, in preiswürdiger Dünne und Dürre des Gesagten; aus ihnen die wahre Lebendigkeit, nicht aus dem Reichtum gleichbedeutender Beispiele und, gleichviel ob guter oder schlechter, nebenherlaufender Einfälle und polemischer Ausfälle. Wunderbar genug ist die Gelehrsamkeit eines Professors zum Sprichwort geworden. Je mehr er besitzt, desto besser freilich; aber auch die größte ist unnütz ohne die Kunst des Vortrages. Übet der Lehrer diese an seinen Schülern gehörig aus, so kann es wenig schaden, wenn sie ihn auch bisweilen darauf ertappen, etwas Einzelnes auf dem Gebiet seiner Wissenschaft nicht zu wissen; sie werden dennoch wissen, daß er die Wissenschaft als solche vollkommen besitzt. Ja, man kann immer hoffen, daß einem jungen Universitätslehrer die Gelehrsamkeit noch komme: wenn er aber jenes Talent der Mitteilung nicht in den Jahren hat, wo er seinen Zuhörern am nächsten steht, so wird er es späterhin schwerlich erlangen. Was hilft alle Gelehrsamkeit, wenn statt des echten Kathedervortrags nur der falsche Schein, die leere Form davon vorhanden ist! Nichts Jämmerlicheres zu denken als dieses. Ein Professor, der ein ein für allemal geschriebenes Heft immer wieder abliest und abschreiben läßt, mahnt uns sehr ungelegen an jene Zeit, wo es noch keine Druckerei gab und es schon viel wert war, wenn ein Gelehrter seine Handschrift vielen auf einmal diktierte, und wo der mündliche Vortrag zugleich statt der Bücher dienen mußte. Jetzt aber kann niemand einsehn, warum der Staat einige Männer lediglich dazu besoldet, damit sie sich des Privilegiums erfreuen sollen, die Wohltat der Druckerei ignorieren zu dürfen, oder weshalb wohl sonst ein solcher Mann die Leute zu sich bemüht und ihnen nicht lieber seine ohnehin mit stehenbleibenden Schriften abgefaßte Weisheit auf dem gewöhnlichen Wege schwarz auf weiß verkauft. Denn bei solchem Werk und Wesen von dem wunderbaren Eindruck der lebendigen Stimme zu reden, möchte wohl lächerlich sein.

Soll aber der Vortrag den geforderten Charakter haben: so dürfen freilich die eigentlichen Vorlesungen nicht das einzige Verkehr des Lehrers mit seinen Schülern sein. Steife Zurückgezogenheit und Unfähigkeit, auch außerhalb des Katheders noch etwas für die studierende Jugend zu sein, hängen auch gewöhnlich mit den schon gerügten Untugenden des Vortrages zusammen. Wenn der Lehrer mit Nutzen anknüpfen soll an den Erkenntniszustand der Zuhörer; wenn er ihnen helfen soll, die Abweichungen zu vermeiden, zu welchen sie hinneigen; wenn er sich glücklich hindurcharbeiten soll durch die unter ihnen herrschenden Unfähigkeiten im Auffassen: so müssen noch andere Arten und Stufen des Zusammenlebens mit ihnen ihm zustatten kommen, um ihn in der nötigen Bekanntschaft mit den immer abwechselnden Generationen zu erhalten. Man sage nicht, daß dies der Zahl wegen unmöglich sei. Es schließt sich an die Vorlesungen eine Kette von Verhältnissen, an denen, je vertrauter sie werden, schon von selbst desto wenigere teilnehmen, Konversatorien, Wiederholungs- und Prüfungsstunden, solche, in denen eigne Arbeiten mitgeteilt und besprochen werden, bis zum Privatumgang des

Lehrers mit seinen Zuhörern, wo das eigentliche Gespräch dann herrscht und wo er, wenn er sich Vertrauen zu erwerben weiß, durch die Äußerungen der erlesensten und gebildetsten Jünglinge von allem Kenntnis erlangt, was irgend auf eine merkwürdige Weise in die Masse eindringt und sie bewegt. Nur indem er allmählich diese Verhältnisse knüpft und benutzt, kann der Lehrer die herrliche Sicherheit der Alten, welche immer den rechten Fleck trafen in ihren Unterredungen, verbinden mit der edeln Bescheidenheit der Neueren, welche eine schon angefangene und selbständig fortgehende individuelle Bildung jedes Einzelnen immer voraussetzen müssen.

Man sieht, diese Gabe der Mitteilung läßt noch die mannigfaltigsten Verschiedenheiten zu. Dem einen wird besser gelingen, das Scheinwissen zu demütigen und das Bedürfnis wahrer Wissenschaft zu erregen, dem andern, die Grundzüge derselben anschaulich darzustellen; der eine wird mehreren durch Begeisterung die erste Weihe geben, der andere mehr sie durch Besonnenheit befestigen; der eine wird geschickter sein, indem er nur scheint es mit dem Einzelnen und Mannigfaltigen zu tun zu haben, doch immer zu der innersten und höchsten Einheit die Betrachtung zurückzuführen; ein anderer wird mit seinem Talent mehr dem Einzelnen angehören und es auch da vorwalten lassen, wo er an das Allgemeinste und Höchste geheftet zu sein scheint. Jeder aber wird ein vortrefflicher Lehrer sein, bei welchem sich, wie auch das eine oder das andere überwiege, doch alles Notwendige lebendig vereint findet; und die Universität muß auch darin Universität sein, daß sie alle diese Verschiedenheiten in sich zu vereinigen strebt, damit jeder Zögling imstande sei, einen solchen Lehrer zu finden, wie ihn unter den gegebenen Umständen und bei den gemachten Fortschritten seine Natur begehrt.

Allein, wie lebendig und glücklich auch dieses Bestreben sei, ein völliges Gleichgewicht, so daß für jedes Bedürfnis auf gleich vollkommene Art gesorgt sei, wird doch auf *einer* solchen Anstalt wohl nie erreicht werden. Jede wird sich zu jeder Zeit auf irgend eine Seite hinneigen. Die eine wird sich auszeichnen durch lebendigere Erregung des wissenschaftlichen Geistes im allgemeinen, aber in den meisten Fächern vielleicht zurückbleiben in gründlicher Ausführung des Einzelnen, die andere umgekehrt dieses mehr leisten als jenes; die eine wird vorzüglicher sein in rein philosophischer Hinsicht, die andere als Vorakademie oder als Aggregat von Spezialschulen; die eine mehr ihren Zöglingen vorarbeiten und dagegen die freiere, höhere Kombination ihnen selbst überlassen, die andere sie mehr zu dieser anleiten, aber alles, was irgend Sache des Fleißes ist, ihnen selbst zumuten. Ja, ziemlich lange behaupten oft Universitäten denselben Charakter, daß die eine mehr spekulative Köpfe bildet, die aber wohltun werden, die realen Wissenschaften anderwärts zu suchen, und eine andere lange Zeit fast nur Rotüriers[133] erzieht, weil schon ein entschiedenes Talent dazu gehört, um auf ihr einen höheren wissenschaftlichen Geist zu entwickeln, welches dann die beiden schon gefährlichen Extreme der Einseitigkeit sind, zwischen welchen die übrigen besser schwanken. Dies deutet darauf, daß notwendig auch innerhalb des Gebietes einer und derselben Nationalbildung eine Mehrheit von Universitäten sich finden muß und daß das möglichst freie Verkehr und der unbeschränkteste Gebrauch von jeder nach eines jeden Bedürfnis nicht zu entbehren ist. Wie natürlich diese Wahrheit ist, geht freilich schon daraus hervor, daß die Universitäten in der Mitte stehen zwischen den gelehrten Schulen und der Akademie. Achtunddreißig davon zu besitzen, wie die deutsche Nation bis jetzt geduldet hat, mag freilich ein großes Unglück sein und die Ursache, warum so wenige zu etwas Tüchtigem gediehen sind: aber wie soll nun das rechte Maß gefunden werden? Man finde nur zuerst das rechte Maß der gelehrten Schulen, man bringe dann mehr Einigungsgeist unter die Deutschen, daß nicht jeder Gau auch hierin etwas Besonderes für sich haben wolle, und dann lasse man mehr die Sache selbst gewähren, künstle nicht und wolle nicht Leichen frisch erhalten, so wird sich allmählich das Rechte finden. Doch immer noch besser hier das Maß überschritten, als den Gedanken an eine deutsche Zentraluniversität aufkommen lassen oder den an eine gänzliche Umschmelzung der alten Form, zwei Extreme, von denen jedes das größte Unglück wäre, welches nach allen bisherigen den Deutschen noch begegnen könnte.

4.
Von den Fakultäten

Man hat schon oft und viel gesagt, unsere vier Fakultäten, die theologische, juridische, medizinische und philosophische, und noch in dieser Ordnung obenein, gäben den Universitäten ein gar groteskes Ansehn. Und das ist auch gewiß unleugbar. Wenn man es aber dennoch als einen großen Vorteil ansieht, den Umschaffungen oder bedeutende Veränderungen solcher Anstalten gewähren können, daß man dabei zugleich dieser Formen sich entledigen und bessere dafür einführen werde: so übereile man sich doch ja nicht, damit man nicht etwas ganz Willkürliches an die Stelle dessen setze, was sich auf eine natürliche Art gebildet und eben seiner Natürlichkeit wegen so lange erhalten hat; sondern suche doch erst die Bedeutung dieser bisherigen Formen recht zu verstehen.

Durch das bisher Gesagte sollte dies Verständnis schon sehr erleichtert und vollständig eingeleitet sein. Es kann wohl von unserm Gesichtspunkt aus niemanden entgehen, daß diese Formen, wie grotesk sie auch sein mögen, wenigstens sehr repräsentativ sind und sich ganz genau auf das Gewordensein und den jetzigen Zustand der Universitäten beziehen. Offenbar nämlich ist die eigentliche Universität, wie sie der wissenschaftliche Verein bilden würde, lediglich in der philosophischen Fakultät enthalten, und die drei anderen dagegen sind die Spezialschulen, welche der Staat entweder gestiftet oder wenigstens, weil sie sich unmittelbar auf seine wesentlichen Bedürfnisse beziehen, früher und vorzüglicher in seinen Schutz genommen hat. Die philosophische hingegen ist für ihn ursprünglich ein bloßes Privatunternehmen, wie der wissenschaftliche Verein überhaupt ihm eine Privatperson ist, und nur durch die innere Notwendigkeit und durch den rein wissenschaftlichen Sinn der in jenen Fakultäten Angestellten subsidiarisch herbeigeholt worden, weshalb sie denn die letzte ist von allen. In der ganzen Form also spiegelt sich die Geschichte der Universitäten in ihren Grundzügen ab. Die positiven Fakultäten sind einzeln entstanden durch das Bedürfnis, eine unentbehrliche Praxis durch Theorie, durch Tradition von Kenntnissen sicher zu fundieren. Die juridische gründet sich unmittelbar in dem staatbildenden Instinkt, in dem Bedürfnis, aus einem anarchischen Zustande – anarchisch, weil die Gesetzgebung nicht gleichmäßig fortgeschritten war mit der Kultur – einen rechtlichen hervorgehen zu lassen, in dem Gefühl, daß dies nur geschehen könne, indem man zu dem Besitz eines Systems vollständiger, unter sich übereinstimmender Gesetze zu gelangen suchte und zu höheren Prinzipien, nach welchen in zweideutigen Fällen die Gesetze auszulegen wären. Die theologische hat sich in der Kirche gebildet, um die Weisheit der Väter zu erhalten, um, was schon früher geschehen war, Wahrheit und Irrtum zu sondern, nicht für die Zukunft verlorengehen zu lassen, um der weiteren Fortbildung der Lehre und der Kirche eine geschichtliche Basis, eine sichere, bestimmte Richtung und einen gemeinsamen Geist zu geben; und wie der Staat sich näher mit der Kirche verband, mußte er auch diese Anstalten sanktionieren und unter seine Obhut nehmen. Die medizinischen Schulen haben sich seit uralten Zeiten gegründet auf das Bedürfnis, teils den Zustand des Leibes zu erkennen und zu modifizieren, teils auf eine mehr oder minder dunkle, geheimnisvolle Ahndung von den innigen Verhältnissen der gesamten überigen Natur zu dem menschlichen Leibe. Daher waren sie von Anfang an teils überwiegend gymnastisch, teils magisch und mystisch. Durch Vereinigung beider Zweige gewannen diese Bemühungen allmählich ein mehr kunstmäßiges Ansehn, und in dem Maß, als sie anfingen, durch Beobachtungen und Versuche in die verschiedenen Zweige der Naturwissenschaft sich hineinzuarbeiten und also großer äußerer Unterstützungen zu bedürfen, mußte der Staat sich ihrer ebenfalls annehmen. So sind diese Anstalten entstanden; der tiefe, richtige Sinn, der sich immer mehr über das Schlechte hervorarbeitet, hat die Neigung zu dem bloß Handwerksmäßigen und Empirischen besiegt, und der wissenschaftliche Geist, wir dürfen sagen vorzüglich der deutschen Nation, das immer klarer werdende Gefühl von dem innern Zusammenhange alles Wissens, hat sie in *einen* Körper endlich vereinigt, wobei natürlich, wenn dies nicht als ein bloß zufälliges und äußeres Nebeneinandersein erscheinen sollte, auch jener Zusammenhang, jene gemeinschaftliche Begründung sich äußerlich darstellen mußte, was denn durch die philosophische Fakultät geschieht. In dieser *einen* ist daher allein die ganze natürliche Organisation der Wissenschaft enthalten, die reine transzendentale Philosophie und die ganze naturwissenschaftliche und geschichtliche Seite, beide vorzüglich mit denen Disziplinen, welche sich am meisten jenem Mittelpunkt der Erkenntnis nähern; aber doch auch die mehr ins Besondere gehenden schließen sich so lange an die philosophische Fakultät an, als sie nicht zum Behuf eines bestimmten Zweckes pragmatisch behandelt werden. Jene drei Fakultäten hingegen haben ihre Einheit nicht in der Erkenntnis unmittelbar, sondern in einem äußeren Geschäft, und verbinden, was zu diesem erfordert wird, aus den verschiedenen Disziplinen. Diese *eine* also stellt allein dar, was der wissenschaftliche Verein für sich als Universität würde gestiftet haben, jene drei aber, was durch anderweitiges Bedürfnis entstanden und wobei die reinwissenschaftliche Richtung äußerlich untergeordnet ist. Die Ordnung, welche sie unter sich beobachten, beweiset offenbar das dominierende Verhältnis des Staats auch in den öffentlichen wissenschaftlichen Anstalten; und genauer angesehen zeigt sich darin teils das geschichtliche Vorantreten der Kirche vor den Staat, teils die alte löbliche Weise, die Seele dem Leibe voranzustellen.

Was sich unstreitig sehr bald, gewiß, sobald als wahrer Nutzen dadurch wird gestiftet werden können, von selbst machen wird, das ist eine Umbildung der juridischen Fakultät. Die bloße Kenntnis eines positiven Gesetzbuches als solchen, welches doch immer mit Unrecht ein feststehendes und unveränderliches ist und von den wissenschaftlichen Männern soll fortgebildet werden, nicht sie sich unterwerfen, hat zu wenig wissenschaftlichen Charakter. Hier müssen also die Politik, die Staatswirtschaft, die philosophische und historische Kenntnis der Gesetzgebung selbst mehr heraustreten. Was sollen aber andere Veränderungen, wie man sie hie und da entwerfen und ausführen sieht? Was man damit meint, ist Willkür, Spielerei; und was man damit bewirkt, ist wohl etwas Übleres; und es ist zu fürchten, daß man nicht ungestraft Einrichtungen vertilgen kann, die für sich schon geschichtliche Denkmäler sind und die, wenngleich von vielen nicht verstanden, den Geist der Nation aussprechen. Entsteht je eine Universität durch eine freie

Vereinigung von Gelehrten, dann wird von selbst das, was jetzt in der philosophischen Fakultät vereiniget ist, die erste Stelle finden, und die Institute, welche Staat und Kirche bitten werden damit zu verknüpfen, werden ihre untergeordneten Stellen einnehmen. Solange dies nicht geschieht, sondert sie sich am besten dadurch von den übrigen ab, daß sie die letzte ist, besser, als wenn sie sich zwischen die andern stellt und sich dadurch mit ihnen vermischt, oder wohl gar, als wenn sie – damit das nicht als *eins* und also weniger erscheine als die übrigen drei, was doch weit mehr ist als sie – sich spalten wollte in mehrere Abteilungen. Gewiß würden dann die einzelnen Disziplinen den wissenschaftlichen Charakter immer mehr verlieren und sich den pragmatischen Instituten nähern. Und für die reine Philosophie ist in dieser Vereinigung mit den realen Wissenschaften zu *einem* äußerlichen Ganzen so schön ausgesprochen die Freiheit, bald mehr einzeln für sich herauszutreten, bald mehr an den realen Wissenschaften, als außer ihnen, sich darzustellen, eine Freiheit, ohne welche sie nicht gedeihen und sich in ihrem wahren Wesen zeigen kann und die nicht mehr bestehen könnte, wenn ein äußeres Zeichen der Trennung festgestellt wäre.

Erhalte sich also nur die philosophische Fakultät dabei, daß sie alles zusammenfaßt, was sich natürlich und von selbst als Wissenschaft gestaltet, so mag sie immerhin die letzte sein. Was ist auch hier an dem Range gelegen? Sie ist doch die erste deshalb, weil jedermann ihre Selbständigkeit einsehen und gestehen muß, daß sie nicht wie die übrigen, sobald man von einer bestimmten äußeren Beziehung hinwegsieht, in ein ungleichartiges Mannigfaltiges zerfällt und aufgelöst werden kann. Sie ist auch deshalb die erste und in der Tat Herrin aller übrigen, weil alle Mitglieder der Universität, zu welcher Fakultät sie auch gehören, in ihr müssen eingewurzelt sein. Dies Recht übt sie fast überall aus über die ankommenden Studierenden; von ihr werden zunächst alle geprüft und aufgenommen, und dies ist eine sehr löbliche und bedeutende Sitte. Nur scheint sie noch erweitert werden zu müssen, um ihre Bedeutung ganz zu erfüllen. Es ist gewiß verderblich, daß die Studierenden gleich anfänglich sich können irgendeiner andern Fakultät einverleiben. Alle müssen zuerst sein und sind auch der

Philosophie Beflissene; aber alle sollten eigentlich auch in dem ersten Jahre ihres akademischen Aufenthaltes nichts anderes sein dürfen. Das alte Unwesen, die Knaben in der Wiege für ein gewisses Geschäft zu bestimmen, ist immer noch nicht ausgerottet; denn für das wissenschaftliche Leben ist die gelehrte Schule nur die Wiege. Was für Vorstellungen von seinem künftigen Beruf, von dem Verhältnis desselben zu dem ganzen großen Gebiet der Wissenschaften und des durch sie unmittelbar befruchteten Lebens kann der angehende Jüngling wohl von dort her mitbringen? Die allgemeinen Übersichten, theologische, juridische, mit welchen man die Abgehenden hie und da zu versenden pflegt, sind nur Huldigungen, welche man verkehrterweise jener Verkehrtheit der voreiligen Bestimmung darbringt, und ein Raub, der schwerlich ungestraft an den Universitäten begangen wird. Gewiß sind die Fälle selten, wo sich eine bestimmte Richtung des Talentes schon auf der Schule offenbart, und mit Recht kann man sagen, daß in jedem solchen Falle nur desto notwendiger sei, den Jüngling, wenn er für die Wissenschaft gedeihen soll, eine Zeitlang im Allgemeinen derselben aufzuhalten, damit sein allgemeiner Sinn nicht ganz unterdrückt werde von der vorherrschenden Gewalt des besonderen Talents. Möchte man doch bald dahin kommen, die Jünglinge nur zum Studieren überhaupt der Universität zuzuschicken. Wenn sie sich ein Jahr nehmen dürfen, um sich in den Prinzipien festzusetzen und sich von allen wahrhaft wissenschaftlichen Disziplinen eine Übersicht zu verschaffen: so wird diese Zeit nicht verloren sein; während derselben wird am sichersten ihre Gesinnung, ihre Liebe, ihr Talent sich entwickeln; sie werden untrüglicher ihren rechten Beruf entdecken und des großen Vorteils genießen, ihn selbständig gefunden zu haben.

Nicht anders aber sollten auch alle Universitätslehrer in der philosophischen Fakultät eingewurzelt sein. Besonders kann man bei der juridischen und theologischen Fakultät nie sicher sein, daß nicht das Studium allmählich immer mehr einer handwerksmäßigen Tradition sich nähere oder in ganz unwissenschaftlicher Oberflächlichkeit verderbe, wenn nicht alle Lehrer zugleich auf dem Felde der reinen Wissenschaft eignen Wert und Namen haben und eine Stelle als Lehrer verdienen. Man sollte daher nicht nur ausschließend solche wählen, sondern es müßte gesetzmäßig sein, daß jeder Lehrer dieser Fakultäten, wenn auch nicht zugleich Mitglied der philosophischen, doch als außerordentlicher Lehrer bei irgendeinem Zweige derselben verpflichtet wäre und von Zeit zu Zeit Vorträge aus dem reinen wissenschaftlichen Gebiete hielte, die in gar keiner unmittelbaren Beziehung auf seine Fakultät ständen. Nur dadurch könnte man auch äußerlich sicher sein, die lebendige Verbindung dieser Doktrinen mit der wahren Wissenschaft, ohne welche jene gar nicht auf die Universität gehören könnten, zu erhalten. Und in der Tat verdient ja wohl jeder Lehrer des Rechts oder der Theologie ausgelacht und von der Universität ausgeschlossen zu werden, der nicht Kraft und Lust in sich fühlte, auf dem Gebiet, es sei nun der reinen Philosophie oder der Sittenlehre oder der philosophischen Geschichtsbetrachtung oder der Philologie, etwas Eignes mit ausgezeichnetem Erfolg zu leisten.

Wenn übrigens schon die philosophische Fakultät am besten tut, *eine* zu bleiben, und wenn sie sich zum Behuf gewisser Geschäfte in Unterabteilungen spalten müßte, dies ja nicht auf eine zu bestimmte und bleibende Art, kurz ja nicht so zu tun, daß die Einheit als das Wesentlichere darüber verlorengehe: so ist ja wohl deutlich, daß auch das allgemeine Streben der Universität darauf gehn muß, sich nicht zu sehr ins Einzelne hinein bestimmt zu teilen, jeden Lehrer etwa streng in den Grenzen seiner Fakultät zu halten oder gar in dieser ihn ganz bestimmt auf ein gewisses Fach einzuschränken. Vieles fällt freilich von selbst weg, wenn jeder Lehrer einer Fakultät zugleich, wenn auch nicht ebenso genau, der philosophischen angehört und in dieser selbst die Sektionen nicht streng geschieden sind. Aber warum sollte auch ein Lehrer gehindert werden, einmal das Gebiet einer andern Fakultät zu betreten? Grenzen doch alle aneinander und berühren sich in mehreren Punkten, so daß es an Veranlassungen nicht fehlt, aus einer in die andern hinüberzuschweifen. Ergreift diese ein Gelehrter recht und begnügt er sich nicht damit, nur für sein eignes Studium zu leihen, was er von dort her braucht: so muß er gewiß etwas recht Eigentümliches und Geistreiches hervorgebracht haben auf dem fremden Gebiet, wenn er sich entschließt, es öffentlich vorzutragen. Die Eifersucht der Fakultäten aufeinander wegen ihres Gebietes ist etwas mit Recht Veraltetes und Lächerliches. Wem einmal öffentlich die Würde eines wissenschaftlichen Lehrers gegeben und sein Talent dazu anerkannt ist, der muß es auch üben können, auf welchem Gebiet er will. Die Zeit, während der einem Gelehrten diese Gabe der Mitteilung zu Gebote steht, ist zu beschränkt; die Gabe selbst ist zu zart und zu schwer ganz in die Gewalt zu bekommen, als daß man nicht jede gute Stunde und alles, was sie eingibt, vollständig genießen und auch benutzen sollte.

Eben deshalb ist auch der wahre Geist der Universität der, auch innerhalb jeder Fakultät die größte Freiheit herrschen zu lassen. Ordnungen vorschreiben, wie die Vorlesungen aufeinander folgen müssen, das ganze Gebiet unter die Einzelnen bestimmt verteilen, das sind Torheiten; nicht einmal ein solches Privatabkommen der Lehrer unter sich wäre wünschenswert. Es wäre immer eine Beförderung der Stagnation, dahingegen neues Leben in einen jeden Zweig der Wissenschaften kommt, wenn er wieder von andern und vorzüglich von solchen, die sich mit andern Zweigen mehr abgegeben haben, aufs neue bearbeitet wird. Darum lasse keiner sein Talent so bestimmt und äußerlich binden oder binde es selbst. Männer von Geist und Fleiß und denen das Geschäft wert und lieb ist, welches sie auf der Universität treiben, können unmöglich in dieser Hinsicht eines äußerlichen Gesetzes bedürfen; sie haben in sich, was sie treibt, so viel zu tun, als sie können, und sie müssen sich selbst ihr Gesetz sein. Auch ist dies natürlich viel zu eigentümlich, um von einem andern oder im allgemeinen gegeben zu werden, da es so genau von dem Verhältnis des Lehrers zu seinen Schülern abhängt. Je fester diese ihm anhangen, je mehr sie sich in ihrem wissenschaftlichen Streben allgemein von ihm gefördert fühlen, durch ein desto größeres Gebiet werden sie von ihm wollen geführt sein; je mehr sie dagegen in ihm nur eine besondere Virtuosität bewundern, um desto weniger werden sie wünschen, daß er sich aus deren Gebiet hinaus versteige, sondern so etwas vielmehr mit einer leisen Schadenfreude ansehn.

Daher ist es auch gewiß mehr schulmäßig als im wahren Geiste der Universität, wenn die Nominalprofessuren zu stark hervortreten. Einem Lehrer vorschreiben, daß er in einem bestimmten Zeitraume dasselbe wieder vortrage, heißt, ihm sein Geschäft zuwider machen und also schuld sein, daß sein Talent nur desto schneller ablaufe. Auch ist es natürlich, daß, wer noch auf andere Weise als auf dem Katheder für die Wissenschaft arbeitet, sich einrichten muß, damit seine Arbeiten sich nicht allzusehr hindern, wenn er anders mit Lust und Interesse vortragen soll und sich also solchen Geboten unmöglich fügen kann. Freilich sagt man, es müsse doch dafür gesorgt werden, daß in einem solchen Zeitraum, als man für einen gewöhnlichen Aufenthalt auf der Universität rechnen kann, alles Wesentliche eines jeden Gebietes wirklich vorkomme. Gewiß richtig! aber ist nur eine gehörige Fülle von Lehrern rechter Art vorhanden, so hat es damit keine Not. Und sollte es ja: nun wohl, so weise man jedem sein besonderes Fach an, aber nur insofern, daß, wenn innerhalb des bestimmten Zeitraumes keiner sich gefunden habe, der es in dem gehörigen Umfang vorgetragen hätte, dieser alsdann dazu verpflichtet sei. Und diese Anweisung sei so wenig rechtlich verklausuliert und so lose als möglich, so daß ohne alle Weitläuftigkeit zwei Lehrer die Gewährleistung, welche sie übernommen haben, gegeneinander vertauschen können. So wird jeder seine Freiheit behalten und das Ganze dadurch nicht vernachlässiget werden, sondern nur gewinnen.

Je mehr nun jeder Lehrer auf diese Art seinen Kreis selbst bestimmen und nach Belieben bald erweitern, bald verengern kann, um desto mehr söhnt man sich auch aus mit dem so sehr verschrieenen Honorar. Auch dies muß doch wunderbar genug mit dem Geist und Wesen unserer Universitäten zusammenhängen, weil es sich so beständig, trotz mancher spöttischen Ausfälle der neuesten Verfeinerung, erhalten hat, und man kann wohl sagen, daß das die schlechtesten Universitäten und die schlechtesten Partien jeder Universität sind, wo am meisten das Honorar umgangen wird. Zuerst gehört es zu den wenigen Einrichtungen, worin sich die Universität als aus einer ganz freien Privatvereinigung von Gelehrten entstanden darstellt. Weil dies nun ihre natürlichste und schönste Seite ist, so hat auch gewiß das Verhältnis, sich seinen Unterricht bezahlen zu lassen, nie einem Lehrer, der es nicht selbst durch niedrige Gesinnung entweihte, in der Achtung der Jünglinge geschadet, noch kann es ihm selbst erniedrigend erschienen sein, da es zugleich das Gefühl seiner Abhängigkeit vom Staat verringert. Daher soll sich auch der Staat in dies Verhältnis gar nicht mischen; er soll das Betragen gegen die Ärmeren dem guten Ton der Lehrer überlassen. Will er vorschreiben, was oder wie oft jeder auch unentgeltlich vortragen soll: so mahnt dies an die schlechtesten Einrichtungen kleiner Schulen, wo das Gemeinere öffentlich und das Seltnere und Höhere in Privatstunden zu lernen ist. Viel besser werden die Lehrer selbst finden, was sich von Zeit zu Zeit dazu eignet, ein solches Gastmahl für eine auserlesene Anzahl zu sein.

Hierher gehören denn auch die Seminarien, welche mit den meisten Fakultäten, der medizinischen, der theologischen, und der philologischen Sektion der philosophischen verbunden zu sein pflegen und fast überall als eigene Anstalten erscheinen, welche ganz besonders vom Staate gestiftet und begünstigt sind. Die Lehrer, welche ihnen vorstehen, werden dafür noch besonders besoldet, und größtenteils (nur in den klinischen Anstalten der Mediziner ist es nicht üblich) genießen auch die Jünglinge, welche daran teilnehmen, namhafte Vorteile. Es ist schon oben erwähnt, daß diese Seminarien dasjenige sind, wodurch sich die Universität der Akademie nähert, und daß die eignen darstellenden Versuche, die ins Einzelne gehenden Studien und Untersuchungen der Jünglinge darin sollen geleitet werden. Daher der innerste Kreis der reinen Philosophie auch nichts von dieser Art aufzuzeigen hat, sondern für ihn die Stelle jener Anstalten eigentlich die Disputierübungen vertreten sollten, welche den Zweck haben, sich in den philosophischen Prinzipien und in den allgemeinen Ansichten recht festzusetzen. Die Seminarien aber schließen sich an die Disziplinen an, welche mehr in das Besondere gehen, und sind dasjenige Zusammensein der Lehrer und Schüler, worin die letzteren schon als produzierend aufgetreten und die Lehrer nicht sowohl unmittelbar mitteilen, als nur diese Produktion leiten, unterstützten und beurteilen. Daß in den Seminarien Höheres, als im gewöhnlichen Laufe der Vorlesungen vorkommt, unmittelbar gelehrt werden soll, ist notwendig eine ganz falsche Ansicht. Denn auf alles unmittelbare Lehren haben auf der Universität alle ein gleiches

Recht; die Seminarien sind aber ihrer Natur nach immer nur für einen Ausschuß bestimmt. Zwischen ihnen und den Vorlesungen liegen noch die Konversatorien, in welchen die Reaktion des Jünglings zuerst dem Lehrer sichtbar wird; er unterscheidet das minder faßlich Vorgetragene und gibt es dem Lehrer zur Umarbeitung und Erläuterung zurück; er bringt Zweifel und Einwendungen vor, um sie sich lösen zu lassen. Diese fast wesentliche Form fehlt freilich häufig genug, aber die Lücke muß gewiß sehr fühlbar werden, wo sich nicht etwa eine solche freiere Vereinigung mit in den Seminarien versteckt. Schon bei dieser mehr gegenseitigen Mitteilung erscheinen gewiß nur diejenigen, in welchen der wissenschaftliche Geist sich wirklich regt. Natürlich ergibt sich hier Gelegenheit genug, den Jünglingen Arbeiten anzuweisen und sie zu Untersuchungen aufzufordern, wodurch sie mehr Licht in einzelne Gegenden ihres Wissens bringen und die Nebel, von denen sie umfangen sind, zerstreuen oder die Unbeholfenheit in ihren geistigen Tätigkeiten, welche sie drückt, überwinden können. Nur die ernsteren, hinlänglicher Kräfte sich bewußten, werden den anstrengungsvollen Weg nicht scheuen; und wenn sie das Bedürfnis fühlen, auch auf diesem die Gemeinschaft mit dem Lehrer fortzusetzen, so ist das Seminarium gemacht. Eigentlich also muß jedem Lehrer, welchem es gelingt, eine Anzahl der Jünglinge seines Faches näher an sich zu ziehn, diese Leitung ihrer eignen Arbeiten von ihnen selbst übertragen werden, jeder muß sich sein Seminarium selbst bilden. Diesem natürlichen Gange tritt der Staat in den Weg, wenn er für jede Fakultät *ein* Seminarium stiftet und dieses mit besonderen Begünstigungen *einem* Lehrer überträgt. Daran, daß der Staat gewöhnlich auf Lebenszeit verleiht und daß, auch wenn er eine solche Anstalt zuerst stiftet, doch die in Deutschland so sehr herrschende Achtung für das Alter sie dem Ältesten übertragen wird, der zu einem solchen näheren persönlichen Verkehr mit der Jugend, wenn alles übrige gleichgesetzt wird, der Regel nach der minder geschickte ist, daran wollen wir nicht einmal denken; das größte und sichtbarste Übel ist, daß, wenn *ein* Lehrer mit solchen Begünstigungen versehen ist, der Anteil an den eignen Arbeiten der Jünglinge dadurch ein Monopol wird und die andern außerstand gesetzt werden, ihr Verhältnis zu den Jünglingen zur Vollendung zu bringen und so viel zu nutzen, als sie könnten. Ebenso wenn der Staat eine bestimmte Anzahl von Studierenden, oft schon bald nach ihrer Ankunft auf der Universität, als Seminaristen begünstiget: so zieht er nicht nur die Jünglinge auf eine unreine Art zu dem Lehrer ausschließend hin, der diese Begünstigungen zu verteilen hat; sondern er verfällt auch in den so allgemein dafür anerkannten Fehler, reine Aufmunterungen, die nur selten wirklich aufmuntern, Belohnungen, ehe noch etwas geschehen ist, zu verteilen. Auf diese Art sollte es wohl keine Seminarien geben, sondern der Staat sollte die Unterstützungen, welche er jeder Fakultät zu diesem Behuf bestimmt hat, gemeinsam niederlegen, und jeder Lehrer, welcher einen Kreis von engeren Schülern zu eignen, wahrhaft wissenschaftlichen Arbeiten unter sich vereinigen will und kann, müßte den tüchtigsten unter ihnen einen Teil davon können zufließen lassen. Nur wenn der traurige Fall eintreten sollte, daß kein Lehrer von selbst und ohne eine besondere Belohnung Beruf hierzu fühlte, müßte die gesamte Anstalt oder der Staat zutreten. Vielleicht sind die bestehenden Seminarien zum Teil auf diese Art, zum Teil aus dieser Voraussetzung entstanden; auf jeden Fall aber müßte das Monopol in demselben Augenblick aufgehoben werden, wo sich ein anderer Konkurrent zu diesem Geschäft findet.

Nach ähnlichen Grundsätzen, daß nämlich der Staat nie Aufmunterungen und Wohltaten verteilen soll, sondern nur Belohnungen und Ehrenzeichen, muß auch das ganze Stipendienwesen beurteilt und auf seinen ursprünglichen Zweck zurückgeführt werden, da es nur durch die allmählich eingerissene Weichlichkeit in ein Benefizienwesen ist verwandelt worden. Der Student müsse keine anderen Stipendien mitbringen, als die er auf der Schule schon verdient hat, und diese müssen nur so lange dauern, bis er sich auf der Universität neue verdienen kann, damit er nicht, ohne daß es bemerkt und geahndet werde, aus einem trefflichen Schüler ein schlechter Student werde. Alle Unterstützungen müssen nur dem Geprüften, und für ausgezeichnet Erkannten, erteilt werden, und ein Ehrenzeichen begleite sie, so daß sich der Reiche ebensowohl darum bewerbe als der Arme und nur den Vorteil davon einem andern gern überlasse. Nur so wird der ursprüngliche Zweck erreicht und Demütigungen und Unterscheidungen vermieden, welche nirgend weniger an ihrer Stelle sind als auf der Universität.

Alles dies setzt freilich voraus, daß die Lehrer der Universität sind, wie sie sein sollen. Allein wie könnte man auch eine andere Voraussetzung als diese bei den wesentlichsten Einrichtungen zum Grunde legen? Es mag vielleicht andere Dinge geben, welche gedeihen können, wenn auch diejenigen, die daran arbeiten, nur durch einen äußern Zwang gehalten und getrieben werden; dieses Werk aber nicht, sondern es kann nur durch Lust und Liebe bestehen, und was ohne diese auch die vortrefflichsten äußeren Gebote und Statuten tun können, kann immer nur ein leerer Schein werden. Wer sich die Aufgabe setzt, eine Universität so einzurichten, daß sie gehen und Dienste leisten müßte, wenn auch die Lehrer kaum mittelmäßig wären und nicht vom besten Willen, der unternimmt ein töricht Ding. Denn was für den Geist sein und ihn kräftigen soll, das muß auch aus der Kraft des Geistes hervorgehen.

Darum ist nun freilich die erste Sorge die: wie bekommt man Lehrer, welche den rechten Sinn haben und welche alle die nötigen Kräfte mit großem Geschick zu Gebote stehen? Wir haben die wesentlichsten Zweige der Universität betrachtet; aber wie erneuern sie sich nun in jedem vorkommenden Fall am besten? Die Erfahrung scheint zu verraten, daß gerade dieser wichtige Punkt noch nicht auf eine der Idee und dem Wesen des Ganzen angemessene Art ist eingerichtet gewesen. Es finden sich überall der Mißgriffe zu viele, als daß man dies glauben könnte; und man darf nicht annehmen, daß die Anzahl tauglicher Männer zu diesem Geschäft so gering wäre, als die Anzahl trefflicher Lehrer wirklich ist; ja es lassen sich ganze Perioden unterscheiden, wo eine Universität mit fast lauter ausgezeichneten, und andere, wo sie mit minder als mittelmäßigen Männern besetzt ist. Dies scheint seinen Grund darin zu haben, daß die Regierung die Sorge für die Besetzung dieser Ämter gewöhnlich *einem* bedeutenden Staatsmanne überläßt. Hat dieser das rechte Talent und den wahren Eifer für die Sache, so wird es ihm nicht fehlen, vortreffliche Männer zusammenzubringen; folgt ihm ein anderer Übelgewählter, so werden auch dessen schlechte Wahlen allmählich statt jener trefflichen eine Reihe von unbedeutenden Männern aufstellen. Ja, es ist zu besorgen, daß nur in einem kleinen Staate, der unmöglich die Universität als für seine Bedürfnisse daseiend ansehen kann, der Aufsicht führende Staatsmann lediglich auf die wissenschaftliche Qualität sehen wird; je größer aber der Staat, desto mehr wird er sich verleiten lassen durch die so allgemeine herrschende Ansicht und den talentvollsten Gelehrten, denen es aber um die Wissenschaft selbst zu tun ist, solche Männer vorziehn, welche sich als Freunde und Meister in der Kunst gezeigt haben, die Wißbegierde der Jünglinge nur zum vermeinten Besten des Staats zu bearbeiten. Sollte man also nicht dieser so schwer zu vermeidenden falschen Richtung und jener für das Gedeihen der Universität so üblen Veränderlichkeit derselben zuvorzukommen suchen, indem man die Besetzung der Lehrstellen weniger von *einer* Person abhängig machte? Spricht nicht die Natur der Sache dafür, daß, wenn die Wissenschaft nicht untergehn soll, an der Wahl ihrer eigentlichsten Erhalter und Fortpflanzer auch der wissenschaftliche Verein einen bedeutenden Anteil nehmen müsse?

Man sagt freilich, der Kurator der Universitäten sei ja notwendig immer ein wissenschaftlich gebildeter Mann und nicht minder diejenigen, welche ihm zunächst an die Hand gehen, Mitglieder gewöhnlich des höchsten Kirchenrats oder Schulrates; allein hier tritt nun die Besorgnis ein, daß diese alle je länger, je mehr sich vorzüglich als Staatsdiener betrachten werden, und der Wunsch, daß der Anteil des wissenschaftlichen Vereins an dieser Angelegenheit bestimmter und abgesonderter von dem des Staates hervortreten möge. Auch darauf kann man freilich erwidern, es stehe jeder Universität frei, diese Wahl dem Wesentlichen nach ganz in ihre eignen Hände zu bringen und sich aus sich selbst zu erneuern. Denn sie könne aus ihren eigenen Zöglingen Privatdozenten bilden, und wenn diese eine Zeitlang mit Erfolg aufgetreten wären und sich Verdienste erworben hätten, würde der Staat sie gewiß nicht übergehen; und wenn er es auch täte, würden sie doch wirksamer sein auf der Universität als die von ihm angestellten Lehrer. Das heißt aber zu wenig aus der Natur der Sache gesprochen. Ein Privatdozent als solcher wird es nie über einen öffentlichen sanktionierten Lehrer, auch nicht über einen solchen, der ihm wissenschaftlich weit nachsteht, davontragen; bleibt er immer ausgeschlossen von der Teilnahme an der innern Leitung des Ganzen, so muß ihm Mut und Lust vergehen, und er wird sich entweder hinwegbegeben, oder sein Talent wird ungenutzt verwelken. Ist also der Staat nicht daran gebunden, solche Männer aufsteigen und einrücken zu lassen, so ist mit dieser Freiheit des Lehrens wenig gewonnen für die Sache der Wissenschaft. Auf der andern Seite aber wäre es wahrlich nicht gut, wenn eine Universität sich so ganz aus sich selbst erneuerte, wie es auch sonst keine gedeihlichen Früchte gibt, wenn in einem Boden immer nur der Same ausgestreut wird, den er selbst hervorgebracht hat; oder wie in Familien, die immer nur unter sich verkehren und heiraten, die Manieren sich versteinern und der Geist verschwindet, so würde auch eine solche Universität immer einseitiger werden und trockener. Eine jede muß vielmehr auf jede Weise auch von den andern auf sich einwirken lassen, und es müsse keiner je an Lehrern fehlen, welche in mehreren wissenschaftlichen Gemeinheiten gelebt haben, um das fremde Gute und die Früchte eines vielseitigen Verkehrs auch den nur daheim Erzogenen mitzuteilen.

Die Universität selbst muß freilich am besten wissen, was sie bedarf, so oft ihr eine Lücke entsteht oder sie Gelegenheit bekommt, sich zu erweitern; und da man bei ihren Mitgliedern Bekanntschaft voraussetzen darf mit allem, was sich Merkwürdiges auf dem vaterländischen Gebiete der Wissenschaften regt, so muß sie auch wissen, wo sie ihren Bedarf finden kann. Allein leider möchte wohl niemand dafür stimmen, ihr jede Wahl allein zu überlassen; die Universitäten sind im ganzen so berüchtigt wegen eines Geistes kleinlicher Intrige, daß wohl jeder bei einer solchen Einrichtung von der Parteisucht, von den in literarischen Fehden gereizten Leidenschaften, von den persönlichen Verbindungen die nachteiligsten Folgen befürchten wird. Der Regierung und ihren Repräsentanten, denen freilich diese Versuchungen ganz fremd sind, fehlt dagegen als solchen gar vieles, was zur richtigen Beurteilung gehört, und auch wenn sie schon erworbenen Ruhm zum Maßstab nehmen, werden sie sich oft irren.

Am meisten Schwierigkeit scheinen in beider Hinsicht zu verursachen die Lehrstellen der reinen Philosophie. Denn dieses Gebiet liegt dem Staate am entferntesten, und am wunderlichsten müßte es ihm selbst vorkommen, wenn er entscheiden sollte, wer nun der echteste Philosoph sei, der am meisten begünstiget und hervorgezogen zu werden verdiene. Auch gibt es nichts Verhaßteres auf diesem Gebiete, nichts, was gutes Vernehmen und gegenseitiges Vertrauen so sehr schwächen muß, als wenn eine Regierung Partei nimmt in Sachen der Philosophie, indem sie eines oder das andere der streitenden Systeme ausschließt oder zurücksetzt. Auf der andern Seite aber sind die Universitäten selbst immer der Kampfplatz, wo am heftigsten, und bisweilen bis zur Vernichtung, dieser Streit der Systeme geführt wird, so daß man, wenn ihnen selbst die Entscheidung überlassen wäre, die heftigsten Bewegungen fürchten müßte. Hier scheint kaum eine andere Hilfe zu sein als eben in jener Freiheit des Lehrens. Wer sich Bahn macht, dem vergönne man Raum; wem es gelingt, nachdem er sich in der gehörigen Form auf einer Universität niedergelassen, den größten Beifall zu erwerben und zu bewahren und das Talent zur Spekulation aufzuregen, den bekleide man mit dem Charakter des öffentlichen Lehrers ohne Rücksicht auf sein System, ja selbst ohne Scheu vor den Streitigkeiten, die unter gewissen Umständen auf diesem Gebiet einmal nicht zu vermeiden sind. Nur hafte kein öffentlicher Fleck auf seinem sittlichen Ruf, nur sei zugleich von ihm bekannt, daß er auch irgendein Feld des realen Wissens bearbeitet. Vielleicht ist dies das einzige Gebiet, wo ein Melden, ein Ansuchen um die öffentliche Lehrerstelle von seiten der Konkurrenten stattfinden dürfte, und die Entscheidung zwischen mehreren fast gleich qualifizierten überließe vielleicht der Kurator am besten derjenigen Klasse der Nationalakademie, welche am wenigsten in die Streitigkeiten der Parteien verflochten zu sein und den reinsten Sinn für jedes Talent an sich zu haben pflegt, nämlich der philologischen.

Auf jedem andern Gebiet scheint es weniger schwierig zu sein, wie sich am besten der Staat und der wissenschaftliche Verein in das Geschäft der Besetzung zu teilen haben. Für Stellen, an denen das Interesse des Staates als solchen sich unmittelbar ausspricht, möge der Kurator vorschlagen, mit Zuziehung derjenigen Mitglieder des ihm zugeordneten höchsten Studienrates, welche auf diesem Gebiet die höchsten gelehrten Würden erworben haben – denn andere sollten nie eine Stimme haben in Sachen der Universitäten – und wählen sollte die Fakultät, in welche der Anzustellende eintreten wird, mit Zuziehung derjenigen Sektion der philosophischen, an welcher ihre Mitglieder teilhaben oder in welche der Anzustellende auch eintreten will. Für solche Lehrstellen aber, welche den wissenschaftlichen Charakter am strengsten beibehalten, schlage die Universität selbst vor etwa drei, wie sie in der Stimmenmehrheit aufeinandergefolgt sind, und unter diesen wähle mit ähnlicher Zuziehung der Kurator. Durch eine Einrichtung dieser Art, wie sie sich auch für jede Universität eigen modifiziere, scheint das Gleichgewicht am besten gesichert und die meisten übeln Einflüsse abgehalten zu werden.

Aber wäre es nicht fast ebenso nötig zu fragen: wie kann man sich am besten zur rechten Zeit der trefflichen Lehrer wieder entledigen? Wahrlich, niemand spielt eine traurigere Rolle als ein Universitätslehrer, der sich als solcher überlebt hat, der dies fühlt und doch noch genötigt ist, sein Geschäft fortzutreiben, um nicht in einen dürftigen Zustand zu geraten! Hier sieht man, wie wichtig es einem Staate ist, nur wenig Universitäten zu haben, weil so am besten ein Lehrer während seiner blühendsten Zeit für die spätere einigermaßen sorgen kann, und vor allem wohlbegabte, so daß die Anstalt jedem Verdienten eine ehrenvolle und bequeme Zurückziehung gewähren könne. Aber ebenso wichtig ist gewiß in dieser Hinsicht ein richtiges und freundliches Verhältnis zwischen den Universitäten und der Akademie. Die Gabe der Mitteilung, wie sie der Universitätslehrer haben muß, ist ein zartes Talent, das nur in dem schönsten Zeitpunkte des Lebens sich findet; und wenn sonst Philosophen den rechten natürlichen Anfang und das Ende der Zeugungskraft zu bestimmen sich nicht scheuten, so könnte man auch für dieses Talent wohl festsetzen, daß es in der Regel zwischen dem fünfundzwanzigsten und dreißigsten Jahre anfängt sich zu entwickeln, und rasch seiner schönsten Blüte zueilt, und daß, wer das funfzigste Jahr zurückgelegt hat, einer schnellen Abnahme desselben entgegensehen kann. Nicht sowohl der aus der Wiederholung entstehende Überdruß, wie man meint, bewirkt diese Abnahme; eine solche Wirkung hat der wahre geistvolle Lehrer auf einer wohl eingerichteten Universität erst sehr spät zu befürchten; sondern je mehr die Jugend schon einem ganz anderen Zeitalter angehört als der Lehrer, je weniger er sich ihr in Gedanken assimilieren und eine bestimmte Liebe und Freude mit ihr gemein haben kann, um desto mehr muß sich die Neigung und das Geschick verlieren, sich mit ihr in nähere Verhältnisse einzulassen, und um desto unerfreulicher und unfruchtbarer wird das Geschäft. Wird aber jemand sagen, wer dieses Talent nicht mehr besitze, der sei der Wissenschaft abgestorben? und die Akademie würdige sich herab zu einer Verpflegungsanstalt, wenn sie solche Männer unter sich aufnehme? Ist nicht auch in demselben Maß erst die in einzelnen schwierigen Untersuchungen so oft störende und übereilende Lebhaftigkeit der Phantasie verschwunden und dagegen die Besonnenheit in ihrer vollen Kraft? Vollbringt nicht eben diese in solchen Jahren noch die herrlichsten Werke? Auch sehnt sich jeder wahrhaft wissenschaftliche Lehrer auf der Universität am meisten in späteren Jahren, je gründlicher er seine Wissenschaft gelehrt hat, um desto mehr nach der Muße des Akademikers, um seine Forschungen ruhiger verfolgen und die schönsten Früchte seiner Meditation zur Reife bringen zu können. Auch an solchen pflegt es nicht zu fehlen unter den Universitätslehrern, welche sich zum Geschäftsleben hinneigen, wenn ihre Lehrgabe anfängt zu verblühen. Für beide muß es einen ehrenvollen und verfassungsmäßigen Übergang geben, wenn die Universität nicht in dem Maß erkranken soll, als mehrere ihrer Mitglieder anfangen schwach zu werden für ihr Geschäft. Denn sollen sie gedeihen, so muß der Lehrer wie der Schüler eine, nur langsamer, vorübergehende Erscheinung sein.

Man sieht leicht, die natürliche Richtung der Universitäten geht dahin, den allmählich vorherrschend gewordenen Einfluß des Staates wieder in seine natürlichen Grenzen zurückzuweisen und dagegen immer mehr den Charakter des wissenschaftlichen Vereins in diesen ihm zunächst angehörigen Anstalten hervortreten zu lassen. Dies muß also auch von ihren öffentlichen Handlungen gelten und von den Formen, unter welche die Universität oder ihre wesentlichen Glieder, die Fakultäten, als ein Ganzes auftreten. Es muß sich allmählich immer genauer trennen, was zum innern häuslichen Leben der Anstalt selbst gehört, von allem, wobei sie selbst oder ihre einzelnen Glieder nur als Mitglieder der bürgerlichen Gesellschaft anzusehen sind. In allem, was zu jenem Gebiet sicher gehört, muß die Universität sich frei und unabhängig ihr Hausrecht selbst bilden und es nach Beschaffenheit der Umstände verändern können; der Staat kann sich dabei keiner Leitung anmaßen, sondern nur Mitwissenschaft fordern und Aufsicht führen, damit dieses Gebiet nicht überschritten werde. Nur von den Vorteilen und Besitztümern, welche er verliehen hat, mag er Rechenschaft fordern und verlangen, daß sie durch von ihm dafür anerkannte Sachverständige, aus deren Zahl aber doch die Universität muß auswählen können, verwaltet werden. Alles übrige ist Vormundschaft, welche nur in der Kindheit der Wissenschaft an ihrer Stelle sein kann und gegen welche die natürliche Widersetzlichkeit um so stärker sein muß, je mehr die Universität ihre Mündigkeit fühlt und zu festen Ansichten und einem gründlichen Stil ihres Lebens gelangt ist. Was aber die Formen betrifft, unter welchen sie öffentlich auftritt und ihre Rechte und Ordnungen bildet; so ist die wissenschaftliche Gesinnung unserer Zeit ihrer Natur nach durchaus demokratisch und das Bewußtsein lebendig, daß alle wissenschaftlichen Männer dem Geiste noch einander gleich sind und die Geschäfte eines jeden gleich wesentlich dem Ganzen angehören. Je mehr also die Verfassung sich frei gestalten kann, um desto demokratischer wird sie sich bilden. Es sei nun, daß eine persönliche Repräsentation aller eigentlichen Mitglieder den öffentlichen Körper konstituiere, oder ein engerer Ausschuß: der Geist wird immer derselbe sein, und auch der Form nach wird ein Ausschuß immer nur entstehen können durch freie Wahl, um diejenigen in vorzügliche Tätigkeit zu setzen, welche man für die Geschicktesten hält, den gemeinsamen Willen aller zutage zu fördern und auszusprechen. Wo ein regierender Ausschuß durch bestimmtere Qualifikationen feststehend gebildet wird, da muß sich gewiß auch in andern Dingen die zum Grunde liegende aristokratische

Gesinnung mit ihren vielfältigen Nachteilen offenbaren, vorzüglich durch Tyrannei gegen aufkeimende Verdienste, durch Haschen nach äußerem Ansehen, durch einen verschrobenen, unwissenschaftlich vornehmen Ton. Die innere demokratische Gesinnung hindert aber nicht, daß die Verfassung äußerlich eine monarchische Form habe, wie wir sie überall und gewiß zu großem Nutzen der Universitäten finden. Denn diejenigen, welche mit ihr verkehren, wenden sich natürlich zunächst an den, von dem die Ausfertigung ausgeht, sei es nun die mündliche oder die schriftliche. Ist dies nun nur ein untergeordneter Beamter, so wird dadurch nur zu sehr eine minder achtungsvolle Behandlung des ganzen Körpers erleichtert. Daher ist es sehr dienlich, daß *einer*, der übrigens innerhalb nur der erste ist unter Gleichen, außerhalb mit der Würde des ganzen Körpers bekleidet, diesen gegen die Staatsbehörden, gegen die Einzelnen und vorzüglich auch gegen die Jünglinge repräsentiere. Dies ist die wahre Idee eines Rektors der Universität, welcher, um dem demokratischen Charakter des Ganzen nichts zu vergeben, aus dem repräsentierenden Körper und von demselben nach bestimmten Formen und auf eine bestimmte Zeit muß wählbar sein. Wo ihn der Staat aber ernennt, vielleicht auf lange Zeit oder lebenslänglich, vielleicht gar auch innerlich ihn mit größern Vorrechten begabt, als nur der erste zu sein unter Gleichen, da ist schon die wahre wissenschaftliche Freiheit gefährdet und ein verderbliches Übergewicht solcher Ansichten zu fürchten, welche die Wissenschaft zum bloßen Dienst des Staates herabwürdigen. Denselben demokratischen Charakter muß auch die Geschäftsführung einer jeden einzelnen Fakultät haben. Wo ein Präsidium ist, ist es wechselnd entweder durch Wahl oder, was bei einer kleineren Anzahl natürlicher ist, durch Reihenfolge und hebt innerhalb die Gleichheit aller nicht im mindesten auf. Wenn man irgend, sei es dem Lebensalter oder dem Geschäftsalter oder aus sonst einem Grunde einem Einzelnen einen inneren Vorzug einräumt: so muß das Ganze notwendig den Charakter der Schwächlichkeit bekommen, der dem Alter eigen ist, oder leiden durch die Abhängigkeit von der Beschränktheit eines Einzelnen.

5.
Von den Sitten der Universität, und von der Aufsicht

Dies ist die größte Klage, welche seit langer Zeit geführt wird über die deutschen Universitäten, daß im ganzen rohe und allen Umgebenden lästige Sitten, daß eine höchst unordentliche Lebensweise der den Wissenschaften obliegenden Jünglinge fast unzertrennlich scheint von ihrer ursprünglichen Gestalt und Verfassung und daß aus dem in ihr gegründeten Mangel an Aufsicht über eine bis zum Übermut mutige Jugend nicht nur eine Menge kleiner Frevels und Störungen der Ruhe entstehen, sondern auch viele von den vortrefflichsten Einrichtungen dadurch vergeblich gemacht werden und selbst das Beste auf der Universität ohne Nutzen bleibt: so daß man zweifeln müßte, meinen viele, ob nicht dennoch wegen dieses *einen* Punktes eine Umarbeitung der ganzen bisherigen Form zu wünschen wäre.

Alles durcheinander, was den Gegenstand dieser Beschuldigung ausmacht, ist unter dem Namen der akademischen Freiheit bekannt und verschrieen, von den meisten gefürchtet, wenn es in ihre Nähe kommen sollte, und der Beschreibung nach gehaßt von denen, die sie nicht kennen oder die vergeßlich und undankbar sind gegen ihre Jugend, vielen aber eine erfreuliche und anmutige Erinnerung an die reichste und kräftigste Zeit des Lebens, und wenigen, welche in den Zusammenhang eingeweiht sind, ein interessanter Gegenstand und die dabei vorkommenden Schwierigkeiten zu lösen eine wichtige Aufgabe.

Sie hat zwei Seiten, diese Freiheit der Studenten, welche wir abgesondert betrachten wollen. Die eine ist die Freiheit, welche sie in Vergleich mit der Schule, von der sie herkommen, auf der Universität genießen, in bezug vornehmlich auf ihre geistigen Beschäftigungen. Sie sind dabei keiner Art des Zwanges unterworfen; nirgends werden sie hingetrieben, und nichts ist ihnen verschlossen. Niemand befiehlt ihnen, diese oder jene Lehrstunden zu besuchen; niemand kann ihnen Vorwürfe machen, wenn sie es nachlässig tun oder unterlassen. Über alle ihre Beschäftigungen gibt es keine Aufsicht, als nur so viel sie selbst einem Lehrer freiwillig übertragen. Sie wissen, was von ihnen gefordert wird, wenn sie die Universität verlassen, und was für Prüfungen ihnen dann bevorstehen; aber mit welchem Eifer sie nun diesem Ziel entgegenarbeiten wollen und wie gleichförmig oder ungleich ihn verteilen, das bleibt ganz ihnen selbst anheimgestellt. Man sorgt dafür, daß es ihnen an Hilfsmitteln nicht fehle, um immer tiefer in ihr Studium einzudringen; wie gut oder schlecht sie sie aber benutzen, darüber zieht sie, wenn es auch bemerkt wird, wenigstens niemand unmittelbar zur Rechenschaft. So haben sie also volle Freiheit, sich der Trägheit zu überlassen und den nichtswürdigen Zerstreuungen und können anstatt eines löblichen Fleißes die schönste Zeit ihres Lebens unverantwortlich verschwenden. Und was für ein großer Schade ist es nicht, meint man, wenn auf diese Art viele Jünglinge ohne bedeutenden Nutzen von der Universität zurückkehren, da sie allerdings viel würden gelernt haben, wenn sie in besserer Zucht und Ordnung wären gehalten worden und einem heilsamen Zwang unterworfen gewesen.

Allerdings würden manche mehr lernen auf diese Art; allein man vergißt, das das Lernen an und für sich, wie es auch sei, nicht der Zweck der Universität ist, sondern das Erkennen; daß dort nicht das Gedächtnis angefüllt, auch nicht bloß der Verstand soll bereichert werden, sondern daß ein ganz neues Leben, daß ein höherer, der wahrhaft wissenschaftliche Geist soll erregt werden, wenn er anders kann, in den Jünglingen. Dieses aber gelingt nun einmal nicht im Zwang; sondern der Versuch kann nur angestellt werden in der Temperatur einer völligen Freiheit des Geistes, schon an und für sich, vornehmlich aber unter Deutschen und mit Deutschen. So wie nur durch Liebe und Glauben und dadurch, daß man ihn empfänglich annimmt für beides, der Mensch kann unter das Gesetz der Liebe und des Glaubens gebracht werden, nicht durch irgendeine Gewalt oder durch einen Zwang äußerer Übungen; so auch zur Wissenschaft und zum Erkennen, welches ihn befreit vom Dienst jeder Autorität, kann er nur kommen, indem man lediglich durch die Erkenntnis und durch kein anderes Mittel auf ihn wirkt, indem man schon die Kraft in ihm voraussetzt, welche ihn entbindet, irgendeiner Autorität zu dienen, als nur insofern sie sein eignes Erkennen wird und also aufhört Autorität zu sein. Und nun wir Deutsche noch besonders, wir geschworenen Verehrer der Freiheit nicht nur, sondern der Eigentümlichkeit eines jeden, die wir nie etwas gehalten haben von einer allgemeinen Form und Norm des Wissens wie des Glaubens, noch von einer einzigen unfehlbaren Methode dazu zu gelangen für alle, wie können wir anders als annehmen, daß dieser höhere Geist des Erkennens in jedem auf eine eigene Weise hervorbreche? Wie können wir anders als annehmen und durch unsre Einrichtungen dartun, daß dieser Prozeß durchaus auf keine mechanische Weise könne gehandhabt werden, sondern einen ganz entgegengesetzten Charakter, nämlich den der Freiheit, in allen seinen Teilen an sich tragen müsse? Darum können wir alles, was dazu gehört, nicht anders als höchst zart behandeln; darum sind wir überzeugt, es müsse jedem von den Anleitungen, die dazu führen, eine große Mannigfaltigkeit dargeboten werden, und versetzen eben darum alle, denen wir zum Erkennen verhelfen wollen, in eine so große Gemeinschaft der geistigen Anregungen aller Art; darum setzen wir voraus, jeder müsse am besten wissen, wieviel von diesen Anregungen er vertragen und sich aneignen könne; darum wollen wir gern Raum lassen allem, was jedem von innen kommt, als den ersten Spuren und Andeutungen dessen, was wir zu erreichen streben, und wollen keinen darin beschränken, wie er beides miteinander mische und sich in jedes vertiefe; darum lassen wir jeden, soviel es in einer Gemeinschaft möglich ist, auswählen die schönsten und kräftigsten Stunden und ihn die anderen nutzen, wie er will und kann.

So hängt dieser Teil der studentischen Freiheit innig zusammen mit unserer nationalen Ansicht von der Würde der Wissenschaft, und es müßte uns unmöglich sein, diejenigen anders zu behandeln, welche wir für bestimmt halten, Wissende zu werden. Guter Rat darf nicht fehlen, und die Einrichtung der Universitäten gibt Veranlassung genug, ihn zu erteilen; aber auch die mindeste Spur von Zwang, jede noch so leise bewußte Einwirkung einer äußeren Autorität ist verderblich. Bei einer mechanischen, schulmäßigen Einrichtung würde es ein Wunder sein, gesetzt auch, die Lehrer wären alle vortrefflich und alles übrige ebenfalls, wenn diejenigen, die wirklich fähig sind zur Erkenntnis zu kommen, auf der Universität und durch sie dazu gelangten; denn je mehr sich der Geist der Wissenschaft regt, desto mehr wird sich auch der Geist der Freiheit regen, und sie werden sich nur in Opposition stellen gegen die ihnen zugemutete Dienstbarkeit. Und diejenigen, welche die Natur für die Wissenschaft bestimmt hat, sind doch die würdigsten, die eigentlichsten Glieder der Universität; alles ist um ihretwillen da, alles muß sich auf sie beziehen, und nichts darf gelitten werden, was ihnen schlechthin zuwider sein müßte.

Wir haben freilich gesehen, daß die größere Anzahl immer aus solchen bestehen wird, welche nicht bestimmt sind, in das Innerste der Wissenschaft einzudringen; aber ebenso auch, daß es in dem Geiste der Universität liegt, keinen äußeren Unterschied in der Behandlung beider festzusetzen, sondern von der Voraussetzung auszugehn, als würden alle sich zu jener Höhe erheben lassen. Darum müssen alle sich dieser Freiheit erfreuen, und hievon ist um so weniger etwas nachzulassen, da ja gar nicht folgt, daß diejenigen, die freilich nicht den rechten Nutzen aus ihr ziehen, sie deshalb mißbrauchen müssen als eine Lockung zur Trägheit und Zerstreuung. Ist doch auf jeder Universität bei weitem die größte die Anzahl der gar nicht genialischen oder sich eigentümlich und auszeichnend entwickelnden, aber doch treuen und fleißigen Jünglinge. Und das ist auch ganz natürlich. Denn diejenigen, in welchen sich keine höhere Kraft regt, und oft wild und verworren genug äußert, ehe sie aus der Gärung in die Klarheit des Bewußtseins übergeht, diese sind desto lenksamer durch alles, was ihnen edel erscheint. Auf sie ist zu wirken durch die Macht der Liebe und der Ehre, in ihnen ist lebendig zu erhalten die Anhänglichkeit an das Haus, an den Staat, an den Beruf, den sie sich vorgesetzt haben, an alles, was Gesetz und Ordnung heißt. Wenn also Eltern und Pfleger Jünglinge zur Universität senden, in denen sie den Genius vermissen, welcher die Freiheit schlechthin fordert; so mögen sie nur dafür sorgen, sie hinzusenden aufs feste gebunden durch alle diese schönen Bande. Die Universität kommt ihnen ja auf alle Weise zu Hilfe. Sie bietet religiöse Anstalten dar, welche nicht etwa nur um dieser untergeordneten Glieder willen, sondern ebensosehr auch für die edelsten und trefflichsten, um die Wissenschaft und die innerste Kraft des sittlichen Lebens auf das festeste zu binden, nirgends fehlen sollten;

sie vergegenwärtiget in den Entlassungen derer, welche die öffentlichen Zeugnisse ihrer fortgeschrittenen Bildung ausstellen, die Zeit, wo jeder anfängt zu ernten, was er gesäet hat; sie besitzt eben in ihren Seminarien, ihren Preisaufgaben, ihren dargebotenen Belohnungen und Ehrenzeichen sehr kräftige Ermunterungen zum Fleiß und Erweckungen der Ehrliebe. Gibt es aber auf der Universität Jünglinge, welche weder durch diese Mittel zu einem regelmäßigen Studium zu bringen sind, noch kraft jener Freiheit selbst und der durch sie sich entwickelnden innern Lust und Liebe zur Wissenschaft unmittelbar den dargebotenen Unterricht nutzen: so sind dies unstreitig solche, welche gar nicht auf eine Universität, und gar nicht, auch nicht als treue Arbeiter in das Gebiet der Wissenschaft gehören, welche entweder ganz abgeneigt sind der Erkenntnis oder gar auch einer niedrigen Denkungsart hingegeben. Daß sich dies eher zeigt in diesem Reiche der Freiheit und vielleicht schneller die Oberhand gewinnt, das ist weder für sie selbst, für ihre Sittlichkeit und ihren persönlichen Wert, noch auch für die Gesellschaft ein Verlust zu nennen, welche es lieber darauf wagen muß, daß solche, die schon einen unrichtigen Weg eingeschlagen hatten, die Zeit verlieren oder eiliger in ihr Verderben gehn, als daß sie denen, auf welchen ihre schönsten Hoffnungen ruhen, das Mittel entziehen sollte, diese wirklich zu erfüllen. Mögen diejenigen zusehn, welche ihre Pflegebefohlenen in diesen reichen und üppigen Boden verpflanzen, wo freilich ganz umkommt, was seiner nicht bedurft hätte, um zu gedeihen! Die Freiheit aber, mit jedem den Versuch zu machen, wie er ihm zusagt, darf weder der Staat noch der wissenschaftliche Körper beschränken. Wenn der letzte schon auf den gelehrten Schulen über der angehenden Jünglinge geistigen Zustand Gutachten ausstellt, welche ihren Pflegern als Rat und Wink dienen können; wenn der erstere die gesetzliche Notwendigkeit, die Universität besucht zu haben, nicht über die Gebühr auch auf solche Geschäfte ausdehnt, die mit der Wissenschaft gar nicht zusammenhängen; wenn er das Vorurteil nicht beschützt, als seien die Universitäten das einzige Mittel, um zu einem gewissen, sehr mäßigen Grade einer ziemlich oberflächlichen geistigen Bildung zu gelangen: so ist alles geschehen, was geschehen konnte, um diejenigen vor der Universität zu bewahren, denen sie verderblich sein muß.

Doch betrachten wir nun auch die andere Seite der studentischen Freiheit. Diese nämlich ist Freiheit in Vergleich mit dem Zustande, welcher auf die Universität folgt, wenn jeder in die bürgerlichen und in die gewöhnlichen geselligen Verhältnisse eintritt. Das Wesentliche dieser Freiheit recht zu fassen, ist eigentlich nicht leicht. Der eigene Gerichtsstand ist wohl nur ein sehr weniges oder gar nichts davon. Auch kann man nicht sagen, daß den Studenten etwa Vergehungen gegen die Gesetze nachgesehen würden, welche in andern Verhältnissen der Strafe nicht entgehen könnten. Vielmehr genießen sie hierunter keiner andern Begünstigungen, als welcher sich die Jugend überhaupt erfreut, ja sie sind noch Strafen ausgesetzt, welche härter sind als alle sonst gewöhnlichen, weil sie, wenigstens der Absicht des Gesetzes nach, einen entscheidenden Einfluß auf die künftige Lebenszeit haben. Ebensowenig ist die Sache in andern bestimmten Vorrechten zu suchen, welche die Studenten als ein eigen privilegierter Stand genössen. Genaugenommen möchte das Wesen dieser Freiheit nur darin bestehen, daß die Studenten unter sich von fast alle dem sich frei halten, was sonst in der Gesellschaft Konvenienz ist, daß sie sich an die Sitten nicht binden, denen hernach jeder in dem Stande, welchen er wählet, sich fügen muß, sondern daß sich auf der Universität die verschiedensten Sitten und Lebensweisen auf das freieste entfalten können. Auf der Straße leben und wohnen auf antike Art; sie mit Musik und Gesang, oft ziemlich rohem, erfüllen, wie die Südländer; schlemmen wie der Reichste, so lange es gehen kann, oder einer Menge von gewohnten Bequemlichkeiten bis zu zynischer Unordnung entsagen, wie der Ärmste, ohne eines von beiden zu sein; die Kleidung aufs sorgloseste vernachlässigen oder mit zierkünstlerischer Aufmerksamkeit eigentümlich daran schnörkeln; eigne Sprachbildung, eigene geräuschvolle Arten, Beifall oder Tadel zu äußern, und ein vorzüglich auf diese ungestörte Mannigfaltigkeit sich beziehender, gewissermaßen öffentlich eingestandener und gestatteter Gemeingeist, dies ist unstreitig das Wesen der studentischen Freiheit, und alles, was sich sonst noch daran hängt, nur zufällig.

So die Sache angesehen, möchte man fast zuerst fragen, warum denn diese Freiheit so übel berüchtiget ist und warum es sie denn nicht geben soll? Die kleinen Unordnungen und die Verschwendung väterlicher Güter, welche daraus in einzelnen Fällen entstehen, sind Kleinigkeit gegen das, was die Jugend der begüterten Stände, auch ohne alle Universität, in andern Verhältnissen ausübt. Die kleinen Unbequemlichkeiten, welche den Einwohnern eines Universitätsortes daraus erwachsen, müssen eben als ein lokales Übel angesehen werden, deren eines oder das andere es doch überall gibt, und nachteiligen Folgen dieser Art vorzubeugen, ist eine Aufgabe teils für die Polizei, teils für den Einfluß, welchen sich Lehrer und Vorgesetzte müssen zu erwerben suchen. Wenn doch diese Freiheit sich so von selbst bildet, daß sie von dem innersten Geiste der Universität unzertrennlich zu sein scheint; wenn doch hier die Mannigfaltigkeit und Eigentümlichkeit der Sitten um so stärker heraustritt, als in anderen Ständen die Gleichförmigkeit und Charakterlosigkeit überhandnimmt: so scheint sie ja ein heilsames Gegengewicht, welches man müßte gewähren lassen, wenn nicht die wichtigsten Gründe entgegenstehn. Man nehme hinzu, daß in der Art, wie die meisten Menschen sich eingestanden ungern den lästigen Formen fügen, wie die niedern Stände den höhern schmeicheln und sich schmiegen, diese Jünglinge, welche die Wahrheit und das Wesen der Dinge und des Lebens suchen, zunächst nichts anderes sehen können als Feigherzigkeit, Trägheit, niedrigen Eigennutz. Soll man ihnen nicht vergönnen, hiegegen den Einspruch so stark und so praktisch als möglich auszudrücken?

Doch es ist wahrlich auch sehr leicht einzusehen, warum diese Freiheit stattfinden muß und daß sie Beziehungen von der größten Wichtigkeit hat. Im allgemeinen ist die Zeit, wo der Mensch sein besonderes Talent unterscheiden lernt, wo er sich seinen Beruf bildet und aus dem Zustande des persönlichen Unterworfenseins, des Gehorsams, in ein selbständiges Dasein übergeht, zugleich auch die, wo sein Charakter sich festsetzt, wo sein Gemüt eine bestimmte Richtung nimmt und ein bleibendes Verhältnis von Neigungen sich entwickelt. Daß also hier der Übergang zur Selbständigkeit, daß das Werden des Lebens durch freie

Wahl sich auch äußerlich ausprägt, ist natürlich, und es zeigt dies auch mehr oder weniger in allen Verhältnissen. Bei denenjenigen aber, die sich der Erkenntnis ergeben haben, soll ja diese Entwicklung nicht nur die eigentümlichste sein, weil sie sonst auf einer niedrigeren Stufe zurückbliebe, als ihrem Streben nach Erkenntnis ziemt; sondern sie muß auch, damit nicht das alte Abgedroschene sich bewähre, daß die Gelehrtesten am wenigsten sehen, was vor den Füßen liegt, ebenfalls eine Sache des Erkennens sein, sie müssen sich selbst, wie sie werden, auf das bestimmteste finden. Darum eben sorgt man sie aus der Familie zu entfernen, damit nicht das Gemeinsame derselben die persönliche Eigentümlichkeit zu überwältigen scheine; darum hält man sie noch zurück von der Verbindung mit dem Staate, damit sie dieser großen Gewalt nicht eher anheimfallen, bis sie ihr eigentümliches Dasein, so wie es einem Erkennenden geziemt, festgestellt haben. Dies alles aber würde umsonst sein, wenn sie sich nicht eine Zeitlang in einer Lage befänden, wo sie ganz ihrem eigenen sittlichen Gefühl überlassen sind, wo nichts bloß Äußeres, wie eine in der Gesellschaft, welcher sie noch nicht angehören, gebildete Schicklichkeit für sie allerdings wäre, ihre Neigungen zurückhält, wo sie jede Weise und Ordnung des Lebens versuchen und sehen können, wie mächtig jede Lust und Liebe in ihnen zu werden vermag. Dadurch allein werden sie fähig, in der Folge ihre Stellung und ihre Lebensweise richtig zu wählen und keine anderen Verbindungen zu knüpfen, als die ihrer Natur angemessen sind. Die durch diese Freiheit hier zu weit geführt werden, die ihr eignes sittliches Gefühl nicht in solchen Schranken hält, daß sie ihrer Würde nicht verlustig gehen, das sind offenbar auch die, welche gar nicht auf die Universität gehörten, welche diese Würde, deren sie so leicht verlustig gehen, nie besessen haben, und deren, wie man meint hier erst verderbte, Sittlichkeit nichts gewesen ist als ein erzwungenes Werk äußerer Zucht und Gewöhnung. Denn wer in der Tat Wahrheit sucht, und andere sollten doch nicht sein Mitglieder dieser Anstalt, der ist auch in sich selbst sittlich und edel; bei ihm wird auch die Erkenntnis vorzüglich Eingang finden, die ihn das Niedrige als nichtseiend und leer verwerfen lehrt; und wenn ein solcher auch in mancherlei Verirrungen hineingeworfen wird und so die Gewalt der Natur an sich selbst erfährt, so werden auch diese nicht an ihm verloren und noch weniger von solcher Art sein, daß man aufhören müßte, ihn zu achten und zu lieben. Die aber keiner andern als einer von außen hervorgebrachten Sittlichkeit fähig sind, werden auch keiner wahren Erkenntnis fähig sein, ja, auch nicht der Einsicht und Bildung, welche selbst in den mehr Untergeordneten auf der Universität soll hervorgebracht werden. Wenn sie also Schaden leiden durch die Art, wie sich diese Unfähigkeit offenbart, so ist er nicht den für ihre wahren Mitglieder notwendigen Einrichtungen dieser Anstalt zuzuschreiben.

Aber es lohnt wohl, daß man nicht nur das Innere, sondern auch das mehr Äußerliche dieser Freiheit betrachte, nicht nur, was sie für den Charakter ist, sondern auch, was für die Sitten. Die Sitten sind der Ausdruck der innern Sittlichkeit, und inwiefern sie sich als etwas Gemeinsames bilden und als eine Norm für mehrere, sind sie der Ausdruck ihrer gemeinsamen Sittlichkeit, ein Werk des Bewußtseins, welches jede Gesellschaft und jede Abteilung derselben hat von ihren Verhältnissen. Soll nun die Sittlichkeit reiner werden und das Bewußtsein klarer: so müssen auch die Sitten und das, was für anständig gilt, nicht unveränderlich sein, sondern bildsam, und müssen auch wirklich gebildet werden. Hier ist nun eben der Vorzug und die Eigentümlichkeit von Deutschland, daß von jeher die Bildung der Sitten nicht ausgegangen ist von den äußerlich höheren Ständen, deren Hoheit ja eben auch nur Sitte ist und also in Frage steht, sondern von denen, welchen vermöge ihres Geschäftes die ursprünglich bildende Kraft der Erkenntnis einwohnen muß. Diese haben teils in ihrem Kreise unmittelbar den freieren Stil des Lebens eingeführt, der sich von da aus verbreitet hinauf und hinabwärts; teils prüfend entschieden, was von dem Vorhandenen oder anderwärts neu Entstehenden verworfen zu werden verdiene oder angenommen. Die also auf der Universität sich zur Erkenntnis bilden, sind zugleich die, welche in Zukunft auch die Sitten bilden sollen. Können wir nun von diesen verlangen, daß sie immer nur aus Gehorsam in Gehorsam gehen sollen, aus dem des väterlichen Hauses in den der Konvenienz ihrer künftigen Verhältnisse? Sollen sie von Anfang an und immer dem unterworfen sein, was sie bilden sollen? Vielmehr kann ja der Übergang von dem Gehorsam zu ihren bildenden Einflüssen nur der sein durch eine Periode, in welcher sie sich frei fühlen von solchem Zwang, in welcher jeder, eine große Mannigfaltigkeit vor sich habend, seine eigenen Sitten sich frei bildet, wie er sie seinen jetzigen Verhältnissen angemessen findet; nicht damit sie so bleiben, was ja auch nicht geschieht, sondern damit er lerne, auch in künftigen Verhältnissen die Sitte, die er findet, ihnen angemessener gestalten. Darum arbeitet diese Freiheit, wie sie sich unter uns gestaltet hat, so vorzüglich auf das hin, was uns grade am meisten fehlt, auf den liberalen Ausdruck des Eigentümlichen auch in einer gemeinsamen Form. Wer Gelegenheit gehabt hat zu beobachten, dem wird auch nicht entgangen sein, wie sich die studentische Freiheit als ein wirksames Mittel zu diesem Zwecke bewährt, wie sehr sie, zumal, wenn auch die Erkenntnis der Jünglinge auf diesen Punkt gerichtet wird, hilft, das Wesentliche und Wahre vom Zufälligen und Leeren unterscheiden, und finden lehrt, was auf der einen Seite notwendig geschehen muß und was auf der andern höchstens geschehen kann unter den gegebenen Umständen.

Daß die Jünglinge sich hernach anfänglich scheu zeigen und verlegen, daß ihre ersten Versuche in der Gesellschaft oft linkisch ausfallen, ist kein Unglück, und der Fehler würde sich noch eher verlieren, wenn das Verhältnis der Studenten zur Gesellschaft auf der Universität selbst richtiger organisiert wäre. Die Studierenden bedürfen einer großen Abgeschiedenheit von den übrigen; sie dürfen in die Leerheit des gewöhnlichen geselligen Verkehrs nicht hineingezogen werden. Auf der andern Seite aber kann sich nie eine Klasse von Menschen ungestraft ganz isolieren. Das rechte Maß ist auch hier ein natürliches. Wenn der Umgang der Lehrer mit den Schülern lebendig und auf den rechten Ton gestimmt ist; wenn die Ausgezeichnetern, die allein daran teilnehmen können, auch von allen andern Seiten so qualifiziert sind, daß ihnen ein bedeutender Einfluß auf ihre Gefährten nicht entgehen kann; wenn die Älteren die rechte Gewalt ausüben über die Neulinge, alles ohne dem Wesen der studentischen Freiheit zu nahe zu treten: so wird auch hier das Rechte immer mehr erreicht werden

und das nach jedem vernünftigen Maßstab rohe und unge-
schlachte Wesen sich immer mehr verlieren.

Wohl! wird auch dies alles zugegeben, so klagt man noch
über zwei große und wesentliche Übel, welche jene Freiheit
begleiten und von welchen unrecht wäre, ganz zu schweigen.

Das eine ist, daß die Studenten alles Nichtstudentische in
diesen einen großen Gegensatz als Philisterwesen zusam-
menwerfen, und sich jede nur nicht offenbar straffällige
Verhöhnung dagegen erlauben. Dieser herrschenden Stimmung liegt aber etwas sehr Wahres zum Grunde, nämlich
der Gegensatz zwischen dem höchsten bildenden Prinzip,
welches sie in sich zu entwickeln da sind, und der rohen,
gemeinen, der Bildung widerstrebenden Masse, der sich ihnen desto stärker aufdringt, je weniger sie selbst noch in
dem lebendigen bildenden Verhältnis zu dieser Masse
stehn. Die Verachtung und Härte gegen die widerstrebende
sittliche und geistige Roheit sollte man ihnen nur recht tief
einprägen und es ihnen zum Ehrenpunkt machen, in dieser
Hinsicht immer Studenten zu bleiben. Wenn sie aber glauben, das bildende Prinzip nur unter sich und überall sonst
die verächtliche Masse zu finden: so ist das der Ausbruch
des Übermutes, der zurückgedrängt werden muß, und die
natürliche Folge jener zu starken Isolierung. Aber im ganzen kann man auch der Gesamtheit dieser Jünglinge Ge-
rechtigkeitssinn nicht absprechen; das Achtungswerte, was
sich ihnen als solches offenbart, wissen sie zu ehren. Man
zeige ihnen nur recht viel Edles in recht freien Formen;
man sorge nur dafür, daß sie nicht unter denen, die ihnen
die Nächsten sind, unter ihren Lehrern, das Gemeine hau-
fenweise erblicken: so wird auch hier der Mißbrauch leicht
beseitiget werden, ohne daß das Gute verlorengeht.

Das andere ist der Zweikampf, und dieser ist eine höchst
natürliche und unvermeidliche Erscheinung. Diejenigen,
welche die Wissenschaft suchen und in noch nichts anderes
verflochten sind, sind dem Staate mehr als sonst irgendein
Einzelner fremd und können nicht gewohnt sein, einander
aus dem Gesichtspunkte des Bürgers zu betrachten. Auch
insofern sie damit beschäftiget sind, ihrer Person die höchste Würde zu verschaffen und sich innerlich durch Erkenntnis über alle anderen zu erheben, müssen sie, hinzugenom-

men das Feuer der Jugend, am reizbarsten sein gegen Kränkungen, die ihrer Person widerfahren, und können weniger als andere in Ehrensachen Recht und Genugtuung vom Gesetz nehmen, da dies fast überall Erörterungen vorschreibt, welche das reizbare Gefühl aufs neue empören – oder Abstufungen in der äußern Würde und demgemäß auch Verschiedenheiten in der Zurechnung und Strafe der Beleidigungen annimmt, welche sie sich nicht können gefallen lassen. Dazu kommt, daß, so wie in den Augen der der Wissenschaft Beflissenen ihre Person den höchsten Wert hat, sie auf der andern Seite noch durch keine besondere Verbindung verpflichtet sind, ihrer zu schonen, und daß also für das höchste Gut auch der höchste Preis geboten und gewagt wird. Es liegt zutage, daß die Sühne für persönliche Beleidigungen die Aufgabe ist, welche der Staat noch am wenigsten zu lösen weiß, und in allen Ständen offenbart sich die Neigung, sich selbst zu helfen. Aus dem Gesagten erhellt nun wohl, daß, solange es noch irgendeinen Stand gibt, bei welchem der Zweikampf die übliche Form dieser Selbsthilfe ist, gewiß auch auf der Universität keine andere wird gebräuchlich sein, und daß in Zukunft wie bisher alle Anstalten, ihn abzuschaffen, vergeblich sein werden, bis etwa auf einem andern Wege die Gesetzgebung und das herrschende Ehrgefühl einander nähergekommen sind. Tragische Ausgänge sind auch so selten, daß man bei weitem weniger Aufheben von der Sache machen würde, wenn nicht unter den bürgerlichen Ständen eine panische Furcht herrschte vor dem Gedanken an das Klirren der Degen. Daß jedoch großer Mißbrauch mit dem Zweikampf getrieben wird, läßt sich nicht leugnen, auch wenn man die Sache selbst als unvermeidlich ansieht. Aber eben gegen diese Mißbräuche ließe sich viel tun, wenn man nicht so hartnäckig darauf bestände, alle Mittel, die man in Händen hat, nur an der vorderhand unmöglichen Abstellung zu verschwenden. Vorzüglich müßten alle gymnastischen Übungen und namentlich das Fechten unter öffentlicher Autorität kunstmäßig bis zur höchsten Vollkommenheit getrieben werden. Dadurch würde der Zweikampf nicht nur minder gefährlich werden, sondern auch, indem jeder sich den Ruf der Gewandtheit, der Stärke, des Mutes schon durch die Übungen erwerben könnte, würden die Trefflichsten es am leichtesten verschmähen dürfen, für jede Kleinigkeit Genugtuung zu fordern, weil doch niemand es auslegen könnte als Feigherzigkeit, und so würde das Ehrgefühl selbst von innen heraus sich allmählich berichtigen. Ja, auch viele Veranlassungen zum Schlagen würden wegfallen. Denn auch hier zeigt sich, welch eine gefährliche Sache es ist, wie ein alter Weiser sagt, die Seele zu üben ohne den Leib. Weil es auf den Universitäten so viele gibt, die dieses tun, so entsteht eben daraus auch das Entgegengesetzte, daß viele wiederum den Leib üben ohne den Geist, und in diesen bildet sich dann das äußere Ehrgefühl des Standes, welchem sie angehören, auf eine desto herbere und leidenschaftlichere Art bis zur wirklichen Schlagesucht. Ist hierin das Gleichgewicht hergestellt, so werden nur noch wenige Fälle übrigbleiben für unvermeidlichen Zweikampf. Anerkennen kann der Staat, und selbst die Korporation der Universität, insofern sie gerichtliche Funktionen ausübt, freilich auch diese nicht; aber sie wird dann die Maßregel, die Zweikämpfe so viel möglich zu ignorieren, wenigstens auf diejenigen nicht mehr anwenden dürfen, welche die gymnastischen Übungen verabsäumt und sich geschlagen haben, ohne ausgelernte Fechter zu sein, auch auf diejenigen nicht, welche den bei weitem zufälligeren Schuß dem Gefecht vorziehen. Dadurch würde, bei gehöriger Wachsamkeit, ohne dem Ehrgefühl zu nahe zu treten, dieses gefährliche Spiel bald in die möglichst engen Schranken zurückgewiesen werden.

6.
Von Erteilung der gelehrten Würden

Dies ist unstreitig die am meisten veraltete Partie unserer Universitäten. Die scholastische Form der Disputationen ist zu einem leeren Spielgefecht geworden: und da man es auch mit dem übrigen durchgängig nicht sonderlich genau genommen hat, so ist der Kredit fast aller auf der Universität erteilten Würden tief unter den Punkt der Satire herabgesunken. Es fehlt nur noch, daß man es als einen Maßstab der größten Schnelligkeit angäbe, wie ein Student sich in einen Doktor der Philosophie verwandelt. Der größte Beweis aber dieses allgemeinen Mißkredits ist, daß häufig der Staat diese Würden nicht einmal für zureichend hält, um den Besitzern ohne weitere Prüfung die Praxis in den Gerichtshöfen oder auch die ärztliche zu verstatten, was in der Tat eine solche Unzufriedenheit desselben mit den Universitäten voraussetzt, daß man sich nur wundern muß, wie er sie doch sonst anerkennt und unterstützt. Fast nur in den ehemaligen kleinen Reichsländern und Reichsstädten, die selbst keine Universitäten haben, gleichsam als ob dies nur bei minderer Kenntnis der Sache möglich wäre, hat sich noch die Achtung für diese Würden erhalten, welche der Idee derselben angemessen ist. Und doch geschehen diese öffentlichen Erklärungen großenteils für den Staat und in Beziehung auf ihn. So geht es, wenn ein Institut das klare Bewußtsein seines Zweckes sich nicht erhält und also verfehlt, sich allmählich nach Maßgabe desselben umzubilden. Dann ist ihm späterhin nicht anders mehr zu helfen als durch große durchgreifende Reformen; und nur durch diese könnte auch den Graden, welche die Universität erteilt, ihr verlorenes Ansehn wieder verschafft werden.

Die wahre Bestimmung der gelehrten Würden ist leicht einzusehn, wenn man sich an das bisher Gesagte hält. Soll es einen wissenschaftlichen Verein geben als eine äußere Gesellschaft: so muß es auch eine äußere Handlung geben, durch welche der Einzelne aus der übrigen Masse abgesondert und in denselben aufgenommen wird. Da nun auf der gelehrten Schule diese Sonderung nicht streng und eigentlich erfolgen kann, sondern auch zur Universität noch alle diejenigen müssen zugelassen werden, welche sich auf der Schule nur ein vorläufiges Recht erworben haben, nach dieser Aufnahme zu streben: so kann diese Handlung nur nach zurückgelegter Laufbahn auf der Universität erfolgen. Natürlich aber ist die Aufnahme selbst und die Entscheidung über die Würdigkeit auf das genaueste verbunden, und die letztere kann nur dadurch entstehen, daß durch die Tat selbst ein einstimmiges Urteil des Aufzunehmenden und derer, welche den wissenschaftlichen Verein dabei repräsentieren, sich bilde. Hieraus erklärt sich auch die Form dieser Handlungen im allgemeinen. Es muß dadurch dokumentiert werden, daß der Einzelne den Geist der Wissenschaft als Prinzip in sich aufgenommen hat; dies geschieht durch das Gespräch, durch die Disputation, wodurch er veranlaßt wird, seine Denkungsart und das Innere seiner Ansichten zu eröffnen, und zu zeigen, welcher Kombinationen er fähig ist. Dabei liegt der alte Satz zum Grunde, daß die dialektische Konsequenz bewähren müsse, ob etwas Aufgestelltes in wissenschaftlichem Geist hervorgebracht sei oder nicht. Es soll aber auch ferner dokumentiert werden die Fähigkeit des Aufzunehmenden, die Wissenschaft weiterzubilden. Darum muß er auch bewähren, wie er in einem einzelnen Felde des realen Wissens einheimisch, und mit dessen Fortschritten sowohl als dessen Bedürfnissen bekannt ist; und dies soll eben geschehen durch die abzufassenden Dissertationen oder durch die eigentlichen mündlichen Prüfungen. So kann es nicht fehlen, daß in dem Aufzunehmenden, wenn nicht eine von beiden Parteien bösen Willen hat, ganz dasselbe Urteil entsteht wie in seinen Richtern. Denn mit dem Produkt zugleich, welches ihnen die Anschauung von seinem Zustande gibt, muß sich auch sein eigenes Selbstgefühl dem analog entwickeln. Die eigentliche Aufnahme besteht nur in symbolischen Gebräuchen, welche die Handlung beschließen.

So erscheint die Sache ganz einfach; allein sie wird weit verwickelter, wenn man sie näher betrachtet. Auf die Universität nämlich gehen viele, die sich zwar nicht durch lebendige Vereinigung des wissenschaftlichen Geistes und des Talentes zu wahren Mitgliedern des wissenschaftlichen Vereins ausbilden, aber doch vermöge ihres Talentes eine Menge von Kenntnissen einsammeln und Fertigkeiten erlangen und soviel Ehrfurcht und Anhänglichkeit gewinnen für das, was auf dem eigentlich wissenschaftlichen Gebiet vorgeht, daß man erwarten kann, sie werden sich in der Anwendung ihrer Talente durch die wissenschaftlichen Geister leiten lassen. Dies sind Arbeiter auf dem Gebiet der Wissenschaft. Ob nun diese als Mitglieder des Vereins sollen angesehen und also auch, wiewohl in einem andern Sinne und auf andere Weise, darin aufgenommen werden, oder ob er sie nur durch vorteilhafte Zeugnisse seinen Mitgliedern als brauchbare Werkzeuge für bestimmte Fächer empfehlen soll, das hängt schon davon ab, in wie strengem oder weitem Sinne der Begriff dieses Vereins gefaßt wird, und kann recht sein so oder so. Aber auch unter den wahren Mitgliedern zeigt sich ein Unterschied für den wissenschaftlichen Verein. Ihr

Talent nämlich kann, wie wir zu sagen pflegen, mehr praktisch sein oder mehr theoretisch, und dann auch ihre Gesinnung und Lebensweise mehr gelehrt oder mehr politisch. Die letzteren werden, wie sehr sie auch vom wissenschaftlichen Geiste durchdrungen sind, dennoch mehr darnach streben, das Erkannte auf eine reale Weise darzustellen, die Wissenschaft mit dem Leben zu einigen, und ihre Früchte in dasselbe überzutragen, als daß sie an ihr selbst arbeiten und bilden sollten. Nur diejenigen aber, welche sich das letzte zum Geschäft machen, werden die höchsten sein für den wissenschaftlichen Verein; nur sie werden die Stellen ausfüllen auf der Universität und in der Akademie, und wenn sie an öffentlichen Geschäften teilnehmen, dieses, eben wie jene das Lehren, nur als Nebensache ansehn. Sie allein sind also die eigentlichen Doctores, von denen aber auch in einem höheren Grade muß gefordert werden, daß sie von dem Zustande einer besonderen Wissenschaft genaue Kenntnis und in der Handhabung derselben großes Geschick beweisen. Hier sind nun vorzüglich die Proben der Gelehrsamkeit an ihrer Stelle und müssen eigentlich immer von der Art sein, daß sie etwas Merkwürdiges bleiben für dieses Gebiet. Ein Doktor, welcher nicht gleich bei seinem Eintritt in diese Würde eine Spur von seinem Dasein zeichnet, welche allgemeine Aufmerksamkeit erregt und während der Epoche, in der sich die Wissenschaft eben befindet, nie ganz verschwinden kann, ein solcher ist eigentlich seines Namens unwürdig. Was der zu Erhebende mit einer solchen Probe noch weiter verbinden will, zum Beweise seines Talentes für das Lehrgeschäft, welches ihm natürlich anheimfällt, das hängt am besten von ihm selbst ab, ob ein gelehrtes Gespräch oder eine kleine Anzahl von Vorlesungen über einen betimmten Gegenstand. Oder wenn er dennoch die Form der Disputation wählen wollte, die eigentlich hierher am wenigsten gehört und nur in den scholastischen Zeiten der Theologie, aus denen sie herübergenommen ist, alles in allem sein konnte: so müßte ihr nur der Zweck untergelegt werden, daß er als Schiedsrichter der eigentlich Streitenden die Gabe zeigte, den Gang ihrer Rede so zu leiten, daß der Gegenstand klar werden müßte, und zu verhüten, daß sie sich nicht durch Mißverständnis immer tiefer verwickelten.

Welches ist nun aber weiter das richtige Verhältnis der Fakultäten in Absicht auf die Erteilung dieser Würden? Daß jene Zeugnisse oder, wenn es als mehr angesehen werden soll: der niedrigste Grad von jeder Fakultät für sich erteilt wird, versteht sich von selbst, da es hierbei nur auf die innerhalb ihres besonderen Gebietes erworbenen Kenntnisse ankommt. Dasselbige gilt von der höchsten Würde der Doktoren, inwiefern diese von dem vorangehenden mittleren Grade sich sondert und allemal auf ihn gepfropft wird. Ohnstreitig ist dies das Richtigste, da jeder, sobald er den wissenschaftlichen Geist in sich lebendig fühlt, auch nach den äußerlichen Zeichen dieses Vorzuges streben wird, jenes andere aber, ob Neigung und Talent mehr auf das Praktische hingehe oder auf das Theoretische, sich gewöhnlich erst später entscheidet. Dann also hat man es wiederum nur mit dem Gebiet jeder besonderen Fakultät bei Erlangung dieser höchsten Würde zu tun, und jede kann also auch unter dieser Voraussetzung für sich verfahren. Ob aber auch jene eigentlich erste Würde, da sie zugleich die Aufnahme in den gesamten wissenschaftlichen Verein ist und dabei alles auf den Geist und das Vermögen der Erkenntnis überhaupt ankommt, ob diese zu erteilen auch die Sache der einzelnen, mehr positiven Fakultäten sein kann, die nur durch ihre Verbindung mit der philosophischen den wissenschaftlichen Verein repräsentieren können, und sie nicht vielmehr – wo nicht ausschließlich, doch vorzüglich – von der philosophischen Fakultät ausgehen muß, dies ist gewiß sehr zu überlegen. Am nächsten scheint hier die theologische Fakultät sich an das zu halten, was die Natur der Sache erfordert. Die niedrigste Bewährung pflegt sie nur durch Zeugnisse zu beurkunden; von zwei verschiedenen Graden zeigen sich fast nur noch da Spuren, wo sie sich mehr als Spezialschule und nicht auf eine lebendige Weise mit den andern und der philosophischen zu einer Universität vereiniget zeigt. Bei Erteilung ihrer Doktorwürde aber setzt sie in der Regel die philosophische voraus und läßt letztere allein auch bei sich den niederen Grad vertreten, natürlich in Voraussetzung der von ihr selbst eingeholten Zeugnisse. Offenbar wenigstens müßte überall bei dieser ursprünglichen Aufnahme die philosophische Fakultät mit zugezogen werden, da keine andere als sie für sich

allein die Einheit des wissenschaftlichen Vereins unmittelbar repräsentiert. Innerhalb dieser Fakultät selbst aber tritt
wiederum mit wenigen Abänderungen dasselbe Verhältnis
ein, welches zwischen ihr und den andern Fakultäten stattfindet, weil sie nämlich in sich selbst auch ein Zentrum hat,
die Philosophie im engen Sinne, und nach außen mehrere
Seiten, die realen Wissenschaften. Zeugnisse kann sie nur
ausstellen über geschichtliche und naturwissenschaftliche
Kenntnisse; denn wer von der höheren Philosophie nur
Kenntnisse hat, ohne den wissenschaftlichen Geist, abgerechnet daß nach solchen kaum jemand fragen wird, der hat
sie auch nur geschichtlich. Zwei Grade aber müßten in ihr
auch unterschieden werden, indem alle, welche von der
Universität aus entweder in die Staatsverwaltung oder in
die Naturbearbeitung für den Staat in einem großen Sinne
eingreifen wollen, billig den wissenschaftlichen Geist in
sich müssen ausgebildet haben, dennoch aber manches entbehren können, was dem, der den Beruf des Lehrers fühlt,
nicht fehlen darf. In beiden Graden wird jeder immer einen
bestimmten Zweig des realen Wissens angeben können,
von dem er vorzüglich ausgehen will; weshalb denn außer
den Philosophen im engeren Sinne auch diejenigen vorzüglich seine Richter sein mögen, welche diesen Zweig bearbeiten, wiewohl auch das nicht das Ratsamste sein möchte,
da doch in der Folge kein Gebiet dem Aufgenommenen
verschlossen ist; auf jeden Fall aber werde, wer die Würde
eines Doktors erhält, zum Doktor der Philosophie schlechthin ernannt, ohne einen Beisatz, der auf eine einzelne Disziplin hinweiset. Denn die Fakultät, welche vorzugsweise
die Einheit aller Wissenschaften repräsentiert, die ohnedies
von allen Seiten her genugsam verdunkelt wird, muß auch
in ihren feierlichen Handlungen diese Einheit bestimmt
aussprechen. Doktoren der Geschichte oder der Ästhetik
zu ernennen, ist fremd und lächerlich und wird gewiß,
wenn man es auch willkürlich einführt, nicht bleibend sein
und geschichtlich werden.
Was aber nicht wesentlich zu sein scheint bei diesen Handlungen, sondern nur dem früheren Zustande der Roheit
und Unwissenschaftlichkeit unserer Sprache angemessen,
das ist der durchgängige Gebrauch der lateinischen in allen
diesen Geschäften. Gewiß hat diese Einrichtung, weil die

größere Menge sich dabei zu mancherlei Verfälschungen versucht fühlen mußte, nicht wenig beigetragen, die gelehrten Würden selbst um ihren guten Ruf zu bringen. Je mehr wir auch Fortschritte machen, um desto mehr muß gewiß jene schon längst abgeschlossene Sprache sich zur wissenschaftlichen Darstellung für uns, außer auf dem philologischen und vielleicht mathematischen Gebiet, unbrauchbar zeigen. Was für Gewinn soll auch entstehn, wenn, was deutsch vortrefflich gesagt werden konnte, in römischer Sprache mittelmäßig auftritt? Es ist genug, wenn außer jenen Gebieten die römische Sprache rein und zierlich bei solchen öffentlichen Gelegenheiten erscheint, welche mehr eine populäre und schöne als eine wissenschaftliche und gründliche Darstellung fordern und wo sich der Redner nach Belieben in dem Gebiet antiker Gesinnung und Ansicht halten darf.

So ohngefähr gestalten sich die gelehrten Würden, rein aus dem Gesichtspunkt des wissenschaftlichen Vereins angesehen; was für Rücksichten aber hat wohl der Staat darauf zu nehmen, oder überhaupt gar keine? Er gesellt sich doch zu der wissenschaftlichen Vereinigung und nimmt sich ihrer an oder untergibt ihr die von ihm selbst gestifteten Unterrichtsanstalten, um gewiß für die Geschäfte, wozu es deren bedarf, Männer von Kenntnissen und von höherer Bildung zu finden. Stimmt dies wohl zusammen damit, daß er doch hernach dem Urteil dieses Vereins nicht traut und sich nicht darnach richtet? Es läßt sich unterscheiden für den Staat ein niederer Dienst und ein höherer. Wie wohl es getan ist, auch diejenigen, welche eigentlich für den höheren bestimmt sind, sich dennoch zunächst eine lange Zeit im niedern Gebiet herumtreiben zu lassen; oder wie richtig die Meinung sein mag, daß, wer nur lange genug den niedern Dienst verrichtet hat, auch wohl geschickt sein werde für den höheren: dies gehört nicht hierher zu untersuchen; die Verschiedenheit in der Sache aber ist einleuchtend und bekannt. Im niedern Staatsdienst gibt es ein ansehnliches Gebiet, welches Kenntnisse wissenschaftlicher Art erfordert. Wenn die Universität im Namen des wissenschaftlichen Vereins einem Einzelnen das Zeugnis ausstellt, daß er diese besitzt: so weiß ich nicht, was für einen Sinn die Prüfung noch haben soll, welche der Staat durch Beamte über ihn verhängt; so wie, wenn er sich auf das Zeugnis der letztern verlassen will, nicht einzusehen ist, warum er den Besuch der Universität zur Pflicht macht. Diese hinzukommende Prüfung sollte zur Qualifikation des einzelnen gar nicht gehören; sondern nur um zu erfahren, wozu er sich besonders eignet und wieviel er schon von den kleinen Fertigkeiten und Notizen mitbringt, welche allenfalls auch erst durch die Übung dürfen erworben werden. Für den höheren Dienst bedarf es nicht nur einer Masse wohlerworbener Kenntnisse, sondern auch Übersicht des Ganzen, richtiges Urteil über die Verhältnisse der einzelnen Teile, ein vielseitig gebildetes Kombinationsvermögen, einen Reichtum von Ideen und Hilfsmitteln. Soll dies alles zuverlässig sein und geordnet, so muß, wer sich dieser Gaben rühmt, in das Heiligtum der Wissenschaft eingedrungen sein. Darum eröffnet es auch der Staat seinen künftigen Dienern und will sie nur aus diesem empfangen. Sollten nun nicht eben hierüber auch die Zeugnisse der wissenschaftlichen Anstalten, wenn sie zweckmäßig und streng erteilt werden, das erste sein, worauf der Staat sich verläßt? Das Vorurteil, als ob es etwa einem adlig Gebornen oder überhaupt der Klasse, welche auf die höheren Geschäfte Anspruch macht, kaum anstehe, einen gelehrten Grad anzunehmen, und ein solcher sich dadurch schon selbst von den Geschäften ausschließe und zum Schulstaube verdamme, kann wohl kaum gerechtfertigt werden, sondern muß verschwinden, wenn Staat und Universität sich selbst und gegenseitig verstehen. Vielmehr sollte der höhere Staatsdienst gerade nur solchen eröffnet sein; diejenigen, welche sich mit dieser Würde ausschließlich in die politische Laufbahn begeben, sollten überall an die Spitze der Geschäfte gestellt zu werden Hoffnung haben, und auch die, welche mit der Würde der Lehrer bekleidet sich vorzüglich den Wissenschaften widmen, sollte doch der Staat als Aufseher, als Ratgeber bei allem, was in ihr besonderes Fach einschlägt, zu gebrauchen wissen. Doch diese Änderung in der gegenwärtigen Praxis müßten die Universitäten selbst vorbereiten; sie müssen ihre gotischen Formen beleben, sie müssen mit den Würden, die sie erteilen, nicht länger ein Spiel treiben und sie mißbrauchen lassen zu leeren Namen.

Anhang
über
eine neu zu errichtende Universität

Man sagt, der preußische Staat fühle das Bedürfnis, auch für seinen verminderten Umfang die verlorene ehemalige Friedrichs-Universität durch eine andere, neu zu errichtende zu ersetzen, und man sagt, es sei beschlossen, in Berlin solle sie errichtet werden. Großenteils in dieser Einsicht sind die vorstehenden Gedanken gerade jetzt niedergeschrieben und bekanntgemacht worden, und sie würden ihren Zweck verfehlen, wenn nicht von einigem wenigstens die Anwendung auf den vorliegenden Fall hinzugefügt würde.

Das Gefühl, welches diesen Entwurf erzeugt hat, ist gewiß sehr richtig und achtungswert. Es beweiset, daß Preußen den Beruf, den es lange geübt hat, auf die höhere Geistesbildung vorzüglich zu wirken und in dieser seine Macht zu suchen, nicht aufgeben, sondern vielmehr von vorne anfangen will; es beweiset ferner ganz bestimmt, was wohl ebensoviel wert ist, daß Preußen sich nicht isolieren will; sondern auch in dieser Hinsicht mit dem gesamten natürlichen Deutschland in lebendiger Verbindung zu bleiben wünscht. Zwei Provinzialuniversitäten hat es bereits. Königsberg für die außerdeutschen oder vielmehr, da es ja jetzt keine Beziehung mehr gibt, in welcher das eigentliche Preußen weniger deutsch wäre als Brandenburg, für die nördlichen, Frankfurt für die südlichen Provinzen. Aber mehr können auch diese beiden Anstalten ihrer Natur nach nicht werden; auch Frankfurt ist zu abgelegen, um irgend Ausländer an sich zu ziehn, die für eine große Universität von der höchsten Wichtigkeit sind, um die Anlage zu einer hart manierierten intellektuellen Existenz, wie sie im eigentlichen Preußen so sehr auffällt und wie man sie auch auf den königlich sächsischen Universitäten findet, in Schranken zu halten. Frankfurt war nur gut zu einer Missionsanstalt für die Polen, um welche sich Preußen hoffentlich jetzt weniger bekümmern wird. Auch müßte diese Universität, um sie bedeutend zu machen, durchaus neu geschaffen werden, und warum sollte der Staat die Kräfte, welche dazu gehören, an einem übel gelegenen Ort und an der Umbildung einer durchaus untergeordneten und in vieler Hinsicht schlechten Anstalt, was immer eine ebenso undankbare als schwierige Arbeit ist, verschwenden, da er mit fast gleicher Anstrengung Neues erbauen kann?

Aber warum gerade in Berlin? Potsdam freilich kann wohl kaum einem Sachkundigen einfallen, da eine Universität in einer kleinen Stadt mit dem privilegiertesten Militär und dem Hofe dicht zusammen, der alle Kleinigkeiten notwendig erfahren müßte, in der Nähe der Hauptstadt eigentlich der wunderlichste Gedanke ist, den man haben kann. Allein Brandenburg, Havelberg, mittlere Städte nahe an der Grenze, also gelegen für die Ausländer, und wo man zum Besten der Universität allmählich große Fonds einziehn könnte, dergleichen sollten einem jeden weit eher in den Sinn kommen als Berlin. Sollte also bei einer so auffallenden Wahl eine Hinsicht auf Vorteile entschieden haben, welche Berlin allein darbietet? Diese sind freilich leicht zu sehn, insofern es in den preußischen Staaten der reichste Sammelplatz ist von Gelehrsamkeit, von Talenten, von Kunstübungen aller Art, insofern es viele Institute in sich faßt, welche die Universität unterstützen und wiederum durch die Verbindung mit ihr neuen Glanz oder einen höhern Charakter bekommen könnten, insofern es zugleich die gebildetsten Formen des Lebens darstellt und die höchsten Würden, zu denen sich der anstrebende Jüngling in jedem Fache emporschwingen kann, ihm dicht unter die Augen bringt. Allein dies sind Vorteile, deren alle Universitäten, welche für die Wissenschaft und den Staat den meisten Nutzen gestiftet haben, immer entbehrten. Dagegen hat Berlin für eine solche Anstalt eigne, nicht zu verkennende Nachteile, die aus der Weitläuftigkeit der Stadt, der Teurung der Bedürfnisse, der Leichtigkeit der Zerstreuungen, der Mannigfaltigkeit andringender Versuchungen, der Ofensitzerei vieler Jünglinge, die hier schon auf Schulen erzogen, hier auch studieren und hier gleich in die Verwaltung treten würden, und eigentlich von allen Seiten, könnte man wohl sagen, unausbleiblich entstehen müssen, Nachteile, welche dem großen Publikum am meisten in die Augen leuchten und welche es der neuen Anstalt, die ohnehin mit mannigfaltiger Eifersucht zu kämpfen hätte, schwer machen würden, Vertrauen zu gewinnen. Sollte also jetzt wohl der Zeitpunkt sein, um jener mehr glänzenden als wesentlichen Vorteile willen einen mißlichen Kampf zu wagen mit diesen Nachteilen? Wer einen so bedeutenden Verlust gemacht hat, der darf nicht leichtsinnig spekulieren, sondern muß mit sichern Unternehmungen von neuem anfangen, um seinen Kredit zu heben.

Schon unter der vorigen Regierung, zu einer Zeit, wo der preußische Staat durchaus kein Bedürfnis hatte, eine neue Universität zu errichten, wurde ein Plan gemacht zu einer großen Lehranstalt in Berlin, welche eigentlich keine Universität sein, aber doch die Dienste der Universitäten leisten sollte, von einem sehr gebildeten Schriftsteller, der Prinzenlehrer gewesen war und zugleich das Schauspiel dirigierte.[134] An Feinheit und an Pracht, wie an höfischer Vornehmigkeit wird es also dem Entwurf nicht gefehlt haben. Zur Ausführung ist er indes nicht gekommen, wenn man nicht eine und die andere um diese Zeit entstandene Spezialschule ansehn will als Versuche, mit solchen einzelnen Teilen dieses Ganzen, – denn auf einen Mittelpunkt und dessen lebendige Kraft mag wohl wenig gerechnet worden sein – den Anfang zu machen, bei denen man am wenigsten in Grenzstreitigkeiten käme mit den bestehenden Universitäten. Die Hauptansicht war ohnstreitig, die gotische Form und das Zunftwesen der alten Universitäten allmählich zu untergraben, vorzüglich aber den sogenannten Studentengeist zu tilgen, der von Furchtsamen für höchst furchtbar und verderblich gehalten wurde. Mit solchen Bildungsversuchen aus heiler Haut, ohne daß ein bestimmtes Bedürfnis bestimmte Maßregeln natürlich erzeugte und ohne daß man von dem Umzubildenden eine vollständige Ansicht genommen hätte, um sich zu überzeugen, wie das wesentliche Gute und die dermaligen Mißbräuche sich gegeneinander verhalten und worin beide gegründet sind, ist es immer eine bedenkliche Sache. Wer Zeit und Kraft übrig hat und es nicht scheut, mit wichtigen Dingen auch zu spielen, der mag dergleichen wagen. Soll man aber wohl glauben, daß eine weise Regierung unter den gegenwärtigen Umständen einen so entstandenen Plan hervorsuchen werde, dessen Erfinder gewiß durch reife Einsicht in das streng wissenschaftliche Gebiet nicht vorzüglich glänzte, sondern vielmehr durch einseitiges Popularisieren für diesen Gegenstand sich mißempfiehlt, und dessen Hauptabsicht war, einen Geist zu untergraben, den man, mit möglichster Beseitigung seiner Auswüchse und verkehrten Äußerungen, jetzt mehr als je suchen sollte sorgfältig zu bewahren als Einigungsmittel für den besten Teil des künftigen Geschlechtes und als Gewahrsam für echt vaterländischen Sinn? Gewiß, das wollen wir nicht denken, um so weniger, da auch jene ganze Methode, die realen Wissenschaften aus dem Zusammenhang mit der Philosophie herauszureißen und entweder auf willkürliche Theorien zu bauen oder in bloße Empirie verwandeln zu wollen, sich unter uns wohl längst überlebt hat.

Es scheint also nichts übrigzubleiben, um eine solche Wahl für das Lokale einer neuen Universität zu erklären, wenn sie sich doch in Berlin nicht eben wesentlich besser befinden wird als anderswo, als daß irgendeine Notwendigkeit vorhanden ist, weshalb sie nur in Berlin überhaupt bestehen kann; und diese ist leicht aufzuzeigen. Denn wenn sie sogleich gestiftet und in Tätigkeit gesetzt werden soll und wenn ihre Lage allerdings eine solche ist, daß sie sich bei einem kränklichen Anfang kein langes Leben versprechen darf: woher soll sie anderswo alle die Hilfsmittel nehmen, welche einer blühenden Universität notwendig sind? Hätte sie auch Geldkräfte in Überfluß, so sind doch Bibliotheken, Sammlungen von alten Denkmälern, botanische Gärten, anatomische, mineralogische und zoologische Kabinette unmöglich im Augenblicke herbeigeschafft; und wie könnte in unsern Tagen eine Universität mit Auszeichnung in die Schranken treten wollen, der es an diesen wesentlichen Attributen fehlte? Dies ist gewiß eine so einleuchtende Ursache, daß nach keiner andern weiter gesucht werden darf.

Wenn also nicht um irgendeiner besondern Pracht und Herrlichkeit willen, sondern nur damit sie unmittelbar leben und rasch gedeihen könne, die Universität in Berlin wohnen soll: so scheinen die Maßregeln, die zu ergreifen sind, einander so untergeordnet werden zu müssen, daß man zunächst für alles dasjenige sorge, was der Universität zum selbständigen Dasein notwendig ist; dann darauf denke, wie die besondern Nachteile zu vermeiden sind, mit denen eben Berlin ihr vorzüglich droht, und nur erst nach diesem und insofern dieses Nötigere nicht darunter leidet, dürfte man in Betrachtung ziehen, wie nun auch wiederum die besondern Vorteile, welche Berlin darbietet, recht zu benutzen wären.

Was das erste betrifft: so scheint zunächst schon die Art, wie die gesuchten notwendigen Hilfsmittel in Berlin vorhanden sind, der Unabhängigkeit der Universität nicht günstig zu sein, wenn man nicht durch Machtsprüche eingreifen will in die Ordnungen anderer Anstalten, und das würde ihr wiederum Haß zuziehen. Wo die Universität keinen andern Gebrauch zu machen hat, als der dem qualifizierten Publikum überhaupt verstattet ist, da ist sie in der Tat auch nur als eine Vermehrung desselben anzusehn, und die Sache hat keine Schwierigkeit. So müßten, was die Bibliothek betrifft, die Studierenden besondere Lesezimmer haben in dem Universitätsgebäude und die Bücher von der Bibliothek allemal auf den Namen eines Professors oder der Universität überhaupt dorthin geholt werden. Nur müßte man freilich allmählich auf eine eigne Handbibliothek aus solchen Werken denken, nach denen die Nachfrage besonders häufig sein muß und die doch auf der Königlichen Bibliothek für das übrige Publikum nicht fortdauernd können entbehrt werden. Bei andern Instituten könnte man es für die beste Auskunft halten, die gegenwärtigen Aufseher derselben zu Professoren ihrer Wissenschaft bei der Universität zu ernennen, und was könnte man in der Tat dieser Besseres wünschen, als einen *Willdenow* zu besitzen für die Botanik und einen *Karsten* für die Mineralogie? Allein teils ist damit nicht für immer geholfen, wenn neben der Universität noch die Bergakademie bestehen soll und das medizinisch-chirurgische Kollegium; und es wären dadurch entweder der Universität oder diesen beiden Korporationen, die unter ganz anderer Aufsicht stehen und eine ganz andere Bestimmung haben, die Hände gebunden für die Zukunft; teils ist es dem echten Geist einer Universität zuwider, daß nur *einer* ausschließend befugt oder instand gesetzt sein soll, eine Wissenschaft zu lehren. Hier entsteht also die freilich schwierige, aber doch auch nicht unauflösliche Aufgabe, solche Instruktionen zu entwerfen und solche Garantien zu geben, daß die Universität nichts aufgeben müsse, was ihre Natur wesentlich erfordert, und doch auch in frühere bestimmte Rechte so wenig als möglich eingegriffen würde. Ähnliches würde vielleicht geschehen müssen in Absicht des anatomischen Kabinetts und der Tierarzneischule, wiewohl letztere sich wohl am leichtesten und vorteilhaftesten auf gewisse Weise mit der Universität vereinigen ließe.

Doch nicht nur in Beziehung auf die Hilfsmittel, sondern auch auf die Personen der Lehrer und Schüler ist es eine Aufgabe, die leicht verfehlt werden kann, der Universität ihre Unabhängigkeit gleich anfangs zu sichern. Wenn man nämlich etwa das Personal der Lehrer, ich will nicht sagen ausschließend, aber doch größtenteils aus solchen Gelehrten zusammensetzen wollte, die bereits in andern Verhältnissen in Berlin leben: so würde es, wie vortrefflich auch die Männer sein mögen, mit dem freien Dasein der Universität nur schlecht bestellt sein. Es ist bekannt, wie gefangennehmend das Geschäftsleben ist, zumal ein genau ausgearbeitetes und spitzfindig eingerichtetes, und Gelehrte, die einmal in dieses eingelebt sind, werden immer ihre Anstellung bei der Universität nur als eine Nebensache ansehn, nicht viel anders als die Vorlesungen, welche sie schon jetzt zu halten gewohnt sind. Hiezu kommt, daß sie durch ihre andern Geschäfte mit der Zeit beschränkt sind auf eine Weise, die mit der natürlichen Ordnung der studierenden Jünglinge nicht wohl vereinbar ist. Dasselbe gilt von denen, welche auf höheren oder besonderen Schulen als Lehrer angesetzt sind, und diese müßten sich überdies noch zwei ganz verschiedene Methoden des Lehrens aneignen, was schwerer sein mag, als man glaubt. Von solchen Kollisionen darf die Universität nicht abhängen; und überhaupt, wäre sie für die meisten Lehrer nur eine Nebensache, so würde sie es bald auch für die Schüler sein; sie würde trotz alles Vortrefflichen, was sie in sich vereinigte, nur wenig Vertrauen finden und auch wenig verdienen, weil sie bald gewissen administrativen Kollegien gleichen würde, in denen es auch nie an vortrefflichen Männern gefehlt, über die man doch aber immer geklagt hat, eben weil sie für alle diese Männer nur eine Nebensache waren. Gewiß ist es durchaus notwendig, Lehrer anzusetzen, welche kein anderes als gelehrtes Geschäft treiben und auch nicht nötig haben, sich um ein anderes, am wenigsten administratives, zu bewerben, und welche zugleich schon als Universitätslehrer

Übung und Ansehn haben, und zwar in solcher Anzahl, daß das Wesentliche in jeder Fakultät durch sie allein könnte gedeckt werden; und nur in diesem Fall wird man sagen können, daß die Universität auf festen Füßen steht. Endlich darf die Universität auch nicht, und zwar unter den gegenwärtigen Umständen am wenigsten, abhängen von der Wohlhabenheit der Eltern, welche glauben, ihre Söhne für einen Aufenthalt in Berlin hinreichend versorgen zu können. Auf diesem Wege würde man nur eine kleine Anzahl zierlicher und vornehmer, oder üppigreicher und lockerer Studierenden bekommen, deren größter Teil den Lehrern, welche es mit der Wissenschaft redlich meinten, eben nicht viel Lust und Liebe einflößen würden. Noch keine Universität hat ohne einen Unterstützungsfonds bestanden, und ein solcher müßte vorzüglich für Berlin herbeigeschafft werden. Würde er nach den oben aufgestellten Grundsätzen verwaltet: so würde die Besorgnis wegfallen, daß durch Unterstützungen nur ungeschickte und unerzogene Arme herbeigelockt würden. Besonders zweckmäßig aber wäre es für Berlin, wenn alle Unterstützungen nicht sowohl in barem Gelde beständen als in unentgeltlicher und zugleich ehrenvoller Darreichung wesentlicher Bedürfnisse, Wohnung, Speisung, Heizung. Dadurch würde auch am leichtesten der Privatreichtum angelockt werden, zu diesen Unterstützungen beizutragen. Allein nicht nur für das wahre Bedürfnis muß gesorgt werden, sondern auch für die großenteils ungegründete Furcht der Auswärtigen vor einer unmäßigen Teurung in Berlin muß etwas geschehen. Viel tut freilich schon die Hoffnung, daß jeder Fleißigste und nicht nur der Ärmste an den öffentlichen Unterstützungen Anteil nehmen kann. Dann sorge man dafür, daß unter öffentlicher Autorität wenigstens für den Anfang einige Personen die Vermittlung zwischen den Studierenden und den Hausbesitzern und Speisewirten übernehmen, billige Kontrakte abschließen und die verschiedenen Preise, welche sie halten können, gehörig bekanntmachen, damit jeder die Sicherheit habe, bald und leicht zu finden, was seinen Vermögensumständen angemessen ist. Auch dieses muß man noch verhüten, daß nicht zu sehr überhandnehme das Unterrichterteilen der Studierenden, um sich Erleichterung zu verschaffen. Dies ist freilich in Berlin verderblicher als anderswo. Am besten aber geschähe dies durch Vorkehrungen, die nicht von der Universität ausgehen müßten, sondern von der Behörde, welcher die Aufsicht über den Unterricht überhaupt obliegt.

Wie dieses schon eine Zerstreuung ist: so möchte man im allgemeinen die mannigfaltigen Gelegenheiten zu Zerstreuungen aller Art obenanstellen unter den Nachteilen, die in Berlin vorzüglich zu befürchten sind. Auch hiemit möchte es aber so arg nicht sein, als man glauben will. Das Sehenswürdige der Stadt selbst und ihrer Umgebungen und alles, was man unter dem Namen der Merkwürdigkeiten begreift, ist nur gefährlich durch die Neuheit, also nur für die erste Zeit, und es gibt gewiß keine Universität, wo nicht den meisten über solchen Neuigkeiten ein Teil von dieser verlorenginge. Natürlich wird sich auch die Universität in einem Teile und wahrscheinlich nicht in der glänzendsten Mitte der Stadt zusammendrängen und der Fleißige leichter, was in den übrigen vorgeht, ignorieren können. Von allen Ergötzungen aber und Lustbarkeiten, welche ebensoviel Aufwand fordern, als sie Zeit kosten, die theatralischen und musikalischen Darstellungen an der Spitze von diesen, ist eben des Aufwandes wegen wenig zu besorgen. Wenn nur der Studierende außerstand gesetzt ist, seine notwendigen Bedürfnisse fortdauernd unbezahlt zu lassen und den größten Teil seiner Zuschüsse an dergleichen Vergnügungen zu verwenden, so wird er bald auf ein für seine Zeit gar leidliches Maß gebracht sein. Und dies ist gewiß zu erreichen, wenn nur die Gesetze über das Kreditwesen der Minderjährigen wirklich in Anwendung gebracht werden. Dies ist in der Tat in Berlin leichter als anderswo, weil keine Klasse von Bürgern genötigt sein wird, fast ganz von den Studierenden zu leben und also um ihre Gunst zu buhlen. Auch werden schon alle diejenigen jungen Leute sich mehr vor nicht ganz ehrenvollen Schulden hüten, die nun beim Abgang von der Universität ihren Gläubigern nicht entgehen, sondern in Berlin bleiben, um dort ihre erste Anstellung zu suchen, und dadurch wird bald eine ernstere Ansicht von dieser Sache herrschend werden. Nur daß man ja nicht auf den unseligen Gedanken einer Zahlungskommission komme! Doch man hat ja wohl gesehn, wie wenig Eingang, allen eingezogenen Nachrichten zufolge, sie anderwärts gefunden und wie noch viel weniger sie ausgerichtet hat. Auch ist nichts in der Welt dem Wesen einer Universität mehr zuwider. Soll die Bildung des Charakters mit der des wissenschaftlichen Geistes gleichmäßig fortschreiten; soll der Jüngling sich in dem Maß und Verhältnis seiner Neigungen kennenlernen: so muß er Freiheit haben, auch in seinen Ausgaben jetzt dieses, jetzt ein ganz entgegengesetztes Verhältnis einzuführen; er muß die Bequemlichkeiten sowohl, als die Gefahren der Ordnung wie der Unordnung und was sonst hierher gehört, kennenlernen, damit, wenn er ins tätige Leben tritt, er nicht erfahrungslos erscheine, sondern als ein gemachter Mann, der auch über seine eigene Lebensweise sicher ist. Diese Freiheit ist notwendig, Mißbrauch im einzelnen wird immer stattfinden; aber den gibt es ja auch in den späteren Perioden des Lebens, und übel wäre uns geraten, und schlecht wäre es um die Regierung jeder Angelegenheit bestellt, wenn uns nichts übrigbliebe, als um des Mißbrauchs willen dem unentbehrlichsten Gut zu entsagen. Sollte unsre Gesetzgebung und Polizei noch nirgends so weit gediehen sein, daß man ihr die reine Aufgabe vorlegen dürfte, den Mißbrauch möglichst einzuschränken ohne die Aufopferung wesentlicher Vorteile?

Dasselbige gilt auch wohl von den Ausschweifungen vorzüglich des Geschlechtstriebes und der Spielsucht, von welchen man unsägliches Unheil fürchtet für eine Universität, die in Berlin wäre. Freilich gefährliche Klippen! allein wohl nicht viel gefährlicher in Berlin als an jedem andern Orte. Es werden immer, solange Berlin eine Hauptstadt bleibt und seinen ehemaligen Charakter nicht ganz verleugnet, viele junge Leute sich dort aufhalten, die reicher sind und mehr üppige Verwöhnungen haben als die Studierenden, und daher werden auch diejenigen Klassen, welche von der Sittenlosigkeit der Jugend leben, ihre Nachstellungen mehr auf jene richten als auf diese. Dagegen in kleineren Städten die Studenten fast die einzige Jugend sind, welche in Betracht kommt, und alle Künste der Verführung ausschließend gegen sie gerichtet werden; ein Umstand, durch welchen jener Unterschied reichlich aufgewogen wird; wie denn in einer Residenz freilich alles Böse glänzender und verführerischer ist als an andern Orten, aber auch zumal, was von dieser Art das Ausgesuchteste ist und das Glänzendste, die Geldkräfte eines Studenten, der seiner Natur nach überall Liberalität übt, gar bald übersteigt. Daher scheint in dieser Hinsicht nur zweierlei notwendig zu sein. Einmal, daß die Wachsamkeit der Polizei gegen alle Anstalten der Verführung geschärft werde, daß sie sich es z. B. zum Gesetz mache, welches gar nicht ausgesprochen werden darf, ihr sonst so oft vernachlässigtes Recht gegen Spielhäuser mit der größten Strenge auszuüben, sobald Studenten darin angetroffen werden; daß ferner bekannt gemacht würde, Klagen in Unzuchtssachen sollten gegen eine gewisse Klasse junger Leute, unter welche sich die Studenten ganz natürlich subsumieren müßten, gar nicht angenommen werden, und was für ähnliche gute Maßregeln sich sonst nehmen ließen. Dann aber auch müßte alles mögliche geschehen, um die Studenten vor niedrigen Arten des Umganges und der Vergnügungen zu bewahren und strenge Ehrbegriffe auch in dieser Hinsicht unter ihnen aufrechtzuerhalten. Denn freilich in dem Maß, als sie sich mit dem Niedrigen auf dem Gebiete des Umganges und der Vergnügungen behelfen müßten, würden sie auch den niedrigsten Arten der Verführung preisgegeben und dann sicher verloren sein.

Beide Vorschläge hängen zusammen mit zwei wichtigen Fragen, die wir nicht ganz unerörtert lassen können; die eine ist die: unter welcher Obrigkeit sollen die Studenten stehen? die andre die: wie sollen sie in der Gesellschaft angesehen werden? Was die erste betrifft: so ist wohl jetzt niemand, der nicht die Unzweckmäßigkeit der eigenen Universitätsgerichte einsähe, und man kann sagen, daß sie auf preußischen Universitäten schon seit langer Zeit vorzüglich ist gefühlt worden. Es würde hier zu weit führen, die Sache historisch zu beleuchten und zu zeigen, wie weit die gegenwärtigen Umstände von denen unterschieden sind, unter welchen diese Einrichtung ursprünglich ist getroffen worden. Auf der andern Seite muß es allerdings ein Mittel geben, gefährliche Subjekte zu warnen und sogar zu entfernen, wenn sie auch noch nichts begangen haben, was eine so strenge Ahndung von seiten gewöhnlicher Gerichtshöfe veranlassen könnte. Daher scheint man beides verbinden zu müssen. Die Studenten seien in allem, was sich zu einer gerichtlichen Klage qualifiziert, der gewöhnlichen Obrigkeit unterworfen; aber es gebe zugleich eine disziplinarische Kommission, aus den Vorstehern der Universität zusammengesetzt, welche nicht nur als Polizeimaßregel mancherlei Strafen, nicht ausgeschlossen die Entfernung der Studenten von der Universität, ausschließend verfügen könne, sondern an welche auch die Obrigkeit angewiesen sein muß, Klagesachen gewisser Art, nachdem sie sie gehörig eingeleitet, immer zurückzuweisen und dann unter ihrer Autorität die Entscheidung der Kommission zu publizieren und auszuführen. Wer diese Maßregel genauer durchdenkt, wird sehn, wie durch sie eine Menge von Schwierigkeiten bei weitem am leichtesten gehoben werden. Nur solange noch ein mehrfacher Gerichtsstand besteht, darf die Obrigkeit der Studenten keine andere sein als die der sogenannten Eximierten. Sie ist die Obrigkeit ihrer Lehrer und größtenteils das Forum des Standes, dem sie entgegengehn. Ja, schon deshalb kann es nicht anders sein, weil man doch den Adligen unter ihnen dies Vorrecht nicht streitig machen könnte und unter den Studenten selbst alle Spuren von Unterschied des Standes soviel möglich müssen vertilgt werden.

Was aber die zweite Frage betrifft über die Gesellschaftsverhältnisse der Studierenden: so kann freilich weniger die Rede davon sein, was geschehen solle, als was wahrscheinlich geschehen werde, und nach welcher Seite hin man demgemäß die öffentliche Meinung müsse zu lenken suchen. Viele besorgen, der Student werde sich sehr zurückgesetzt fühlen in Berlin und als ein armseliges, ganz unbedeutendes Wesen erscheinen, und das wäre allerdings ein großer Nachteil. Allein wird nicht jeder bessere Lehrer es sich zur Pflicht machen, seine ausgezeichneteren Schüler in seinen gesellschaftlichen Kreis zu ziehen und ihnen auch dadurch seine Achtung und seine nähere Teilnahme zu beweisen? Werden nicht sehr viele empfohlen sein an Bekannte des väterlichen Hauses? Für alle diese wäre gesorgt genug in dieser Hinsicht und vielmehr bei der großen gesellschaftlichen Leichtigkeit Berlins nur zu befürchten, daß sich hieran schon zuviel gesellschaftliche Zerstreuungen anknüpfen möchten und daß durch zu vielfaches und frühes Schmiegen in die gesellschaftlichen Verhältnisse und die eingeführten Sitten der Charakter der studentischen Freiheit verschwinden und die wohltätigen Einflüsse derselben verlorengehen möchten. Auf der andern Seite wäre dies gesellschaftliche Verkehr freilich nicht allgemein; die so Vorgezogenen würden leicht von ihren Genossen zu weit entfernt und die Zurückgesetzten eben dadurch genötigt, sich entweder ganz zu isolieren oder sich Gesellschaften von untergeordneter, niedriger Art aufzusuchen. Darum wäre es in Berlin ganz notwendig, auch wieder das Untersichsein der Studenten, wo der eigene und freie Stil des Lebens seinen Platz hat, und ihren eigenen Gemeingeist zu befördern, notwendig, sie fühlen zu lassen, daß sie schon als Studenten, als diejenigen, auf denen die wichtigsten Hoffnungen des Vaterlandes ruhen, eines Grades von öffentlicher Achtung und Aufmerksamkeit genießen, deren sie sich nicht unwürdig machen dürfen, und deshalb zweckmäßig, daß man die landschaftlichen Verbindungen, welche sich um so zuverlässiger bilden werden, als das Ganze den Charakter der Universität trägt und als die gymnastischen Übungen an der Tagesordnung sind, mit Klugheit dulde und leite, daß man nicht jede Art, sich äußerlich auszuzeichnen, verbiete, und daß man erlaube, daß bei gewissen Gelegenheiten die Studenten als Korporation öffentlich auf eine ehrenvolle Art erscheinen und repräsentieren dürfen. Auf solche Weise wird man am besten ihr ganzes Verhältnis zur übrigen Gesellschaft in die rechte Temperatur setzen.

Indem auf diese Weise der eigentümliche Geist der Universität und die notwendige Freiheit der Studierenden beschützt und erhalten werden, verschwinden zugleich zum Teil wenigstens die üblen Folgen davon, daß immer ein ansehnlicher Teil der Jünglinge seinen Aufenthalt nicht verändert und auf der Universität wie auf der Schule dem elterlichen Hause einverleibt bleibt. Denn um an der Achtung, welche die Korporation genießt, teilzunehmen, werden sie sich zu dieser halten müssen, indem der leichte Spott über diejenigen, die sich ausschließend auch in der Universitätsperiode an die Familie halten wollen, von dem echten Studentensinn, wenn er sich frei entwickeln darf, unzertrennlich ist. Auch die Verwandlung der öffentlichen Unterstützungen in Speisung und Behausung wird einiges beitragen, um Einzelne aus dem beschränkten Familienleben herauszureißen, und darum sollte man vorzüglich auch allen für Berliner bestimmten Benefizien diese Einrichtung geben.

Sind nun im allgemeinen die ursprünglichen Einrichtungen in dem Sinne festgesetzt, um das unabhängige Bestehen der Universität zu sichern und die nachteiligen Verhältnisse, die in Berlin für sie eintreten, möglichst zu beschränken: dann erst und wenn sich das Wesentliche so bewährt hat, kann man fragen, wie nun auch die besondern Vorteile, welche Berlin darbietet, möglichst können benutzt werden.

Zuerst ist unstreitig Berlin der Ort, an welchem sich auch in Zukunft die Universität am vortrefflichsten mit Dozenten versorgen kann, mit Ausnahme des eigentlich spekulativen Faches, für welches man wahrscheinlich immer am besten tun wird, sie von auswärts zu holen. Was aber die übrigen Zweige betrifft, so ist oben auseinandergesetzt worden, wie bei manchem, der seine erste wissenschaftliche Bildung vollendet hat, unentschieden sein kann, ob er mehr Talent und Neigung habe, seine Einsicht und Gesinnung in der Verwaltung des Staates geltend zu machen oder auf dem Lehrstuhl. Anderwärts muß dies oft übereilt oder nach bloß äußeren Beziehungen entschieden werden; und ist die Wahl einmal gemacht, so ist sie meistenteils unwiderruflich. An einem Orte hingegen, welcher beides, das Zentrum der Verwaltung und die Universität, in sich faßt, hat jeder Gelegenheit, sich hinreichend zu prüfen; er kann sich beide Schranken öffnen lassen und sich so lange in beiden versuchen, bis der innere Zwiespalt ihm selbst überzeugend entschieden ist und sich das eine Talent bedeutend über das andere herausgehoben hat. Ja, auch die kürzesten Blüten der Lehrgabe dürfen an einem solchen Ort nicht verlorengehen; sondern in wem sich, wenn er einmal wissenschaftlich durchdrungen ist, vielleicht mitten in den Geschäften der Verwaltung irgendeine eigentümliche Ansicht so weit entwickelt hat, daß er fühlt, er könne eine klare, durchgreifende, aufregende Darstellung davon geben; oder wer in seinen wissenschaftlichen Nebenstunden irgendeinen einzelnen Zweig einer Wissenschaft mit Gründlichkeit und mit solchem Erfolg getrieben hat, daß er glaubt durch seine Entdeckungen oder seine eigentümliche Methode auf dem

Katheder nützlich zu werden, der kann es besteigen. Ebenso haben wir gesehen, wie gar oft, besonders bei denen, die als Lehrer auf der geschichtlichen Seite der Wissenschaft stehen, wenn das vergängliche Talent des eigentlichen, für die Universität gehörigen Lehrens zu verblühen anfängt, die Neigung zur praktischen und politischen Anwendung der Wissenschaft wieder die Oberhand gewinnt. Nirgends läßt sich nun dieser natürlichen Umwandlung milder und leichter entgegenkommen durch einen allmählichen Übergang, als in der Hauptstadt, so daß auf der einen Seite auch noch die letzten Äußerungen der Lehrgabe genutzt werden können und auf der andern keiner, dessen Lust und Kraft nicht mehr der Universität gehört, ihr, weil er seine rechte Stelle nicht finden kann, eine unnütze Last sei. Aber freilich wird dieser Vorteil nur in dem Maß erreicht werden können, als der Staat das Vertrauen hat, daß, wer in der Wissenschaft gelebt hat und von Ideen durchdrungen ist, auch die notwendigen empirischen Einzelheiten schnell auffassen, sich leicht in die Kenntnis der Sachen versetzen und durch ein höheres Talent die Länge der Dienstzeit ersetzen kann; nur in dem Maß, als er in der Organisation seiner ganzen Verwaltung den wesentlichen Unterschied zwischen dem kleinen Dienst und dem großen stärker hervortreten läßt als bisher; und nur in dem Maß, als gleich die Erteilung der gelehrten Würden als der unentbehrlichen Qualifikation sowohl für einen angehenden Universitätslehrer als für einen, der in den großen Staatsdienst treten will, auf einen solchen Fuß gesetzt wird, daß sie wieder allgemeinen Kredit gewinnen und das Vorurteil keine Nahrung findet, daß, wer sich mit ihnen befasse, dadurch zugleich seine Unfähigkeit und Unlust zu Geschäften bekunde. Dann könnte eine Universität in Berlin vor allen andern den Vorzug haben, immer lauter frische, kräftige, lehrlustige und in dem rechten Verhältnis zur studierenden Jugend stehende Lehrer zu besitzen.

Nächstdem kann sie sich auch auszeichnen durch einen Reichtum an Lehrern auch für das Besonderste und für die vom Mittelpunkt der Erkenntnis am weitesten entfernten technischen Disziplinen. Man denke hierbei zunächst an die schon in Berlin bestehenden Spezialschulen, die chirurgische Schule, die Bauschule, die Bergwerksschule; denn

Akademien wünschten wir sie nicht nennen zu müssen, wo Unterricht bis ins kleinste des äußern Apparats und der Hilfsfertigkeiten für einzelne Wissenschaften erteilt wird, Unterricht, welcher eigentlich auch dem Studierenden offen stehn muß, damit er selbst seine äußerlichsten Talente versuchen und verhältnismäßig ausbilden kann und auch die äußerliche Seite des wissenschaftlichen Gebietes kennenlernt. Auf eine mehr zufällige und unsichere Weise könnten diese Anstalten der Universität nützlich werden, wenn nur die bei ihnen angesetzten Lehrer Erlaubnis erhielten, die wesentlichen Disziplinen ihrer Anstalt auch bei der Universität vorzutragen. Vielleicht aber könnte noch etwas Größeres ausgerichtet werden, wenn man die Anstalten selbst auf eine gewisse Weise mit der Universität vereinigte. Jetzt haben sie ein gar besonderes Ansehn. Neben dem Fach, welchem sie zunächst gewidmet sind, haben sie noch Lehrer in allgemeinen Wissenschaften, die mit jenem zunächst zusammenhängen, was sich in der Nähe der Universität hernach wunderlich ausnehmen wird. Man sollte sie vielleicht in zwei Teile teilen; der eine wäre die Schule und bearbeitete diejenigen, welche sich diesem Fach gewidmet haben, ohne nach wissenschaftlicher Bildung zu streben. Der andere, höhere würde mit der Universität vereinigt; die Zöglinge wären Studenten in vollem Sinn, die Lehrer Professoren und der Unterricht ganz in den der Universität aufgenommen. Die niedere Klasse könnte ebenso mit den gelehrten Schulen in Verbindung gesetzt werden und diese mit der Universität selbst durch solche Mittelglieder in eine nähere Gemeinschaft treten, so daß beide, ohne von ihrer Eigentümlichkeit etwas aufzugeben, doch auch wieder als ein Ganzes anzusehn wären und die Hauptstadt auch hierin das bestimmteste sinnliche Bild von dem Einssein aller Teile im Ganzen aufstellte.

Dasselbige könnte endlich auf der andern Seite auch geschehen in Beziehung auf die Akademie der Wissenschaften. Zwischen dieser und der Universität gibt es, wie wir schon gesehen haben, eine natürliche Gemeinschaft; der Universitätslehrer arbeitet sich allmählich in die Akademie hinüber, und ein großer Teil der Akademiker hat immer noch Zeiten, wo es ihn drängt, im einzelnen die Funktionen eines Universitätslehrers zu versehen. Diese Gemeinschaft könnte hier auf eine höchst wünschenswürdige Weise organisiert werden, ebenfalls ohne daß beide Anstalten äußerlich eins würden und aufhörten, das Eigentümliche ihres Zweckes und Wesens auf das bestimmteste auszusprechen, sondern nur so, daß durch die Einzelnen, welche mit Recht beiden angehören, für das Leben ein allmählicher Übergang stattfände und eine freundschaftliche Verbindung beider Anstalten, in welcher sich wiederum die Einheit der ganzen wissenschaftlichen Organisation sinnlich darstellte. Die Einflüsse, welche wir der Akademie und den Akademikern auch auf die Universität zugeschrieben haben, und ihre überall unbeschränkt zu erhaltende Freiheit, sich selbst zu erneuern, sichert hinlänglich gegen die wunderliche Ansicht, als würde dann die Akademie nur eine Versorgungsanstalt sein für abgelebte Professoren; vielmehr wird sie durchaus in der wissenschaftlichen Republik erscheinen als die ehrwürdige Versammlung der Ältesten. Nur muß auch die Universität, indem sie diese wie die vorige Verbindung sucht, nicht erscheinen, als täte sie es aus einseitigem Bedürfnis, als würde sie ohne diese Stützen ärmlich und unscheinbar sein und als sollten zu ihrem Besten andere Anstalten von ihrer Selbständigkeit aufopfern. Vielmehr muß auch sie unabhängig auftreten und selbständig, und die Verbindung muß eine von beiden Teilen gewünschte Annäherung sein. Denn was abgerungen wird auf diesem Gebiet, ist sicher als unrechtes Gut nie gedeihlich. Darum, wenn man nicht alles verderben will, denke man doch ja anfänglich auf nichts anders, als nur eine Universität zu stiften, die soviel möglich für sich bestehe. Ja, um recht deutlich zu machen, daß es zunächst nicht die Hinsicht auf diese künftigen Vorteile ist, was die Universität nach Berlin bringt, sondern der Drang des Augenblickes: so erkläre man doch am liebsten, sie solle nur provisorisch in Berlin sein, und denke darauf, ihre Kräfte zu sammeln, damit sie alles, was ihr notwendig ist, eigen habe. Sieht man dann, daß die eigentümlichen Nachteile von Berlin sich nicht besiegen lassen: so werde man ja nicht geblendet durch die etwaigen Vorteile, sondern die Universität wandere, so bald sie kann. Es wird ja wohl nicht nötig sein, steht zu hoffen. Aber durch die Kundmachung dieses Entschlusses und die Anstalten, um ihn nötigenfalls zu realisieren, wird die Universität Vertrauen auf ihre Moralität gewinnen, und nach Maßgabe ihrer Unabhängigkeit wird sich auch die Stimmung bilden, durch welche sie sich in Besitz der letzt erwähnten Vorteile setzen kann. Und dann ist eine wissenschaftliche Organisation gegründet, die ihresgleichen nicht hat und durch ihre innere Kraft sich ein weiteres Gebiet unterwerfen wird, als die jetzigen Grenzen des preußischen Staates bezeichnen, so daß Berlin der Mittelpunkt werden muß für alle wissenschaftlichen Tätigkeiten des nördlichen Deutschlandes, so weit es protestantisch ist, und die Bestimmung des preußischen Staates für die Zukunft von dieser Seite einen sichern und festen Grund gewinnet. Bei einer solchen Aussicht müssen ja wohl kleinliche Rücksichten und Besorgnisse verschwinden, und es bleibt nur zu wünschen, daß die Regierung, welche diesen Entwurf gefaßt hat, sich bald imstande fühle, ernstlich zur Ausführung zu schreiten.

An Johann Wilhelm Heinrich Nolte[135]

Berlin, d. 3t. Jan. 1808

Erlauben Sie, verehrter Herr Oberkonsistorialrat, daß ich Ihnen, wovon gestern die Rede unter uns war, noch etwas bestimmter auseinandersetze, als ich damals konnte, da wir unterbrochen wurden und auch wohl, als ich wollte, weil ich fürchtete, zu sehr in Eifer zu geraten.

Es ist gewiß zu bedauern, daß die Regierung jetzt noch über keinen Fonds für die zu errichtende Universität disponieren kann, allein unstreitig wäre noch weit mehr zu bedauern, wenn man deshalb den Entwurf selbst aufgeben wollte. Es heißt aber ihn aufgeben, wenn man jetzt nicht unverzüglich einen entscheidenden Schritt tut. Wie wenig es auch der neuen Westfälischen Regierung gründlicher Ernst sein mag, sie gibt doch sehr glänzende Versprechungen über die Wiederherstellung von Halle, Versprechungen, welche manche, die ihre Partie nicht so völlig und aus innerem Gefühl genommen haben wie ich, zurücklocken können[136]; andere haben wieder andere Anträge. Von wem kann man verlangen, daß er, zumal da noch so widersprechende Gerüchte über die Sache sich kreuzen, auf so halb offizielle Anträge und Äußerungen hin, als die bisherigen sind, bestehende Verhältnisse abbrechen oder dargebotene von sich weisen soll? Höchst nötig ist es endlich, bestimmte Vokationen auszufertigen, für die nicht nur, welche aus Halle berufen sind, sondern auch für die, welche man anderwärts her zu berufen denkt, damit endlich Glauben an die Sache entstehe. Mag auch die Gehaltszahlung erst von einem bestimmten weiteren Termin an versprochen oder vorläufig in Verschreibungen geleistet werden statt baren Geldes, das wird keinen rechtlichen Mann, dem es mit der Sache Ernst ist und der die Lage der Dinge kennt, befremden oder abhalten. Längere Unsicherheit aber wird alle in andere Verhältnisse hineinzwingen und woher will man dann, wenn der günstige Zeitpunkt kommt, die Lehrer nehmen? Mit aller Achtung vor den hiesigen Gelehrten sei es gesagt, aus ihnen allein wird sich keine Universität machen lassen.

Da es mit diesen Berufungen meiner Überzeugung nach Eile hat und ich nicht weiß, wie bald ich wieder die Ehre habe, Sie zu sprechen, so erlauben Sie mir noch ein paar Vorschläge in dieser Hinsicht zu tun, welche mir reine Liebe zu der künftigen Anstellung eingibt. Es ist höchst unwahrscheinlich, daß Hr. S. Knapp[137] unter den gegenwärtigen Umständen herkommen wird; vielleicht sieht sich auch Hr. Niemeyer[138] durch seine Verpflichtungen gegen das Waisenhaus und Pädagogium genötigt, es vor der Hand noch abzulehnen, wiewohl er bei meiner Abreise eine überwiegende Neigung hieher bezeugte. Durch Hrn. D. Vater[139] und mich würde die theologische Fakultät niemandem gehörig besetzt scheinen. Ich wüßte im Falle dieses Mangels keinen trefflicheren Mann herzuwünschen als den Kirchenrat und Professor J. C. E. Schmidt[140] in Gießen, Verfasser einer allgemein geschätzten, mit großer historischer Kritik gearbeiteten Kirchengeschichte, einer ebenso trefflichen Einleitung ins N(eue) Test(ament) und einer sehr liberalen und gründlichen Dogmatik, kurz einer der gelehrtesten und gründlichsten Theologen. Ferner möchte ich so dringend als möglich an Hrn. Professor Steffens[141] erinnern und es Ihnen zur Gewissenssache machen, seine Berufung in Anregung zu bringen. Ich weiß, daß er viele Gegner hat, aber wer den Gang der Studien in Halle kennt, wird gestehen müssen, daß auf die vorteilhafte Veränderung in den letzten Jahren niemand von größerem Einfluß gewesen ist, daß niemand mehr wahrhaft wissenschaftlichen Eifer und gründliches Studium angeregt hat als er. Eine Umfrage bei Reil[142], bei Wolf, bei mir, vielleicht selbst bei den Juristen, würde ergeben, daß die besten Schüler in allen Fächern diejenigen gewesen sind, die zugleich die seinigen waren. Und wenn man glaubt, ihn in allen einzelnen Fächern durch hiesige Gelehrte ersetzen zu können, was ich bezweifle, so wird doch dieses bewährte Lehrertalent, dieses Zusammenfassen des ganzen Gebietes der Naturwissenschaften und der Philosophie niemand nachweisen können. Hiezu kommt noch, daß Hr. Professor Steffens, als er vor dem Anfang des abgelaufenen Jahres sehr vorteilhafte Anträge aus Dänemark erhielt, sie aus Anhänglichkeit an seinen Wirkungskreis in Halle und weil er es sich zur Schmach rechnete, gleichsam das Signal zu geben und das erste Beispiel zur Zerstreuung der Professoren, ganz von der Hand gewiesen hat; auch späterhin und in einer sehr bedrängten äußeren Lage hat er nämlich dem Kronprinzen dasselbe gesagt. Sie wissen, daß ich mich noch nie mit Vorschlägen dieser Art aufgedrängt habe, aber diese beiden konnte ich mich nicht enthalten an die Hand zu geben.

Nächst diesen Vokationen aber an die künftigen Mitglieder scheint es mir auch höchst wünschenswert, ja fast notwendig, daß die Anstalt mit Anfang des Sommers wirklich eröffnet werde, teils weil das erste Semester doch immer unvollständig wird und es schade wäre, ein Winter-Semester halb zu verderben, teils weil die Zahl der Abgehenden von den Gymnasien um Ostern immer die bedeutendste ist, teils damit uns nicht, wenn die Westfälischen Einrichtungen schnell zustandekommen, ein dortiger Studienzwang gleich Anfangs einen schlimmen Streich, anderer Gründe zu geschweigen, spiele. Hiezu aber wird erfordert, daß eine Eröffnung spätestens im Februar auf eine ganz authentische und öffentliche Weise bekanntgemacht werde, weil sonst jeder schon seine Partie möchte genommen haben. Es gehört dazu meines Erachtens zwar kein direkter Schritt der Regierung selbst, sondern nur etwa, daß die berufenen Lehrer, die ja alle ihre Wirksamkeit je eher je lieber werden antreten wollen, privatim oder halb offiziell unterweiset werden, öffentlich zu erklären „sie seien entschlossen und befugt, hier in Berlin provisorisch eine Universität zu eröffnen, welcher alle Privilegien und Rechte preußischer Universitäten schon provisorisch zugesichert wären und auf welcher von Anfang Mai oder Juni an folgende Vorlesungen werden gehalten werden". Folgt dann nur ein tüchtiges Verzeichnis und eine Anzahl berühmter Unterschriften, so wäre es übel, wenn wir nicht zu rechter Zeit Studierende bekommen sollten. Einige andre Kleinigkeiten, die dieser Ankündigung noch müßten hinzugesetzt werden, übergehe ich hier. Ich meine, dies kann die Regierung, wenn nur ihr Entschluß feststeht, eine solche Anstalt zu gründen, nicht im mindesten kompromittieren; ja selbst, wenn die Frage „ob in Berlin" noch nicht entschieden sein sollte, wie ich doch glaube, so würden dadurch die Hände zu einer zweckmäßigen Verlegung für die Folge nicht gebunden. Nur Eile, Eile mit diesen notwendigsten Schritten zur ersten Begründung der Sache muß jeder, der einigen Teil daran nimmt, unter den gegenwärtigen Umständen gar sehnlich wünschen, weil sonst auch die Standhaftesten möchten wankend gemacht werden durch die Lockungen der Westfälinger oder durch die Werbungen der Russen. Sie sind der Agent in dieser interessanten Angelegenheit, und es sollte mir leid tun, wenn hintennach vielleicht sehr unverschuldet Ihnen von manchen der Vorwurf gemacht würde, daß Sie zwar eine Menge vortrefflicher Ratschläge für die Details gegeben hätten, die auch späterhin noch Zeit gewesen wären zu besprechen, dagegen aber versäumt, die so sehr entfernten Stifter und Obern zur rechten Zeit auf dasjenige aufmerksam zu machen, was im Augenblick geschehen mußte.

Verzeihen Sie meine Ausführlichkeit und meine zudringliche Sprache; schreiben Sie es aber nur, wie es die Wahrheit ist, meinem Eifer für die Sache zu, die uns beiden gleich sehr am Herzen liegt. ...

Schleiermacher an Brinckmann

Berlin, d. 1. März 1808
– Laß mich Dir zuerst eine kleine Apologie halten für die kleine Schrift über Universitäten. Meine Absicht war, sie ganz anonym herauszugeben, und dies bitte ich Dich ja nicht zu vergessen, wenn Du sie liesest. Freilich habe ich nicht gehofft, unentdeckt zu bleiben, wie ich denn fürchte, daß mir das nie gelingen wird, aber dennoch macht es einen großen Unterschied in der Art, die Sachen zu sagen. Wie man manches von einem andern spricht hinter seinem Rükken, ganz unbesorgt darum, ob er es wieder erfahren wird oder nicht, was man ihm doch um keinen Preis selbst grade ins Gesicht sagen würde, so scheint es mir auch hiemit. Reimer überredete mich hernach, die Anonymität fahrenzulassen, weil die Schrift sonst zu lange für das größere Publikum unter einer Menge unbedeutender ähnlichen Inhalts sich verbergen würde: ein Grund, dem ich nachgeben mußte. Damals war aber nicht mehr Zeit, irgend etwas zu ändern. So hat man schon vorzüglich die paar Federstriche über Engel getadelt, die mir sehr zweckmäßig schienen, um die regierenden Laien aufmerksam darauf zu machen, wie wenig der Mann sich eignete, einen solchen Plan zu entwerfen; die ich aber gewiß in meiner eignen Person anders würde gefaßt haben. Einige Freunde hier haben geurteilt, die ganze Schrift überzeuge so sehr davon, daß Berlin nicht der Ort für eine Universität sei, daß der Anhang den Eindruck nicht wieder verlöschen könne. Das wäre freilich sehr gegen meine Absicht, und sollte dieser Eindruck allgemein sein, so würde es mir leid tun, nicht noch ein paar Bogen an den Anhang gewendet zu haben. Meine Hauptabsicht indes war nur, den Gegensatz zwischen den deutschen Universitäten und den französischen Spezialschulen recht anschaulich und den Wert unserer einheimischen Form einleuchtend zu machen, ohne eben gegen die andere direkt zu polemisieren. Laß mich doch wissen, ob Du die ganze Schleiermachersche Schwerfälligkeit darin findest oder weniger davon. Aber in welchem Irrtum stehst Du, als ob ich eine Sittenlehre herausgäbe? Vorlesungen halte ich darüber;[143] aber ich muß sie gewiß noch mehrere Male halten

und noch sehr umfassende Studien machen, ehe ich an eine Herausgabe derselben denke, mit der ich wohl meine ganze Laufbahn lieber erst beschließen möchte. Jetzt sitze ich tief im alten Heraklit[144], dessen Fragmente und Philosopheme ich für das Museum der Altertumswissenschaften darstelle. Was begegnet dem Menschen alles! Vor wenigen Jahren noch hätte ich es für unmöglich gehalten, in Verbindung mit Wolf auf dem Gebiet der Philologie aufzutreten. Aber die Virtuosen in diesem Fache sind so sparsam mit ihren Arbeiten, daß die Stümper wohl auch herbeigeholt werden müssen. Vielleicht habe ich aber den Titel eines Philologen recht nötig bei Dir, um den Zynismus in der Hamburger Zeitung zu rechtfertigen.[145] Es schien mir nötig, mit recht klaren Worten und so sinnlich anschaulich als möglich zu sagen, wie jene neue Regierung die Gelehrten behandelt; und niemand schien es so gut tun zu können als ich, von dem es unter allen, die mich überhaupt kennen, bekannt genug sein mußte, daß ich nicht saure Trauben schimpfte. Allgemein hat man freilich das Bild getadelt und es außer meinem Genre gefunden; indes scheint mir doch der ganzen Sache der rechte Trumpf zu fehlen, wenn ich es mir gestrichen denke.

KARL FRIEDRICH SAVIGNY[146]

Rezension von: F. Schleiermacher,
Gelegentliche Gedanken über Universitäten
in deutschem Sinn
Berlin 1808

Schon der Name eines so geistreichen, gemütvollen Schrift-
stellers läßt ein bedeutendes Wort über einen Gegenstand
erwarten, dessen ernstliche Erwägung gerade jetzt so wichtig ist; und wie schön wird diese Erwartung durch die
Schrift selbst gerechtfertigt! Besonders erfreulich ist es, daß
der Verfasser durch die Erforschung des idealen Zustandes
der Universitäten keinesweges von der Würdigung der bestehenden Einrichtungen abgezogen worden ist; überall gelingt es ihm, die tiefe Bedeutung alter Sitte aufzuzeigen,
worauf die aufgeklärte Menge schon längst als auf veraltete
Formen mitleidig herabzusehen gewohnt ist. Die Erscheinung einer Schrift in diesem Geiste ist eben jetzt doppelt
interessant, wo von vielen die Fortdauer der besten unter
unseren Universitäten in Zweifel gezogen wird; doch ist sie
nicht durch diese Gefahr veranlaßt, sondern durch den Plan
einer neuen, in Berlin zu errichtenden Universität. Die Beurteilung dieses Plans findet sich im Anhang; die Schrift
selbst, welche den Gegenstand allgemein abhandelt, hat
sechs Abschnitte.

Erster Abschnitt
Vom Verhältnis des wissenschaftlichen Vereins zum Staate

Die Wissenschaft (dies ist der wesentliche Inhalt dieses Abschnitts) kann nur zur Vollendung gebracht werden durch
Verbindung aller, die darnach streben. In dem Bedürfnis
der Wissenschaft also liegt auch das des wissenschaftlichen
Vereins, der bloße Trieb nach Erkenntnis führt notwendig
auf Mitteilung und Gemeinschaft aller Art, und alle öffentlichen Anstalten, welche dazu gehören, entstehen aus freier

Neigung. Erst in ihrer weiteren Ausbildung bedürfen diese Anstalten des Staates, um von ihm geschützt und begünstigt zu werden. Der Staat aber, welchem sie an sich fremd sind, bedarf einer großen Menge von Kenntnissen, und da alle Kenntnisse auf die Wissenschaft hinweisen und nur in ihr vollendet werden können, so nimmt der Staat jene Anstalten als nützlich in sich auf, und beide verbinden sich um ihres gegenseitigen Vorteils willen. Aber auch nun zeigt sich das ursprünglich getrennte Interesse des Staates und des wissenschaftlichen Vereins, indem jener allein die Masse der Kenntnisse schätzt und befördert, dieser aber, die einzelne Kenntnis als solche wenig achtend, allein auf die Einheit und gemeinschaftliche Form des Wissens hinarbeitet.

Wir finden es nötig, bei dem hier dargestellten Verhältnis des Staates zur Wissenschaft vor zwei Mißverständnissen zu warnen, wozu der Ausdruck des Verfassers verleiten könnte, ohne daß wir sie bei ihm selbst voraussetzen dürfen. *Erstens.* Dieser Gesichtspunkt des Staates ist keineswegs in der Idee desselben gegründet, so daß die rein politische Ansicht mit der rein wissenschaftlichen in einem notwendigen Widerspruch stehen müßte. Denn ein Staat, welcher ganz seinen Beruf erfüllte, müßte jede Richtung, jede Tätigkeit, ja das ganze Leben des Volkes gleichmäßig umfassen, und wie wäre es da möglich, daß nicht auf die Wissenschaft in ihrer Selbständigkeit anerkannt und gepflegt würde! Vielmehr gilt jenes Verhältnis bloß von der einseitigen Richtung unserer gegenwärtigen Staaten, ja manches, was der Verfasser sagt, erhält nur durch eine noch engere Lokalbeziehung volles Licht. *Zweitens.* Wenn der Verfasser sagt, daß die öffentlichen Anstalten zur wissenschaftlichen Mitteilung aus sich selbst und durch den bloßen Trieb nach Erkenntnis entstehen, so kann dieses nur so viel heißen, daß sie auf diese Weise entstehen könnten und würden, auch ohne Zutun des Staates. Denn bei den Universitäten läßt sich diese Art der Entstehung historisch bloß von den allerersten behaupten; die meisten und namentlich alle deutsche sind vom Staate ausgegangen, aber ihre Stiftung ist in einem größeren und liberaleren Sinne geschehen, als daß man das oben dargestellte Verhältnis des Staates zur Wissenschaft dabei voraussetzen dürfte.

Außer einer trefflichen Bemerkung über die Sprache als natürliche Grenze sowohl des engeren wissenschaftlichen Vereins als des Staates (S. 163, 165), zeichnen wir in diesem Abschnitt vorzüglich die Rüge eines großen Mißgriffs aus, welcher in neueren Zeiten in Deutschland sehr überhandgenommen hat, nämlich der *wissenschaftlichen Sperre* (S. 167). Unnatürlicher, zweckwidriger und verderblicher als dieses ist schwerlich jemals etwas ersonnen worden, und es ist zu wünschen, daß alle, welche Gelegenheit dazu haben, recht laut ihre Stimme dagegen erheben mögen.

Zweiter Abschnitt
Von Schulen, Universitäten und Akademien

Der Verfasser stellt hier die drei Hauptformen zusammen, in welchen der wissenschaftliche Verein in den neueren Zeiten erscheint. Mitten inne zwischen Schule und Akademie steht die Universität mit der Aufgabe, die Idee der Wissenschaft in den Jünglingen herrschend zu machen und eben dadurch das Vermögen der eignen Erfindung in ihnen auszubilden. Darum ist hier der philosophische Unterricht die Grundlage, aber nicht bloße Transzendentalphilosophie, sondern Philosophie in ihrem lebendigen Einfluß auf das reale Wissen, also mit diesem zugleich.

Die ganze Entwicklung dieser Idee der Universität ist trefflich. Nicht so befriedigend scheint uns die Darstellung der Akademie. Was der Verfasser über die Notwendigkeit eines Vereins der Meister zur Fortbildung der Wissenschaft bemerkt, betrifft eigentlich nur den natürlichen, inneren Verein, der unter allen wahren Gelehrten wirklich besteht und der sie um so enger umfaßt, je mehr sie der Wissenschaft und nicht bloß einem einseitigen Talent angehören; es folgt aber daraus nicht die Notwendigkeit einer äußeren Anstalt, und wir wünschten, der Verfasser hätte sich erklärt, wie eine solche Anstalt, welche nicht, wie die Universität, durch eine bestimmte Aufgabe und durch die erfrischende Berührung mit den Jünglingen lebendig erhalten wird, in die Länge bestehen könnte, ohne zu einer toten Form zu werden. In Deutschland scheint die bisherige Erfahrung diese Zweifel zu bestärken; ja, selbst der Freiheitssinn der Deutschen gibt ihnen neues Gewicht. Denn mit Recht fordert der Verfasser, daß Deutschland, wenn es auch nur in der Wissenschaft zu seiner natürlichen Einheit gelangt sei, keine Provinzialakademien, sondern eine, höchstens zwei allgemeine haben solle. Eine solche Einrichtung aber führt sicher zu einer aristokratischen Verfassung der Gelehrtenrepublik, und diese möchte schwerlich dem Sinne des deutschen Volkes entsprechen.

Vorzügliche Aufmerksamkeit verdient am Schlusse dieses Abschnitts die Rüge eines sehr gewöhnlichen Mißgriffs, indem nämlich die Schulen, Universitäten und Akademien, jede ihre natürliche Grenzen verkennend, in fremdes Gebiet eingreifen, ihren eignen Beruf aber eben deshalb nur schlecht erfüllen.

Dritter Abschnitt
Nähere Betrachtungen der Universität im allgemeinen

Hier vorzüglich treffliche Charakteristik des wahren Kathedervortrags (S. 192–195). Der Lehrer soll den Standpunkt der Zuhörer und den Weg zu seinem eigenen Standpunkt darstellen; er soll nicht erzählen, was er weiß, sondern sein Wissen vor den Zuhörern entstehen lassen, damit sie „die Tätigkeit der Vernunft im Hervorbringen der Erkenntnis unmittelbar anschauen und anschauend nachbilden".[147] Ein solcher Vortrag setzt lebendige Begeisterung und Besonnenheit in dem Lehrer voraus, und er kann auf verschiedene Weise vortrefflich sein, je nachdem die eine oder die andere dieser Tugenden vorherrschend ist. Ja, ganze Universitäten behaupten in dieser Rücksicht oft lange einen bestimmten Charakter, und die Mehrheit der Universitäten in jeder Nation ist schon deshalb unentbehrlich.

Vierter Abschnitt
Von den Fakultäten

Die längst verachtete und verworfene Organisation unserer Universitäten findet hier einen sehr gründlichen Verteidiger. Die eigentliche Universität nämlich, wie sie sich von innen heraus, durch rein wissenschaftliches Bedürfnis, gestalten würde, ist nach seiner Ansicht in der philosophischen Fakultät enthalten; die drei oberen Fakultäten aber sind Spezialschulen, sie haben ihre Einheit bloß in einem äußeren Geschäft und Bedürfnis, und sie sind ihrer Natur nach abhängig von der philosophischen Fakultät, indem ihnen bloß die innigste Verbindung mit dieser wissenschaftliches Leben erhalten kann. Mit Recht eifert der Verfasser gegen die willkürlichen Einteilungen, wodurch man an manchen Orten die Fakultäten verdrängt hat. „Was man damit meint, ist Willkür, Spielerei; und was man damit bewirkt, ist wohl etwas übleres, und es ist zu fürchten, daß man nicht ungestraft Einrichtungen vertilgen kann, die für sich schon geschichtliche Denkmäler sind und die, wenngleich von vielen nicht verstanden, den Geist der Nation aussprechen."[148] Vorzüglich warnt er vor einer Spaltung der philosophischen Fakultät in mehrere Abteilungen, welche dadurch ihren wissenschaftlichen Charakter immer mehr verlieren würden.

In dieser allgemeinen Ansicht der Fakultäten sind wir mit dem Verfasser völlig einverstanden, nicht so in der historischen Herleitung. Die drei oberen Fakultäten, sagt er (S. 198), seien vom Staat entweder gestiftet oder doch früher und vorzüglicher in Schutz genommen worden; die philosophische sei für ihn ursprünglich bloßes Privatunternehmen, nur durch innere Notwendigkeit und durch den wissenschaftlichen Sinn der in jenen Fakultäten Angestellten sei sie subsidiarisch herbeigeholt worden. Allein, ursprünglich sind auch die oberen Fakultäten durch bloßes Privatunternehmen entstanden. Die Pariser Theologen, die Juristen zu Bologna und die Salernitanischen Ärzte erfüllten Europa mit ihrem Ruhm, lange ehe der Staat sich in ihre Lehranstalten mischte. Und als dieses geschah, verstand sich die Zusammensetzung der Universität aus den vier oder fünf Fakultäten von selbst, ja sogar die Rangordnung war schon ohne Zutun des Staates entschieden. In Deutschland besonders finden sich zwar einige wenige Fälle, worin anfangs nur einige Fakultäten errichtet wurden; dann aber waren gerade die höheren Fakultäten, nie die philosophische, ausgeschlossen.

Sehr merkwürdig ist noch das, was der Verfasser in diesem

Abschnitt über die Umbildung der juridischen Fakultät (S. 200), zur Verteidigung der Honorare (S. 205), über Seminare und Stipendien (S. 206 ff.) und über die Besetzung der Lehrstellen (S. 209 ff.) sagt, alles dem liberalen Geiste der ganzen Schrift gemäß. Über die Besetzung der Lehrstellen erlauben wir uns noch einige Bemerkungen. Der Verfasser will das Wahlrecht auf eine künstliche Weise zwischen dem Kurator und den Fakultäten verteilt wissen. Wo man der Regierung beschränkte Einsichten zutrauen kann, hat diese Einrichtung allerdings ihre Vorteile; im allgemeinen glauben wir nicht, daß durch sie eine Universität zu großer Blüte kommen werde. Wo sich eine Universität dauernd gehoben hat, da ist es sicher durch den wissenschaftlichen Sinn des Kurators geschehen, der sich in einen *freien* Verkehr mit den Lehrern zu setzen wußte. Man wende uns nicht ein, daß hier der unwahrscheinliche Fall eines Kurators vorausgesetzt werde, der selbst als Gelehrter eignen Wert und Namen haben müßte; das fordern wir nicht, denn der offene lebendige Sinn für jede eigene, kräftige, geistvolle Erscheinung im wissenschaftlichen Gebiet, worauf hier alles ankommt, kann sehr wohl bestehen ohne produktives Talent. Alles Wahlrecht der Lehrer aber ist uns deshalb bedenklich. Die größte Gefahr für eine Lehranstalt ist eine einseitige Richtung, in welcher endlich alles freie Leben untergehen kann. Nichts aber ist seltener in Menschen von bestimmtem Charakter als das lebendige Gefühl für den notwendigen Gegensatz, durch welchen sie selbst ergänzt werden müßten, nicht etwa in Kenntnissen, sondern in Streben und Richtung.

Zuletzt noch (S. 215–216) ein bedeutendes Wort über die Notwendigkeit demokratischer Verfassung der Universitäten und über die verderblichen Vorrechte regierender Ausschüsse; bei einer solchen Verfassung werde sich die aristokratische Gesinnung auch in anderen Dingen offenbaren, „vorzüglich durch Tyrannei gegen aufkeimende Verdienste, durch Haschen nach äußerem Ansehen, durch einen verschrobenen, unwissenschaftlich vornehmen Ton[149]."

So wahr und geistreich hat noch niemand über das Wesen und den Wert der akademischen Freiheit gesprochen. Nur finden wir, daß der Verfasser im ganzen noch zu sehr verteidigungsweise zu Werke geht. Nicht bloß notwendige Bedingung freier wissenschaftlicher Entwicklung ist diese Seite der Universitäten; bloß menschlich und sittlich betrachtet ist sie einzig in ihrer Art und gibt den Universitäten unschätzbaren Wert. Denn immer mehr wird rein menschliches Gefühl und Verhältnis verdrängt von dem Willkürlichen der Gesellschaft, und es wäre töricht zu glauben, daß selbst die gänzliche Aufhebung des Erbadels hierin viel Unterschied machen würde. Wie viel wert also ist es, wenn alle Gebildeten der Nation in der empfänglichsten Zeit ihres Lebens in einen Zustand versetzt werden, worin jedes menschliche Selbstgefühl erweckt und gehoben und das übermäßige Standesgefühl aller Art gedemütigt wird! und vollends bei den Deutschen, die alles so ernst nehmen und denen so wenig Leichtsinn als Gegengift verliehen ist! Wir enthalten uns, mehr darüber zu sagen; wem die eigene Anschauung fehlt, der wird das nie begreifen, und wer z. B. ehemals Jena gesehen hat mit seinem freudigen mutigen Streben, seiner Armut und brüderlichen Gesinnung, der bedarf keiner weiteren Ausführung.

Es ist sehr sonderbar, daß alle deutschen Universitäten unter den zwei Hauptformen der Verfassung die gewählt haben, welche in Paris entstanden zu sein scheint, während die der italienischen Universitäten von manchen französischen nachgebildet worden ist. Da lag Gesetzgebung und Gerichtsbarkeit in den Händen der Studenten, der Rektor war ein Student, und die Professoren waren entweder gar nicht Mitglieder der Korporation oder von den Studenten abhängig. Ja, auf den Italienischen Universitäten war es gerade die deutsche Nation, die sich von jeher am freiesten und unabhängigsten zu erhalten wußte. Wir sind weit entfernt, das Extrem dieser Form zu verteidigen, welches ohnehin nur unter ganz anderen Verhältnissen als den unserigen bestehen konnte; allein es scheint uns sehr der Untersuchung wert, ob es nicht zweckmäßig wäre, den Studenten als öffentlich anerkannter Korporation einige konstitutionelle Rechte anzuvertrauen. Diese öffentliche Würdigung müßte bei zweckmäßigem Gebrauch ernsten und würdigen Sinn befördern, und die feindliche Gesinnung gegen Gesetz und Recht, die sich oft selbst auf eine kleinliche Weise äußert, fände hier ihre natürlichste Ableitung. Ja, nicht nur in dieser Gesinnung scheint eine Hinweisung auf das unerfüllte Bedürfnis einer solchen Einrichtung zu liegen, sondern auch in dem steten Hang der Studenten zu geheimen Korporationen, gegen welchen sich die Gesetzgebung nun schon so lange ebenso fruchtlos abgearbeitet hat als gegen die Duelle.

Sechster Abschnitt
Von Erteilung der gelehrten Würden

Dieser Abschnitt scheint uns am wenigsten befriedigend in der ganzen Schrift, und es ist auch in der Tat sehr mißlich, Vorschläge zu tun bei einer Einrichtung, die so sehr zu einer toten Form zusammen gesunken ist, daß sie von Grund auf neu erbaut werden müßte. Dennoch zeigt sich auch hier der ernste, gründliche Sinn, der die ganze Schrift erfüllt, und auch an einzelnen treffenden Bemerkungen fehlt es nicht. Wir rechnen dahin unter andern die Bemerkung, daß es auch von dieser Seite verderblich sei, die Einheit der philosophischen Fakultät aufzuheben (S. 234). „Doktoren der Geschichte oder der Ästhetik zu ernennen, ist fremd und lächerlich und wird gewiß, wenn man es auch willkürlich einführt, nicht bleibend sein und geschichtlich werden."[150]

WILHELM VON HUMBOLDT[151]

Antrag auf Errichtung der Universität Berlin
Juli 1809

Königsberg, d. 24. Juli 1809

An des Königs Majestät

Es wird befremdend scheinen, daß die Sektion des öffentlichen Unterrichts im gegenwärtigen Augenblick einen Plan zur Sprache zu bringen wagt, dessen Ausführung ruhigere und glücklichere Zeiten vorauszusetzen scheint.

Allein Ew. Königl. Majestät haben auf eine so vielfache und einleuchtende Weise gezeigt, daß Sie, auch mitten im Drange beunruhigender Umstände, den wichtigen Punkt der National-Erziehung und Bildung nicht aus den Augen verlieren, daß ihr diese ebenso erhabene als seltene Gesinnung den Mut zu dem folgenden Antrage einflößt.

Ew. Königl. Majestät geruheten durch eine Allerhöchste Kabinetts-Ordre vom 4ten September 1807 die Einrichtung einer allgemeinen und höheren Lehranstalt in Berlin zu genehmigen; seitdem ist bei verschiednen Einrichtungen und Anstellungen darauf Rücksicht genommen worden; allein es wird zur wirklichen Ausführung noch immer ein zweiter entscheidender Schritt erfordert, und sie hält es aus einem doppelten Grunde für notwendig, diesen im gegenwärtigen Moment zu tun.

Weit entfernt, daß das Vertrauen, welches ganz Deutschland ehemals zu dem Einflusse Preußens auf wahre Aufklärung und höhere Geistesbildung hegte, durch die letzten unglücklichen Ereignisse gesunken sei, so ist es vielmehr gestiegen. Man hat gesehen, welcher Geist in allen neueren Staats-Einrichtungen Ew. Königl. Majestät herrscht und mit welcher Bereitwilligkeit, auch in großen Bedrängnissen, wissenschaftliche Institute unterstützt und verbessert worden sind. Ew. Königl. Majestät Staaten können und werden daher fortfahren von dieser Seite den ersten Rang in Deutschland zu behaupten und auf seine intellektuelle und moralische Richtung den entschiedensten Einfluß auszuüben.

Sehr viel hat zu jenem Vertrauen der Gedanke der Errichtung einer allgemeinen Lehranstalt in Berlin beigetragen. Nur solche höhere Institute können ihren Einfluß auch über die Grenzen des Staates hinaus erstrecken. Wenn Ew. Königl. Majestät nunmehr diese Einrichtung feierlich bestätigten und die Ausführung sicherten, so würden Sie sich auf's neue alles, was sich in Deutschland für Bildung und Aufklärung interessiert, auf das festeste verbinden, einen neuen Eifer und neue Wärme für das Wiederaufblühen Ihrer Staaten erregen, und in einem Zeitpunkte, wo ein Teil Deutschlands vom Kriege verheert, ein anderer in fremder Sprache von fremden Gebietern beherrscht wird, der deutschen Wissenschaft eine vielleicht kaum jetzt noch gehoffte Freistatt eröffnen.

Diese zusammentreffenden Umstände machen dann auch, und dies gibt einen zweiten wichtigen Grund ab, gerade jetzt mehr Männer von entschiedenem Talent als sonst geneigt, neue Verbindungen einzugehen.

Der erste Gedanke an eine allgemeine und höhere Lehranstalt in Berlin entstand unstreitig aus der Betrachtung, daß es schon jetzt in Berlin außer den beiden Akademien, einer großen Bibliothek, Sternwarte, einem botanischen Garten und vielen Sammlungen eine vollständige medizinische Fakultät wirklich gibt. Man fühlte, daß jede Trennung von Fakultäten der echt wissenschaftlichen Bildung verderblich ist, daß Sammlungen und Institute wie die oben genannten nur erst dann recht nützlich werden, wenn vollständiger wissenschaftlicher Unterricht mit ihnen verbunden wird, und daß endlich, um zu diesen Bruchstücken dasjenige hinzuzusetzen, was zu einer allgemeinen Anstalt gehört, nur um einen einzigen Schritt weiter zu gehen nötig war.

Auch die Sektion bleibt diesem Gesichtspunkte getreu. Ihr Wunsch geht dahin

      die Akademie der Wissenschaften,
      die der Künste,
      die wissenschaftlichen Institute,

namentlich die klinischen, anatomischen und medizinischen, überhaupt insofern sie rein wissenschaftlicher Natur sind, die Bibliothek, das Observatorium, den botanischen

Garten und die naturhistorischen und Kunst-Sammlungen
und die allgemeine Lehranstalt selbst dergestalt in ein organisches Ganzes zu verbinden, daß jeder Teil, indem er eine angemessene Selbständigkeit erhält, doch gemeinschaftlich mit den andern zum allgemeinen Endzweck mitwirkt.

Aus dieser Ansicht der Sache ergibt sich die örtliche Bestimmung, daß nämlich eine solche Anstalt nur in Berlin ihren Sitz haben könne, von selbst. Es würde, wenn nicht unmöglich sein, doch unglaubliche Kosten verursachen, die genannten Institute in einen andern Ort zu verlegen. Auch darf eine Anstalt, die alles, was zur höhern Wissenschaft und Kunst gehört, wie in einen Brennpunkt vereinigt, sich nirgend anders als an dem Sitz der Regierung befinden, wenn nicht sie sich der Mitwirkung vieler schätzbarer Männer und beide sich gegenseitig des Beistandes berauben wollen, den sie einander zu leisten imstande sind.

Die allgemeine Lehranstalt aber muß die unterzeichnete Sektion Ew. Königl. Majestät ehrfurchtsvoll um Erlaubnis bitten, mit dem alten und hergebrachten Namen einer *Universität* belegen, und ihr, indem sie übrigens von allen veralteten Mißbräuchen gereinigt wird, das Recht einräumen zu dürfen, akademische Würden zu erteilen. In der Tat und Wirklichkeit müßte sie, welchen Titel man ihr auch beilegen möchte, doch alles enthalten, was der Begriff einer Universität mit sich bringt. Sie könnte, von richtigen Ansichten allgemeiner Bildung ausgehend, weder Fächer ausschließen noch von einem höhern Standpunkt, da die Universitäten schon den höchsten umfassen, beginnen noch endlich sich bloß auf praktische Übungen beschränken.

Ohne den Namen aber und ohne das Recht der Erteilung akademischer Würden, würde sie immer nur wenig auswärtige Zöglinge zählen. Man würde im Auslande weder einen bestimmten Begriff von ihrer Beschaffenheit noch eigentliches Vertrauen zu ihr haben und sie mehr für einen wissenschaftlichen Luxus als für ein ernstes und nützliches Institut halten.

Dagegen würde die Sektion bei Ew. Königl. Majestät alleruntertänigst darauf antragen, Frankfurt und Königsberg bestehen zu lassen, damit jeder In- und Ausländer Freiheit behielte, Berlin entweder zu seiner ganzen oder, wie es ehemals so häufig mit Göttingen geschah, nur, nachdem er eine andere Universität besucht hatte, bloß zu seiner höhern und letzten Ausbildung zu wählen.

Auch ist außerdem die Beibehaltung Königsbergs wegen seiner Entfernung, und die von Frankfurt (wenigstens für jetzt) deswegen ratsam, weil es nie gut ist zu zerstören, ehe etwas anderes völlig an die Seite getreten ist, und weil die ausländischen Besitzungen Frankfurts bei einer Aufhebung der Universität leicht eingezogen werden könnten. Wären indes diese Besitzungen einmal veräußert und hätte sich Berlin auch als schlichte und einfache Universität bewährt, so könnte durch die Aufhebung Frankfurts alsdann das bewirkt werden, was allerdings das Wünschenswürdigste wäre, daß nämlich Berlin und Königsberg die beiden einzigen Universitäten der Preußischen Staaten blieben. Bis dahin müßte Frankfurt, jedoch nur mit wenig Aufwand und bloß durch Berufung von immer und überall brauchbaren Männern, nicht durch Anlegung von Instituten verbessert werden.

Die Kosten der Unterhaltung und Vermehrung so vieler ansehnlichen Institute, als hier verbunden werden sollen, können nicht anders als sehr bedeutend sein und sind es, wenn man die ehemals zersplittert und einzeln gezahlten Summen, welche auf beide Akademien, die Sammlungen und Halle verwendet wurden, berechnet, immer gewesen.

Nach einer zwar nur ungefähren, allein weder zu reichlichen noch allzu sparsamen Berechnung, lassen sie sich zu 150000 Tlrn. jährlich anschlagen, wobei für die Akademie der Wissenschaften nur auf einen Zuschuß zu den ihr eigentümlich zugehörenden Einkünften gerechnet ist.

Die Sektion des öffentlichen Unterrichts ist weit entfernt, Ew. Königl. Majestät zu bitten, eine solche Summe auf die Königlichen Kassen anzuweisen. Es wird vielmehr immer für dieselbe ein Hauptgrundsatz bei ihrer Verwaltung sein:

sich zu bemühen, es nach und nach (weil es auf einmal freilich unmöglich ist) dahin zu bringen, daß das gesamte Schul- und Erziehungswesen nicht mehr Ew. Königl. Majestät Kassen zur Last falle, sondern sich durch eignes Vermögen und durch die Beiträge der Nation erhalte.

Die Vorteile dabei sind mannigfaltig. Erziehung und Unterricht, die in stürmischen wie in ruhigen Zeiten gleich notwendig sind, werden unabhängig von dem Wechsel, den Zahlungen des Staates so leicht durch die politische Lage und zufällige Umstände erfahren. Auch ein unbilliger Feind schont leichter das Eigentum öffentlicher Anstalten. Die Nation endlich nimmt mehr Anteil an dem Schulwesen, wenn es auch in pekuniärer Hinsicht ihr Werk und ihr Eigentum ist und wird selbst aufgeklärter und gesitteter, wenn sie zur Begründung der Aufklärung und Sittlichkeit in der heranwachsenden Generation tätig mitwirkt.

Es würde daher am zweckmäßigsten sein, wenn die Universität und die mit ihr verbundenen Institute ihr jährliches Einkommen durch Verleihung von Domänen-Gütern[152] erhielten. Die Nachteile, welche man bei der Dotation öffentlicher Anstalten gewöhnlich von schlechter Verwaltung und von der durch die Veränderung der Preise entstehenden Veränderung des Quanti selbst besorgt, sind zwar nicht abzuleugnen, lassen sich aber durch mehrere Mittel vermindern.

Damit jedoch der Staat nicht diese Domänen verliere, so könnte ein gleicher Betrag an katholisch geistlichen Gütern in Schlesien und Westpreußen säkularisiert und zu Domänen gemacht werden. Nur muß die unterzeichnete Sektion Ew. Königl. Majestät alleruntertänigst bitten, sie nicht unmittelbar an diese Güter zu verweisen. Denn außerdem, daß es wünschenswert ist, daß die Berlinischen wissenschaftlichen Institute, die ihnen durch die königliche Milde zu verleihenden Güter in der Nähe besitzen, um durch keinen Zufall von ihren Einkünften getrennt zu werden, ist es aus den vorhin ausgeführten Gründen und bei der Ungewißheit aller Ereignisse in der Tat wichtig, daß dies Eigentum der Nation für ihre höchsten wissenschaftlichen Bedürfnisse sobald als nur immer möglich zugesichert werde. Die Säkularisation jener Güter aber dürfte im gegenwärtigen Augenblick weder in politischer noch finanzieller Rücksicht ratsam sein.

Die Sektion wagt es daher, bei Ew. Königl. Majestät ehrerbietigst darauf anzutragen

1. Die Errichtung einer Universität in Berlin und die Verbindung der in Berlin bereits existierenden wissenschaftlichen Institute und Sammlungen, die medizinischen mit eingeschlossen, und der Akademie der Wissenschaften und

Künste mit derselben förmlich zu beschließen und der Sektion des öffentlichen Unterrichts aufzugeben, einen Plan dazu zu entwerfen und sogleich nach und nach zur Ausführung desselben zu schreiten, als die Disposition über die Einkünfte möglich sein wird;

2. diesen sämtlich unter der alleinigen Direktion der Sektion des öffentlichen Unterrichts zu verbindenden Anstalten so viele Domänen-Güter als nötig sind, ein sicheres und reichliches Einkommen von jährlichen 150 000 Reichst. zu bilden, und das Prinz Heinrichssche Palais unter dem Namen des Universitäts-Gebäudes und den Überrest des großen viereckigen Gebäudes, in welchem sich die Akademien jetzt befinden, das ihnen aber jetzt nicht ganz gehört, zu verleihen und dabei festzusetzen, daß diese Güter und Gebäude auf ewige Zeiten hinaus Eigentum dieser Anstalten und, wenn dieselben einmal aufhören sollten, ein für die Unterhaltung und Verbesserung des Schulwesens bestimmtes Eigentum der Nation bleiben sollen;

3. den von der Sektion anzufertigenden Verteilungsplan dieser Güter der allerhöchsten Genehmigung vorzubehalten;

4. festzusetzen, daß zwar die Einkünfte dieser Güter vom Tage der Urkunde an zu laufen anfangen und zugleich Eigentum der Anstalten sein, jedoch bis zur wirklichen sukzessive von Ew. Königl. Majestät allergnädigst nachzugebenden Verwendung als ein dem Staat gemachtes Darlehn zur Disposition des Finanz-Ministerii bleiben sollen;

5. wegen dieser Verwendung, daß für jetzt soviel disponible gemacht werde, als erforderlich ist, die etatmäßigen Ausgaben der Akademie der Wissenschaften zu leisten, die Mitglieder der Akademie der Künste wieder in ihre nun schon seit so langer Zeit entbehrten Besoldungen einzusetzen, der Königlichen Bibliothek einigen Zuschuß zu den notwendigsten Ausgaben zu verleihen, einige schon für die Universität in Berlin bestimmte und jetzt auf andere Kassen angewiesene Gelehrte auf diesen Etat zu übernehmen und einige andere, nur etwa drei oder vier, auswärtige vorzüglich wichtige sogleich zu berufen, ehe sie anderweitige Verbindungen eingehen, – der Überrest aber, sobald die Lage des Staats es erlaube, gleichfalls ganz oder in zwei oder drei Teilen zur Disposition der Sektion gestellt werde;

6. dem Groß-Kanzler und Finanz-Minister aufzugeben, mit dem Ministerium des Innern und der Sektion des öffentlichen Unterrichts in demselben die nötige Rücksprache zu nehmen, wie eine solche Domänen-Verleihung auf die sicherste, der Landesverfassung angemessenste und der Universität vorteilhafteste Weise eingeleitet werden könne;

7. endlich die 7000 Tlr. des ehemaligen Schlesischen Jesuiten-Fonds, von denen 5000 Tlr. Halle gehörten, 2000 Tlr. aber neuerlich von Ew. Königl. Majestät zur Verbesserung des Schulfonds bestimmt sind, von jetzt an zur Verbesserung der Universität Frankfurt zu bestimmen, bis vielleicht auch für Frankfurt, Königsberg und die übrigen wissenschaftlichen Anstalten, welche jetzt Zuschüsse aus Königlichen Kassen erhalten, statt dieser Zuschüsse Domänen-Verleihung einzuführen für ratsam erachtet wird.

Die Sektion des öf. Unterr.

Humboldt

Über die innere und äußere Organisation der höheren wissenschaftlichen Anstalten in Berlin

Der Begriff der höheren wissenschaftlichen Anstalten als des Gipfels in dem alles, was unmittelbar für die moralische Kultur der Nation geschieht, zusammenkommt, beruht darauf, daß dieselben bestimmt sind, die Wissenschaft im tiefsten und weitesten Sinne des Wortes zu bearbeiten und als einen nicht absichtlich, aber von selbst zweckmäßig vorbereiteten Stoff der geistigen und sittlichen Bildung zu seiner Benutzung hinzugeben.

Ihr Wesen besteht daher darin, innerlich die objektive Wissenschaft mit der subjektiven Bildung, äußerlich den vollendeten Schulunterricht mit dem beginnenden Studium unter eigener Leitung zu verknüpfen oder vielmehr den Übergang von dem einen zum anderen zu bewirken. Allein der Hauptgesichtspunkt bleibt die Wissenschaft. Denn sowie diese rein dasteht, wird sie von selbst und im ganzen, wenn auch einzelne Abschweifungen vorkommen, richtig ergriffen.

Da diese Anstalten ihren Zweck indes nur erreichen können, wenn jede, soviel als immer möglich, der reinen Idee der Wissenschaft gegenübersteht, so sind Einsamkeit und Freiheit die in ihrem Kreise vorwaltenden Prinzipien. Da aber auch das geistige Wirken in der Menschheit nur als Zusammenwirken gedeiht, und zwar nicht bloß damit einer ersetze, was dem anderen mangelt, sondern damit die gelingende Tätigkeit des einen den anderen begeistere und allen die allgemeine, ursprüngliche, in den einzelnen nur einzeln oder abgeleitet hervorstrahlende Kraft sichtbar werde, so muß die innere Organisation dieser Anstalten ein ununterbrochenes, sich immer selbst wieder belebendes, aber ungezwungenes und absichtsloses Zusammenwirken hervorbringen und unterhalten.

Es ist ferner eine Eigentümlichkeit der höheren wissenschaftlichen Anstalten, daß sie die Wissenschaft immer als ein noch nicht ganz aufgelöstes Problem behandeln und daher immer im Forschen bleiben, da die Schule es nur mit fertigen und abgemachten Kenntnissen zu tun hat und lernt. Das Verhältnis zwischen Lehrer und Schüler wird daher durchaus ein anderes als vorher. Der erstere ist nicht für die letzteren, beide sind für die Wissenschaft da; sein Geschäft hängt mit an ihrer Gegenwart und würde, ohne sie, nicht gleich glücklich vonstatten gehen; er würde, wenn sie sich nicht von selbst um ihn versammelten, sie aufsuchen, um seinem Ziele näher zu kommen durch die Verbindung der geübten, aber eben darum auch leichter einseitigen und schon weniger lebhaften Kraft mit der schwächeren und noch parteiloser nach allen Richtungen mutig hinstrebenden.

Was man daher höhere wissenschaftliche Anstalten nennt, ist, von aller Form im Staate losgemacht, nichts anderes als das geistige Leben der Menschen, die äußere Muße oder inneres Streben zur Wissenschaft und Forschung hinführt. Auch so würde einer für sich grübeln und sammeln, ein anderer sich mit Männern gleichen Alters verbinden, ein dritter einen Kreis von Jüngern um sich versammeln. Diesem Bilde muß auch der Staat treu bleiben, wenn er das in sich unbestimmte und gewissermaßen zufällige Wirken in eine festere Form zusammenfassen will. Er muß dahin sehen,

1. die Tätigkeit immer in der regsten und stärksten Lebendigkeit zu erhalten;
2. sie nicht herabsinken zu lassen, die Trennung der höheren Anstalt von der Schule (nicht bloß der allgemeinen theoretischen, sondern auch der mannigfaltigen praktischen besonders) rein und fest zu erhalten.

Er muß sich eben immer bewußt bleiben, daß er nicht eigentlich dies bewirkt noch bewirken kann, ja, daß er vielmehr immer hinderlich ist, sobald er sich hineinmischt, daß die Sache an sich ohne ihn unendlich besser gehen würde und daß es sich eigentlich nur so damit verhält:

daß, da es nun einmal in der positiven Gesellschaft äußere Formen und Mittel für jedes irgend ausgebreitete Wirken geben muß, er die Pflicht hat, diese auch für die Bearbeitung der Wissenschaft herbeizuschaffen;

daß etwa nicht bloß die Art, wie er diese Formen und Mittel beschafft, dem Wesen der Sache schädlich werden kann, sondern der Umstand selbst, daß es überhaupt solche äußere Formen und Mittel für etwas ganz Fremdes gibt, immer notwendig nachteilig einwirkt und das Geistige und Hohe in die materielle und niedere Wirklichkeit herabzieht;

und daß er daher nur darum vorzüglich wieder das innere Wesen vor Augen haben muß, um gutzumachen, was er selbst, wenngleich ohne seine Schuld, verdirbt oder gehindert hat.

Ist dies auch nichts als eine andere Ansicht desselben Verfahrens, so muß sich doch der Vorteil dann auch im Resultat ausweisen, da der Staat, wenn er die Sache von dieser Seite betrachtet, immer bescheidener eingreifen wird und im praktischen Wirken im Staat auch überhaupt eine theoretisch unrichtige Ansicht, was man immer sagen möge, nie ungestraft bleibt, da kein Wirken im Staat bloß mechanisch ist.

Dies vorausgeschickt, sieht man leicht, daß bei der inneren Organisation der höheren wissenschaftlichen Anstalten alles darauf beruht, das Prinzip zu erhalten, die Wissenschaft als etwas noch nicht ganz Gefundenes und nie ganz Aufzufindendes zu betrachten und unablässig sie als solche zu suchen.

Sobald man aufhört, eigentlich Wissenschaft zu suchen, oder sich einbildet, sie brauche nicht aus der Tiefe des Geistes heraus geschaffen, sondern könne durch Sammeln extensiv aneinandergereiht werden, so ist alles unwiederbringlich und auf ewig verloren; verloren für die Wissenschaft, die, wenn dies lange fortgesetzt wird, dergestalt entflieht, daß sie selbst die Sprache wie eine leere Hülse zurückläßt und verloren für den Staat. Denn nur die Wissenschaft, die aus dem Innern stammt und ins Innere gepflanzt werden kann, bildet auch den Charakter um, und dem Staat ist es ebenso wenig als der Menschheit um Wissen und Reden, sondern um Charakter und Handeln zu tun.

Um nun auf immer diesen Abweg zu verhüten, braucht man nur ein dreifaches Streben des Geistes rege und lebendig zu erhalten:

einmal alles aus einem ursprünglichen Prinzip abzuleiten (wodurch die Naturerklärungen z. B. von mechanischen zu dynamischen, organischen und endlich psychischen im weitesten Verstande gesteigert werden);
ferner alles einem Ideal zuzubilden;
endlich jenes Prinzip und dies Ideal in eine Idee zu verknüpfen.

Allerdings läßt sich das geradezu nicht befördern, es wird aber auch niemand einfallen, daß unter Deutschen dies erst befördert zu werden brauchte. Der intellektuelle Nationalcharakter der Deutschen hat von selbst diese Tendenz, und man braucht nur zu verhüten, daß sie nicht, sei es mit Gewalt oder durch einen sich freilich auch findenden Antagonismus, unterdrückt werde.

Da jede Einseitigkeit aus den höheren wissenschaftlichen Anstalten verbannt sein muß, so werden natürlich auch viele in denselben tätig sein können, denen dies Streben fremd, einige, denen es zuwider ist; in voller und reiner Kraft kann es überhaupt nur in Wenigen sein; und es braucht nur selten und nur hier und da wahrhaft hervorzutreten, um weit umher und lange nachher zu wirken; was aber schlechterdings immer herrschend sein muß, ist Achtung für dasselbe bei denen, die es ahnen, und Scheu bei denen, die es zerstören möchten.

Philosophie und Kunst sind es, in welchem sich ein solches

Streben am meisten und abgesondertsten ausspricht. Allein nicht bloß, daß sie selbst leicht entarten, so ist auch von ihnen nur wenig zu hoffen, wenn ihr Geist nicht gehörig oder nur auf logisch oder mathematisch formale Art in die anderen Zweige der Erkenntnis und Gattungen der Forschung übergeht.

Wird aber endlich in höheren wissenschaftlichen Anstalten das Prinzip herrschend: Wissenschaft als solche zu suchen, so braucht nicht mehr für irgend etwas anderes einzeln gesorgt zu werden. Es fehlt alsdann weder an Einheit noch Vollständigkeit, die eine sucht die andere von selbst, und beide setzen sich von selbst, worin das Geheimnis jeder guten wissenschaftlichen Methode besteht, in die richtige Wechselwirkung.

Für das Innere ist alsdann jede Forderung befriedigt.

Was nun aber das Äußere des Verhältnisses zum Staat und seine Tätigkeit dabei betrifft, so hat er nur zu sorgen für Reichtum (Stärke und Mannigfaltigkeit) an geistiger Kraft durch die Wahl der zu versammelnden Männer und für Freiheit in ihrer Wirksamkeit. Der Freiheit droht aber nicht bloß Gefahr von ihm, sondern auch von den Anstalten selbst, die, wie sie beginnen, einen gewissen Geist annehmen und gern das Aufkommen eines anderen ersticken. Auch den hieraus möglicherweise entstammenden Nachteilen muß er vorbeugen.

Die Hauptsache beruht auf der Wahl der in Tätigkeit zu setzenden Männer. Bei diesen wird sich ein Korrektiv, eine mangelhafte zu verhüten, erst bei der Einteilung der Gesamtanstalt in ihre einzelnen Teile angeben lassen.

Nach ihr kommt es am meisten auf wenige und einfache, aber tiefer als gewöhnlich eingreifende Organisationsgesetze an, von denen eben wiederum nur bei den einzelnen Teilen die Rede sein kann.

Endlich müssen die Hilfsmittel in Betracht gezogen werden, wobei nur im allgemeinen zu bemerken ist, daß ja nicht die Anhäufung toter Sammlungen für die Hauptsache zu halten, vielmehr ja nicht zu vergessen ist, daß sie sogar leicht beitragen, den Geist abzustumpfen und herabzuziehen, weshalb auch ganz und gar nicht die reichsten Akademien und Universitäten immer diejenigen gewesen sind, wo die Wissenschaften sich der tiefsten und geistvollsten

Behandlung erfreuten. Was aber in Absicht der Tätigkeit des Staates von den höheren wissenschaftlichen Anstalten auch in ihrer Gesamtheit gesagt werden kann, betrifft ihr Verhältnis als höhere Anstalten zur Schule und als wissenschaftliche zum praktischen Leben.

Der Staat muß seine Universitäten weder als Gymnasien noch als Spezialschulen behandeln und sich seiner Akademie nicht als einer technischen oder wissenschaftlichen Deputation bedienen. Er muß im Ganzen (denn welche einzelnen Ausnahmen hiervon bei den Universitäten stattfinden müssen, kommt weiter unten vor) von ihnen nichts fordern, was sich unmittelbar und geradezu auf ihn bezieht, sondern die innere Überzeugung hegen, daß, wenn sie ihren Endzweck erreichen, sie auch seine Zwecke, und zwar von einem viel höheren Gesichtspunkte aus, erfüllen, von einem, von dem sich viel mehr zusammenfassen läßt und ganz andere Kräfte und Hebel angebracht werden können, als er in Bewegung zu setzen vermag.

Auf der anderen Seite aber ist es hauptsächlich Pflicht des Staates, seine Schulen so anzuordnen, daß sie den höheren wissenschaftlichen Anstalten gehörig in die Hände arbeiten. Dies beruht vorzüglich auf einer richtigen Einsicht ihres Verhältnisses zu denselben und der fruchtbar werdenden Überzeugung, daß nicht sie als Schulen berufen sind, schon den Unterricht der Universitäten zu antizipieren, noch die Universitäten ein bloßes, übrigens gleichartiges Komplement zu ihnen, nur eine höhere Schulklasse sind, sondern daß der Übertritt von der Schule zur Universität ein Abschnitt im jugendlichen Leben ist, auf den die Schule im Falle des Gelingens den Zögling so rein hinstellt, daß er physisch, sittlich und intellektuell der Freiheit und Selbsttätigkeit überlassen werden kann und, vom Zwange entbunden, nicht zu Müßiggang oder zum praktischen Leben übergehen, sondern eine Sehnsucht in sich tragen wird, sich zur Wissenschaft zu erheben, die ihm bis dahin nur gleichsam von fern gezeigt war.

Ihr Weg, dahin zu gelangen, ist einfach und sicher. Sie muß nur auf harmonische Ausbildung *aller* Fähigkeiten in ihren Zöglingen sinnen; nur seine Kraft in einer möglichst geringen Anzahl von Gegenständen an, so viel möglich, allen Seiten üben und alle Kenntnisse dem Gemüt nur so einpflanzen, daß das Verstehen, Wissen und geistige Schaffen nicht durch äußere Umstände, sondern durch seine innere Präzision, Harmonie und Schönheit Reiz gewinnt. Dazu und zur Vorübung des Kopfes zur reinen Wissenschaft muß vorzüglich die Mathematik, und zwar von den ersten Übungen des Denkvermögens an, gebraucht werden.

Ein so vorbereitetes Gemüt nun ergreift die Wissenschaft von selbst, da gleicher Fleiß und gleiches Talent bei anderer Vorbereitung sich entweder augenblicklich oder vor vollendeter Bildung in praktisches Treiben vergraben und sich dadurch auch für dieses unbrauchbar machen oder sich, ohne das höhere wissenschaftliche Streben, mit einzelnen Kenntnissen zerstreuen.

Von dem Einteilungsgrunde der höheren wissenschaftlichen Anstalten und den verschiedenen Arten derselben

Gewöhnlich versteht man unter höheren wissenschaftlichen Anstalten die Universitäten und Akademien der Wissenschaften und Künste. Es ist nicht schwer, diese zufällig entstandenen Institute wie aus der Idee entstanden abzuleiten; allein teils bleibt in solchen seit Kant sehr beliebten Ableitungen immer etwas Schiefes zurück, teils ist das Unternehmen selbst unnütz.

Sehr wichtig dagegen ist die Frage: ob es wirklich noch der Mühe wert ist, neben einer Universität eine Akademie zu errichten oder zu erhalten? und welchen Wirkungskreis man jeder abgesondert und beiden gemeinschaftlich anweisen muß, um jede auf eine, nur ihr mögliche Art und Tätigkeit zu setzen?

Wenn man die Universität nur dem Unterricht und der Verbreitung der Wissenschaft, die Akademie aber ihrer Erweiterung bestimmt erklärt, so tut man der ersteren offenbar Unrecht. Die Wissenschaften sind gewiß ebensosehr und in Deutschland mehr durch die Universitätslehrer als durch die Akademiker erweitert worden, und diese Männer sind gerade durch ihr Lehramt zu diesen Fortschritten in ihren Fächern gekommen. Denn der freie mündliche Vortrag vor Zuhörern, unter denen doch immer eine bedeutende Zahl selbst mitdenkender Köpfe ist, feuert denjenigen, der einmal an diese Art des Studiums gewöhnt ist, sicherlich ebenso sehr an als die einsame Muse des Schriftstellerlebens oder die lose Verbindung einer akademischen Genossenschaft. Der Gang der Wissenschaft ist offenbar auf einer Universität, wo sie immerfort in einer großen Menge und zwar kräftiger, rüstiger und jugendlicher Köpfe herumgewälzt wird, rascher und lebendiger. Überhaupt läßt sich die Wissenschaft als Wissenschaft nicht wahrhaft vortragen, ohne sie jedesmal wieder selbsttätig aufzufassen, und es wäre unbegreiflich, wenn man nicht hier, sogar oft, auf Entdeckungen stoßen sollte. Das Universitätslehren ist ferner kein so mühesvolles Geschäft, daß es als eine Unterbrechung der Muße zum Studium und nicht vielmehr als ein Hilfsmittel zu demselben gelten müßte. Auch gibt es auf jeder großen Universität immer Männer, die, indem sie wenig oder gar nicht lesen, nur einsam für sich studieren und forschen. Sicherlich könnte man daher die Erweiterung der Wissenschaften den bloßen Universitäten, wenn diese nur gehörig angeordnet wären, anvertrauen und zu diesem Endzweck der Akademien entraten.

Der gesellschaftliche Verein, der allerdings unter Universitätslehrern als solchen nicht notwendig gleich regelmäßig vorhanden ist, dürfte auch schwerlich ein hinreichender Grund sein, so kostbare Institute zu gründen. Denn einesteils ist dieser Verein auch auf den Akademien selbst locker genug, anderteils dient er nur vorzüglich in denjenigen Beobachtungs- und Experimentalwissenschaften, wo schnelle Mitteilung einzelner Tatsachen nützlich ist. Endlich entstehen in diesen Fächern, ohne Schwierigkeit, immer auch ohne Zutun des Staats *Privat*gesellschaften.

Geht man der Sache genauer nach, so haben Akademien vorzüglich im Auslande geblüht, wo man die Wohltat deutscher Universitäten noch jetzt entbehrt und kaum nur anerkennt, in Deutschland aber vorzugsweise an Orten, denen Universitäten mangelten, und in Zeiten, wo es diesen noch an einen liberaleren und vielseitigeren Geiste fehlte. In neueren Zeiten hat sich keine sonderlich ausgezeichnet, und an dem eigentlichen Emporkommen deutscher Wissenschaft und Kunst haben die Akademien wenig oder gar keinen Anteil gehabt.

Um daher beide Institute in lebendiger Tätigkeit zu erhalten, ist es notwendig, sie dergestalt miteinander zu verbinden, daß, obgleich ihre Tätigkeit abgesondert bleibt, doch die einzelnen Mitglieder nicht immer bloß ausschließend der einen oder andern gehören. In dieser Verbindung läßt sich nun das abgesonderte Bestehen beider auf eine neue und treffliche Art benutzen.

Dieser Nutzen beruht aber alsdann viel weniger auf der Eigentümlichkeit der Tätigkeit beider Institute (denn in der Tat kann durch Universitätslehrer, ohne Einrichtung einer eigenen Akademie, vollkommen erreicht werden, was man durch diese bezweckt, vorzüglich da, was noch immer sehr verschieden von einer eigentlichen Akademie ist, diese letzteren wieder, wie in Göttingen, eine eigne gelehrte Gesellschaft bilden können), sondern auf der Eigentümlichkeit ihrer Form und ihrem Verhältnis zum Staate.

Die Universität nämlich steht immer in engerer Beziehung auf das praktische Leben und die Bedürfnisse des Staates, da sie sich immer praktischen Geschäften für ihn, der Leitung der Jugend, unterzieht; die Akademie aber hat es rein nur mit der Wissenschaft an sich zu tun. Die Lehrer der Universität stehen untereinander in bloß allgemeiner Verbindung über Punkte der äußeren und inneren Ordnung der Disziplin; allein über ihr eigentliches Geschäft teilen sie sich gegenseitig nur, insofern sie eigene Neigung dazu führet, mit, indem sonst jeder seinen eigenen Weg geht. Die Akademie dagegen ist eine Gesellschaft, wahrhaft dazu bestimmt, die Arbeit eines jeden der Beurteilung aller zu unterwerfen.

Auf diese Weise muß die Idee einer Akademie als die höchste und letzte Freistätte der Wissenschaft und die vom Staat am meisten unabhängige Korporation festgehalten werden, und man muß es einmal auf die Gefahr ankommen lassen, ob eine solche Korporation durch zu geringe oder einseitige Tätigkeit beweisen wird, daß das Rechte nicht immer am leichtesten unter den günstigsten äußeren Bedingungen zustande kommt oder nicht. Ich sage, man muß es darauf ankommen lassen, weil die Idee in sich schön und wohltätig ist und immer ein Augenblick eintreten kann, wo sie auch auf eine würdige Weise ausgefüllt wird.

Dabei entsteht nunmehr zwischen der Universität und Akademie ein Wetteifer und Antagonismus und eine solche

Wechselwirkung, daß, wenn man in ihnen einen Exzeß und einen Mangel an Tätigkeit besorgen muß, sie sich gegenseitig von selbst ins Gleichgewicht bringen werden.

Zuerst bezieht sich dieser Antagonismus auf die Wahl der Mitglieder beider Korporationen. Jeder Akademiker muß nämlich das Recht haben, auch ohne weitere Habilitation Vorlesungen zu halten, ohne jedoch dadurch Mitglied der Universität zu werden. Mehrere Gelehrte müssen füglich Universitätslehrer und Akademiker sein, aber beide Institute müssen auch andere besitzen, die nur jedem allein angehören.

Die Ernennung der Universitätslehrer muß dem Staat ausschließlich vorbehalten bleiben, und es ist gewiß keine gute Einrichtung, den Fakultäten darauf mehr Einfluß zu verstatten, als ein verständiges und billiges Kuratorium von selbst tun wird. Denn auf der Universität ist Antagonismus und Reibung heilsam und notwendig, und die Kollision, die zwischen den Lehrern durch ihr Geschäft selbst entsteht, kann auch unwillkürlich ihren Gesichtspunkt verrücken. Auch ist die Beschaffenheit der Universitäten zu eng mit dem unmittelbaren Interesse des Staates verbunden.

Die Wahl der Mitglieder der Akademie aber muß ihr selbst überlassen und nur an die Bestätigung des Königs gebunden sein, die nicht leicht entsteht. Denn die Akademie ist eine Gesellschaft, in der das Prinzip der Einheit bei weitem wichtiger ist, und ihr rein wissenschaftlicher Zweck liegt dem Staat als Staat weniger nahe.

Hieraus entsteht nun aber das oben erwähnte Korrektiv bei den Wahlen zu den höheren wissenschaftlichen Anstalten. Denn da der Staat und die Akademie ungefähr gleichen Anteil daran nehmen, so wird sich bald der Geist zeigen, in welchem beide handeln, und die öffentliche Meinung selbst wird beide, wo sie sich verirren sollten, auf der Stelle unparteiisch richten. Da aber nicht leicht beide zugleich, wenigstens nicht auf dieselbe Weise, fehlen werden, so droht wenigstens nicht allen Wahlen zugleich Gefahr, und das Gesamtinstitut ist vor Einseitigkeit sicher.

Vielmehr muß die Mannigfaltigkeit der bei demselben in Tätigkeit kommenden Kräfte groß sein, da zu den beiden Klassen, der vom Staate Ernannten und der von der Akademie Gewählten, noch die Privatdozenten hinzukommen, welche wenigstens anfangs bloß der Beifall ihrer Zuhörer hebt und trägt.

Eine ihr ganz eigentümliche Tätigkeit außer ihren akademischen Arbeiten aber kann die Akademie auch durch Beobachtungen und Versuche gewinnen, welche sie in systematischer Reihe anstellt. Von diesen müßten einige ihr freigestellt sein, andere aber ihr aufgetragen werden, und auf diese aufgetragenen müßte wiederum die Universität Einfluß ausüben, so daß dadurch eine neue Wechselwirkung entstände.

Außer der Akademie und der Universität gehören zu den höheren wissenschaftlichen Anstalten noch die leblosen Institute.

Diese müssen abgesondert zwischen beiden, unmittelbar unter Aufsicht des Staates stehen. Allein beide, Akademie und Universität, müssen nicht bloß, nur unter gewissen Modifikationen, die Benutzung, sondern auch die Kontrolle darüber haben.

Jedoch können sie die letztern nur dergestalt üben, daß sie ihre Erinnerungen und ihre Verbesserungsvorschläge nicht unmittelbar, sondern beim Staate anbringen.

Die Akademie gewinnt bei den Instituten durch die Universität, daß sie nun auch solche benutzen kann, die, wie das anatomische und zootomische Theater, sonst mit keiner Akademie verbunden waren, weil man dieselben von dem beschränkten Gesichtspunkte der Medizin und nicht von dem weiteren der Naturwissenschaft aus ansah.

Akademie, Universität und Hilfsinstitute sind also drei gleich unabhängige und integrante Teile der Gesamtanstalt.

Alle stehen, allein die beiden letzteren mehr, die erstern weniger, unter Leitung und Oberaufsicht des Staates.

Akademie und Universität sind beide gleich selbständig; allein insofern verbunden, daß sie gemeinsame Mitglieder haben, daß die Universität alle Akademiker zu dem Recht, Vorlesungen zu halten, zuläßt, und die Akademie diejenigen Reihen von Beobachtungen und Versuchen veranstaltet, welche die Universität in Vorschlag bringt.

Die Hilfsinstitute benutzen und beaufsichtigen beide, jedoch das letztere, wo es auf die Ausübung ankommt, nur mittelbar durch den Staat.

Von der Akademie

GEORG FRIEDRICH WILHELM HEGEL[153]

Über den Vortrag der Philosophie auf Universitäten

Schreiben an den Königlich Preußischen Regierungsrat und Professor Friedrich v. Raumer
(1816)

Euer Hochwohlgeboren erlaube ich mir hiermit, auf Veranlassung unserer mündlichen Unterhaltung, meine Gedanken über den Vortrag der *Philosophie auf Universitäten* nachträglich vorzulegen. Ich muß recht sehr bitten, daß Sie auch mit der Form gütigst vorlieb nehmen mögen und mehr Ausführung und Zusammenhang nicht verlangen, als sich in einem eiligen Briefe geben läßt, der Sie noch in unserer Nähe einholen soll.

Ich fange sogleich mit der Bemerkung an, wie überhaupt dieser Gegenstand zur Sprache kommen könne, da es sonst eine ganz einfache Sache scheinen kann, daß von dem Vortrage der Philosophie nur dasselbe gelten müsse, was von dem anderer Wissenschaften gilt; ich will mich in dieser Rücksicht nicht damit aufhalten, daß auch von jenem gefordert werden müsse, daß er Deutlichkeit mit Gründlichkeit und zweckmäßiger Ausführlichkeit verbinden solle, daß er auch dies Schicksal mit dem Vortrage der anderen Wissenschaften auf einer Universität teile, zum Behufe der festgesetzten Zeit – in der Regel eines halben Jahres – zugerichtet werden zu müssen, daß die Wissenschaft hiernach zu strecken oder zusammenzuziehen erforderlich sei usf. Die besondere Art von Verlegenheit, die sich dermalen für den Vortrag der Philosophie wahrnehmen läßt, ist wohl in der Wendung zu suchen, welche diese Wissenschaft genommen hat und woraus das gegenwärtige Verhältnis hervorgegangen ist, daß die vormalige wissenschaftliche Ausbildung derselben und die besonderen Wissenschaften, in die der philosophische Stoff verteilt war, nach Form und Inhalt mehr oder weniger antiquiert worden, – daß aber auf der andern Seite die an die Stelle getretene Idee der Philosophie noch ohne wissenschaftliche Ausbildung steht und das Material der besonderen Wissenschaften seine Umbildung und Aufnahme in die neue Idee unvollständig oder gar noch nicht erlangt hat. – Wir sehen deshalb einerseits *Wissenschaftlichkeit* und Wissenschaften *ohne Interesse*, andererseits *Interesse* ohne *Wissenschaftlichkeit*.

Was wir daher auch im Durchschnitt auf Universitäten und in Schriften vorgetragen sehen, sind noch einige der alten Wissenschaften, Logik, empirische Psychologie, Naturrecht, etwa noch Moral; denn auch denen, welche sich sonst noch an das Ältere halten, ist die *Metaphysik* zugrunde gegangen, wie der Juristenfakultät das deutsche Staatsrecht; wenn dabei die übrigen Wissenschaften, die sonst die Metaphysik ausmachten, nicht so sehr vermißt werden, so muß dies wenigstens in Ansehung der *natürlichen Theologie* der Fall sein, deren Gegenstand die vernünftige Erkenntnis Gottes war. Von jenen noch beibehaltenen Wissenschaften, insbesondere der Logik, scheint es beinahe, daß es meist nur die Tradition und die Rücksicht auf den formellen Nutzen der Verstandesbildung ist, welche dieselben noch erhält; denn der Inhalt derselben, wie auch ihre und der übrigen Form, steht mit der Idee der Philosophie, auf welche das Interesse übergegangen, und mit der von dieser angenommenen Weise zu philosophieren zu sehr im Kontrast, als daß sie noch befriedigende Genugtuung gewähren könnten. Wenn die Jugend auch erst das Studium der Wissenschaften beginnt, so ist sie doch schon, sei es (auch) nur von einem unbestimmten Gerüchte anderer Ideen und Weisen berührt worden, so daß sie ohne das erforderliche Vorurteil von der Autorität und Wichtigkeit jener an das Studium derselben kommt und leicht ein Etwas nicht findet, zu dessen Erwartung sie schon angeregt ist; ich möchte sagen, daß auch das Lehren solcher Wissenschaften, wegen des einmal imponierenden Gegensatzes, nicht mehr mit der Unbefangenheit und vollem Zutrauen geschieht wie vormals; eine daher entspringende Unsicherheit oder Gereiztheit trägt dann nicht dazu bei, Eingang und Kredit zu verschaffen.

Auf der andern Seite hat die neue Idee die Forderung noch nicht erfüllt, das weite Feld von Gegenständen, welche in die Philosophie gehören, zu einem geordneten, durch seine

Teile hindurch gebildeten Ganzen zu gestalten. Die Forderung bestimmter Erkenntnisse und die sonst anerkannte Wahrheit, daß das Ganze nur dadurch, daß man die Teile durchgearbeitet, wahrhaft gefaßt werde, ist nicht bloß umgangen, sondern mit der Behauptung abgewiesen worden, daß die *Bestimmtheit* und *Mannigfaltigkeit* von *Kenntnissen* für die Idee *überflüssig*, ja ihr *zuwider* und unter ihr sei. Nach solcher Ansicht ist die Philosophie so kompendiös, wie die Medizin oder wenigstens die Therapie zu den Zeiten des Brownschen[154] Systems war, nach welchem sie in einer halben Stunde absolviert werden konnte. Einen Philosophen, der zu dieser *intensiven* Weise gehört, haben Sie vielleicht indes in München persönlich kennengelernt; Franz Baader[155] läßt von Zeit zu Zeit einen oder zwei Bogen drucken, die das ganze Wesen der ganzen Philosophie oder einer besonderen Wissenschaft derselben enthalten sollen. Wer in dieser Art nur drucken läßt, hat noch den Vorteil des Glaubens des Publikums, daß er auch über die Ausführung solcher allgemeinen Gedanken Meister sei. Aber Friedrich Schlegels Auftreten mit Vorlesungen über Transzendentalphilosophie erlebte ich noch in Jena; er war in sechs Wochen mit seinem Kollegium fertig, eben nicht zur Zufriedenheit seiner Zuhörer, die ein halbjähriges erwartet und bezahlt hatten. – Eine größere Breite sahen wir den allgemeinen Ideen mit Hilfe der *Phantasie* geben, die Hohes und Niederes, Nahes und Fernes, glänzend und trübe mit tieferem Sinn oft und ebensooft ganz oberflächlich zusammenbraute und dazu besonders diejenigen Regionen der Natur und des Geistes benutzte, die für sich selbst trübe und willkürlich sind. Ein entgegengesetzter Weg zu mehrerer Ausdehnung ist der *kritische* und *skeptische*, der an dem vorhandenen Material einen Stoff hat, an dem er fortgeht, übrigens es zu nichts bringt als zu dem Unerfreulichen und Langeweilemachenden negativer Resultate. Wenn dieser Weg auch etwa den Scharfsinn zu üben dient, das Mittel der Phantasie über die Wirkung haben mochte, ein vorübergehendes Gären des Geistes, auch etwa was man *Erbauung* nennt, zu erwecken und in wenigen die allgemeine Idee selbst zu entzünden, so leistet doch keine von diesen Weisen, was geleistet werden soll und was *Studium* der *Wissenschaft* ist.

Der Jugend war es beim Beginn der neuen Philosophie zunächst willkommen, das Studium der Philosophie, ja der Wissenschaften überhaupt, mit etlichen allgemeinen Formeln, die alles enthalten sollten, abtun zu können. Die aus dieser Meinung entspringenden Folgen, *Mangel an Kenntnissen, Unwissenheit* sowohl in *philosophischen Begriffen* als auch in den *speziellen Berufswissenschaften*, erfuhren aber an den Anforderungen des Staats sowie an der sonstigen wissenschaftlichen Bildung einen zu ernsthaften Widerspruch und praktische Zurückweisung, als daß jener Dünkel nicht außer Kredit gekommen wäre. So wie es die innere Notwendigkeit der Philosophie mit sich bringt, daß sie wissenschaftlich und in ihren Teilen ausgebildet werde, so scheint mir dies auch der zeitgemäße Standpunkt zu sein; zu ihren vormaligen Wissenschaften läßt sich nicht zurückkehren; die Masse von Begriffen und Inhalt, die sie enthielten, läßt sich aber auch nicht bloß ignorieren; die neue Form der Idee fordert ihr Recht, und das alte Material bedarf daher einer Umbildung, die dem jetzigen Standpunkte der Philosophie gemäß ist. – Diese Ansicht über das Zeitgemäße kann ich freilich nur für eine subjektive Beurteilung ausgeben, so wie ich auch zunächst für eine subjektive Richtung diejenige anzusehen habe, die ich in meiner Bearbeitung der Philosophie genommen, indem ich mir früh jenen Zweck gesetzt; ich habe soeben die Herausgabe meiner Arbeiten über die Logik beendigt und muß nun vom Publikum erwarten, wie es diese Art und Weise aufnimmt.

So viel aber glaube ich für richtig annehmen zu können, daß der Vortrag der Philosophie auf Universitäten das, was er leisten soll – *eine Erwerbung von besimmten Kenntnissen* –, nur dann leisten kann, wenn er einen bestimmten, methodischen, das Detail umfassenden und *ordnenden Gang* nimmt. In dieser Form ist diese Wissenschaft wie jede andere allein fähig, gelernt zu werden. Wenn der Lehrer auch dies Wort vermeiden mag, so muß er das Bewußtsein haben, daß es darum zunächst und wesentlich zu tun ist. Es ist ein Vorurteil nicht allein des philosophischen Studiums, sondern auch der Pädagogik – und hier noch weitgreifender – geworden, daß das *Selbstdenken* in dem Sinn entwickelt und geübt werden solle, daß es erstlich dabei auf das *Material nicht ankomme* und zweitens als ob das *Lernen dem Selbstdenken ent-*

gegengesetzt sei, da in der Tat das Denken sich nur an einem solchen Material üben kann, das keine Geburt und Zusammenstellung der Phantasie oder keine, es heiße sinnliche oder intellektuelle Anschauung, sondern ein *Gedanke* ist, und ferner auch Gedanke nicht anders gelernt werden kann als dadurch, daß er *selbst gedacht* wird. Nach einem gemeinen Irrtum scheint einem Gedanken nur dann der Stempel des Selbstgedachten aufgedrückt zu sein, wenn er abweichend von den Gedanken anderer Menschen ist, wo dann das Bekannte seine Anwendung zu finden pflegt, daß das Neue nicht wahr und das Wahre nicht neu ist; – sonst ist daraus die Sucht, daß *jeder sein eignes System haben* will entsprungen, und daß ein Einfall für desto origineller und vortrefflicher gehalten wird, je abgeschmackter und verrückter er ist, weil er ebendadurch die Eigentümlichkeit und Verschiedenheit von dem Gedanken anderer am meisten beweist.

Die Fähigkeit, gelernt zu werden, erlangt die Philosophie durch ihre Bestimmtheit näher insofern, als die dadurch allein *deutlich, mitteilbar* und *fähig* wird, ein *Gemeingut* zu werden. So wie sie einerseits besonders studiert sein will und nicht von Haus aus schon darum ein Gemeingut ist, weil jeder Mensch überhaupt Vernunft hat, so benimmt ihre allgemeine Mitteilbarkeit ihr den Schein, den sie in neueren Zeiten unter andern auch erhielt, eine *Idiosynkrasie* etlicher transzendentaler Köpfe zu sein, und wird ihrer wahrhaften Stellung angemessen, zu der *Philologie* als der *ersten propädeutischen Wissenschaft* für einen Beruf die *zweite* zu sein. Es bleibt dabei immer offen, daß einige in dieser *zweiten Stufe* steckenbleiben, aber wenigstens nicht aus dem Grunde, den es bei manchen hatte, die, weil sie sonst *nichts Rechtes* gelernt hatten, Philosophen wurden. Ohnehin scheint jene Gefahr überhaupt nicht mehr so groß, wie ich vorhin erwähnt, und auf jeden Fall geringer als die, bei der *Philologie*, der ersten Stufe, gleich hängenzubleiben. Eine wissenschaftlich ausgebildete Philosophie läßt dem bestimmten Denken und gründlicher Erkenntnis schon innerhalb ihrer selbst Gerechtigkeit widerfahren, und ihr *Inhalt*, das Allgemeine der geistigen und natürlichen Verhältnisse, *führt für sich* unmittelbar *auf die positiven Wissenschaften*, die diesen Inhalt in konkreter Gestalt, weiterer Ausführung und Anwendung zeigen, so sehr, daß umgekehrt das Studium dieser Wissenschaften sich als notwendig zur gründlichen Einsicht der Philosophie beweist; dahingegen das Studium der Philologie, wenn es einmal in das Detail, das wesentlich nur Mittel bleiben soll, hineingeraten ist, von den übrigen Wissenschaften etwas so Abgesondertes und Fremdartiges hat, daß darin nur ein geringes Band und wenige Übergangspunkte zu einer Wissenschaft und einem Berufe der Wirklichkeit liegen.

Als propädeutische Wissenschaft hat die Philosophie insbesondere die formelle Bildung und Übung des Denkes zu leisten; dies vermag sie nur durch gänzliche Entfernung vom Phantastischen, durch Bestimmtheit der Begriffe und einen konsequenten methodischen Gang; sie muß jene Übung in einem höheren Maß gewähren können als die Mathematik, weil sie nicht, wie diese, einen sinnlichen Inhalt hat.

Ich erwähnte vorhin die *Erbauung*, die oft von der Philosophie erwartet wird; meines Erachtens soll sie, auch wenn der Jugend vorgetragen, niemals *erbaulich* sein. Aber sie hat ein damit verwandtes Bedürfnis zu befriedigen, das ich noch kurz berühren will. Sosehr nämlich die neuere Zeit die Richtung auf einen gediegenen Stoff, höhere Ideen und die Religion wieder hervorgerufen hat, sowenig und weniger als je genügt dafür die Form von Gefühl, Phantasie, verworrenen Begriffen. Das Gehaltvolle für die Einsicht zu rechtfertigen, es in bestimmte Gedanken zu fassen und zu begreifen und es dadurch vor trüben Abwegen zu bewahren, muß das Geschäft der Philosophie sein. – In Ansehung dieses sowie überhaupt des Inhalts derselben will ich nur noch die sonderbare Erscheinung anführen, daß ein Philosoph etliche Wissenschaften mehr oder weniger, oder sonst verschiedene, in derselben vorträgt als ein anderer; der Stoff, die geistige und natürliche Welt ist immer dieselbe, und so muß auch die Philosophie in dieselben besonderen Wissenschaften zerfallen. Jene Verschiedenheit ist wohl vornehmlich der Verworrenheit zuzuschreiben, die es nicht zu bestimmten Begriffen und festen Unterschieden kommen läßt; die Verlegenheit mag auch das Ihrige beitragen, wenn man neben einer neuesten transzendentalen Philosophie alte Logik, neben einer skeptischen Metaphysik natürliche Theologie vortragen sollte. Ich habe schon angeführt, daß der alte Stoff allerdings einer durchgeführten Umbildung bedarf und nicht bloß auf die Seite gelegt werden kann. Sonst ist es bestimmt genug, in welche Wissenschaften die Philosophie zerfallen muß; das ganz abstrakte Allgemeine gehört in die *Logik*, mit allem, was davon ehemals auch die Metaphysik in sich begriff; das Konkrete teilt sich in *Naturphilosophie*, die nur einen Teil des Ganzen abgibt, und in die *Philosophie des Geistes*, wohin außer Psychologie mit Anthropologie Rechts- und Pflichtenlehre, dann Ästhetik und Religionsphilosophie gehört; die Geschichte der Philosophie kommt noch hinzu. Was auch in den Prinzipien für eine Verschiedenheit stattfinden könnte, so bringt die Natur des Gegenstandes eine Einteilung in die genannte Wissenschaften und deren notwendige Behandlung mit sich.

Über äußerliche Veranstaltungen zur Unterstützung des Vortrags, z. B. Konversatorien, enthalte ich mich, etwas hinzuzufügen, da ich mit Schrecken sehe, wie weitläufig ich bereits geworden und wie sehr ich Ihre Nachsicht in Anspruch genommen; ich füge nur noch den herzlichen Wunsch der glücklichen Fortsetzung Ihrer Reise und die Versicherung meiner ausgezeichneten Hochachtung und Ergebenheit hinzu.

Nürnberg, den 2. Aug. 1816

Nachwort

> „Der Ganzheit, Allheit, Einheit,
> Der Allgemeinheit
> Gelehrter Weisheit
> Des Wissens Freiheit
> Gehört dies Königliche Haus!
> So leg ich euch die goldenen Worte aus:
> UNIVERSITATI LITTERARIAE."
>
> *Clemens Brentano*[156]

Die Kantate von Clemens Brentano – rechtzeitig als Flugblatt mit der Vignette des Universitätsgebäudes erschienen – war, neben einem Lied seines Schwagers Achim von Arnim, zunächst wohl der einzige Glanz, der den offiziellen Gründungstag der Berliner Universität am 15. Oktober 1810 begleitete. Mit seinen hochtönenden Versen hatte Brentano das Leitwort „Universitati Litterariae", das Wilhelm von Humboldt in goldenen Lettern über dem Portal des ehemaligen Prinz-Heinrich-Palais anbringen ließ, in romantischer Lesart freilich eher verklärt als ausgelegt. Weit prosaischer, weniger geschichtsträchtig verlief zumindest der Tag der Eröffnung: mit einigen Vorlesungen nämlich nur, denn die Wände der meisten Räume des umgestalteten Palais waren nicht rechtzeitig trocken geworden, auch fehlte es noch an Tischen und Stühlen. Die geplante feierliche Inauguration mußte kurzfristig verschoben werden, da die Universitätsstatuten noch nicht ausgearbeitet waren; als sie sieben Jahre später endlich vorlagen, mochte an eine Feier allerdings niemand mehr denken.

Kaum vermuten läßt die äußerlich überstürzt wirkende Einweihung der Universität, daß sie seit dem Ausgang des 18. Jahrhundert von der deutschen Aufklärung eingeleitete, breit geführte Diskussion um die Auflösung der noch mittelalterlich-klerikal geprägten Universität und die Entwürfe für eine Institutionalisierung des bürgerlichen Wissenschafts- und Bildungsideals schon seit fast einem Jahrzehnt in dem Projekt einer großen Lehranstalt oder Universität in Berlin gipfelte. An dieser Debatte zwischen 1802 und 1810 beteiligten sich Vertreter aller Fakultäten. Hatten auch Einzelwissenschaftler, so Mediziner oder Juristen, einen weiten und philosophisch konzeptionellen Blick, so kristallisierte sich in den Beiträgen der *Philosophen* das Konzept heraus, das für alle Wissenschaften zeitweise höchst fruchtbar werden sollte: die Universität als Institution einer philosophisch begründeten Ganzheit aller Wissenschaften, die *universitas litterarum*.

Dabei äußern sich Vertreter verschiedenster Philosophien zu *einem* Gegenstand, so daß deren Gemeinsamkeiten und Unterschiede plastischer als in anderen theoretischen Schriften hervortreten: Von der deutschen Spätaufklärung (Johann Jakob Engel) über den transzendentalen Idealismus in seiner Entwicklung (vom Kantianer Johann Benjamin Erhard bis zu Johann Gottlieb Fichte), über die von der Romantik beeinflußte Konzeption Friedrich Schleiermachers bis zum Höhepunkt klassischer Philosophie bei Georg Friedrich Wilhelm Hegel ist die Hauptlinie deutscher Philosophie jener Zeit durchaus repräsentiert; dazu kommen die neuhumanistischen Bildungskonzeptionen Friedrich August Wolfs und Wilhelm von Humboldts, der zugleich – als eigentlicher Gründer der Universität – produktive Momente verschiedener Konzeptionen fruchtbar synthetisierte. Nicht an ein esoterisches Fachpublikum waren die Universitätsschriften gerichtet; sogar von Beamten und Politikern sollten sie verstanden werden. So erlauben sie noch heute einen leichteren Zugang zu theoretischen Problemen.

Doch die Ideen zur Universitätsreform hatten noch einen umfassenderen Zusammenhang. Konzipiert wurden sie im Rahmen einer allgemeinen Bildungsreform und als notwendiges Pendant zu den bürgerlichen Umwälzungen, wie sie nach 1806 mit den Steinschen Reformen auf ökonomischem, politischem und verwaltungsrechtlichem Gebiet einsetzten. Zudem sollte die Universität als leuchtendes Beispiel die Einheit der Nation und der Stände gleichsam geistig vorwegnehmen. Die deutsche Philosophie reflektierte hier die Französische Revolution nicht nur in der Theorie. Ihre Vertreter wurden vielmehr Teil der liberalen Reformbewegung in Preußen, die produktive Resultate der Revolution in Frankreich nachvollziehen wollte. Nicht ohne List, Zähigkeit und Härte stellten sich die Tatkräftigsten, Humboldt zunächst, Fichte bis zu seinem Tod und Schleiermacher vor allen, den politischen Kämpfen, die über das Gründungsdatum hinaus – in einer Zeit erstarkender restaurativer Bureaukratie – bis zur Fertigstellung der Statuten 1817 reichte.

Die Universitätsgründung war eines der erfolgreichsten Projekte der preußischen Reformbewegung. Über die lokale Bedeutung hinaus wurde der Humboldtsche Universitätstypus mit seinen drei Säulen: *Freiheit der Wissenschaften, Einheit von Lehre und Forschung* und *Wissenschaft als Bildung* bis ins 20. Jahrhundert zum Muster einer modernen Universität überhaupt.

I.

Der entscheidende theoretische Impuls für eine tiefgehende Reform der Universität ging von Immanuel Kants „Streit der Fakultäten" (1798) aus. Auch in seiner hintersinnig-ironischen Altersschrift ist Kant gleichermaßen Vollender wie Selbstkritiker aufklärerischer Vernunft: sein *Gegner von vorgestern* ist noch die mittelalterliche Zunftuniversität, in deren Strukturen sich die Aufklärung als rationalistische Metaphysik emanzipierte. Entsprechend der mittelalterlichen Zunftordnung bezeichnete „Universität" ursprünglich weder die *Stätte* wissenschaftlicher Tätigkeit noch die dort repräsentierte *Einheit* der Wissenschaften, sondern die *Gemeinschaft* der Lehrenden und Lernenden, die universitas magistrorum et scholarium. War die 1737 gegründete Göttinger Universität schon Staatsuniversität, die nicht mehr durch korporative Selbstverwaltung, sondern durch ein behördliches Kuratorium geleitet wurde, so gliederte sich auch diese modernste Universität des 18. Jahrhunderts noch in die vier traditionellen Fakultäten der Scholastik: die untere, philosophische Fakultät der ehemaligen sieben freien Künste (artes liberales) bildete den Unterbau und die Vorstufe für die medizinische, juristische und theologische Fakultät; formal war die Philosophie noch immer „ancilla theologiae". Philosophische Forschung trat nach scholastischem wie rationalistischem Wissenschaftsverständnis zurück; die feststehenden Wahrheiten mußten tradiert und gelernt werden. Zwar galt in den Universitätsgründungen des 18. Jahrhunderts (Halle und Göttingen) die libertas phi-

293

losophandi, wonach der Wissenschaftler ungedeckt durch Autorität für die Wahrheit seiner Lehre einzustehen hatte. Lehre und Forschung waren jedoch weiterhin getrennt, so daß noch Kant Vorlesungen nach fremden Kompendien lesen mußte.

Kants *Gegner von gestern* war die sensualistische commonsense Philosophie, die Popularaufklärung. Gehörte es zu den Errungenschaften der Aufklärung, die ideologisierten Formen der Scholastik durch ein utilitaristisches und hedonistisches Wissenschaftsverständnis zu durchbrechen und die Funktion von Wissenschaft in der bürgerlichen Gesellschaft unverhüllt auszusprechen, so verlor die bourgeois-absolutistisch gewordene Spätaufklärung ihren ursprünglich kritischen Akzent. Die Universitäten legitimierten ihre Existenz nun durch „Cameralnutzen" für den Staat. Mit Offenheit sprechen das 1769 „einige Patrioten" aus: „... der Mediziner muß mit seiner Geschicklichkeit verhindern, daß der Luxus, der zu einem blühenden Staat notwendig ist, der Gesundheit der Einwohner zu viel schade, mithin der Plan der Bevölkerung und der Industrie nicht darunter leide, insonderheit aber auch die Verschwendung und Geldzirkulation aus den Händen der reichen Privatleute nicht eingeschränkt werde, welches erfolgen würde, wenn es keine trostreichen Ärzte gebe, und jene bei ihren Ausschweifungen sich zu sehr vor dem Tode fürchten müßten; ... der Geschichtsschreiber, der Dichter, der Redner, der Logiker, der Moralist, arbeiten alle dem Theologen und dem Juristen zur Kultur des Landes, und zur Verbreitung einer der Regierungsform angemessenen Denkungsart in die Hand."[157]

Gewandelt hatte sich die Funktion der oberen Fakultäten, die nun durch massenweise Rekrutierung von absolutistischen Beamten und Richtern, protestantischen Geistlichen, praktischen Ärzten und Gymnasiallehrern „verbürgerlichten": sie dienten, so Kant, dem Zweck des „ewigen" (Theologie), des „bürgerlichen" (Jurisprudenz) und des „Leibeswohls" (Medizin).[158] Einigen Vertretern der Spätaufklärung war die Universität in ihrer Einheit obsolet geworden. Sie sollte sich in Gymnasien und Akademien auflösen, die sich schneller als die traditionsbelasteten Universitäten auf die neuen Bedürfnisse im entstehenden Manufakturkapitalismus und die Wandlungen im System der Wissenschaften und Künste eingestellt hatten.

Kants „Streit der Fakultäten" ist auch vor diesem Hintergrund zu sehen. Im Streit befindet sich nach Kant die „untere" philosophische Fakultät mit den „oberen". Nicht nach *Vernunft*gründen, sondern nach *Verstandes*zwecken der Regierungsherrschaft und Nützlichkeitskriterien der „Geschäftsmänner" gliederten sich die oberen Fakultäten. Mit dialektischer Ironie verkehrt Kant die Hierarchie der Fakultäten: denn frei von fremden Zwecken hat nur die „untere" Fakultät die Freiheit, die „oberen" kritisch zu beurteilen. Mag so die Theologie auch die Philosophie als ihre Magd ansehen, so bleibe doch die Frage, „ob diese ihrer gnädigen Frau *die Fackel vorträgt* oder *die Schleppe nachträgt*".[159] Die Rolle der Philosophie vergleicht Kant bezeichnenderweise mit der linken „Oppositionspartei" im (revolutionären) Konvent.[160] Wie dort die Regierung haben sich hier die oberen Fakultäten gegenüber dem „gelehrten Volke" zu rechtfertigen. Kant bestimmt damit die *Einheit* der Universität, deren Auflösung seine Metaphysikkritik theoretisch vollendet hatte, neu: nämlich als den durchaus politischen und sozialen *Widerspruch* zwischen citoyenhafter Vernunft und feudal-etatistischem bzw. bourgeoisem Verstand, der als Streit der Fakultäten nicht durch friedliche Übereinkunft, sondern nur durch permanente Kritik gelöst werden kann. Philosophie ist nach Kant kritische Wissenschaft. Wirklich eingreifen könnte Philosophie als Wissenschaft indes wohl nur, wenn sie – sich als allgemeine Arbeit begreifend – die Gegenstände (positiver Wissenschaften) nach ihren immanenten Gesetzen begreift und durch positive Kritik ihre real-dialektischen Tendenzen ideell antizipiert.

Der kritische Akzent Kants blieb bei der Berliner Universitätsgründung weitgehend unberücksichtigt; Schleiermacher oder Humboldt plädierten später eher für eine (indes illusionäre) Freiheit der Wissenschaften von Staat und Gesellschaft. Dennoch erschien zu Beginn der Universitätsdebatte 1802 eine Schrift, die Kants Intentionen aufnahm: Johann Benjamin Erhards „Über die Einrichtung und den Zweck der höhern Lehranstalten". Rückblickend berichtet Varnhagen 1829, daß die Gedanken dieser Schrift zwar „im gelehrten Kreise damals wenig Beachtung fanden, seitdem aber in der bürgerlichen Welt zu tiefgreifender und weitaussehender Wirksamkeit gekommen sind"[161]. Den Grund für die verminderte zeitgenössische, vor allem aber verzerrte spätere Rezeption[162] wird man wohl in der radikal-jakobinischen Vergangenheit Erhards vermuten dürfen.[163]

Im Vorwort betont Erhard, er habe seine Schrift schon 1798, vor dem „Streit der Fakultäten" von Kant verfaßt; erstaunlicherweise kommt Erhard trotzdem weithin zu gleichen Überlegungen wie Kant. Erhards Schrift über die „höhern Lehranstalten" ist Teil seiner lang geplanten, nie vollständig publizierten, von Kants Ethik ausgehenden „Theorie der Gesetzgebung".[164] Wahrscheinlich verfaßte er sie, als er 1797/98 als beamteter Staatstheoretiker unter dem späteren Staatskanzler von Hardenberg in Ansbach angestellt war.

Insgesamt versucht Erhard eine Theorie der Bildung zu entwerfen, die gleichermaßen Prinzipien Kants wie der Enzyklopädie der französischen Aufklärung aufnimmt, um praktisch bürgerliche Bedürfnisse mit dem Ideal einer Citoyen-Gesellschaft zu vermitteln. Den Zweck des Staates sieht Erhard darin, Industrie (die Fertigkeit, in Manufaktur und Ackerbau mit Verstand zu arbeiten) und Kultur (die Fertigkeit, mit Verstand zu genießen) zu entwickeln. Entsprechend behandelt er im ersten Teil seiner Schrift die Industrieschulen und entwirft im zweiten eine ideale Universität, um dann im Schlußkapitel die bestehenden Universitäten seinem Ideal anzunähern.

Radikal verwirft Erhard die zünftige und korporative Organisation der Universität. „(D)ieser Gemeinde ist es nicht sowohl darum zu tun, daß die Personen der Gelehrten, als daß ihre Wissenschaften vereinigt sind."[165] Wie Kant unterscheidet Erhard das „enzyklopädische Wissen" nach menschlichen Bedürfnissen (was kann ich wissen? was darf ich tun? Was soll ich glauben und hoffen?) und Staatszwekken einerseits, nach inneren Prinzipien des „Systems der Wissenschaften und Künste" (Wissenschaft, Geschichte, Kunst) andererseits. Anstelle der traditionellen drei oberen treten bei Erhard zwei Fakultäten: die des „öffentlichen Wohls" und der „Heilkunde". Die theologische Fakultät soll, soweit ihre Inhalte in Philologie, Geschichte und Moral säkularisierbar sind, von der Philosophie übernommen

werden. Das juristische Wissen wird (soweit es den Staats-
zwecken dient) an der Fakultät des öffentlichen Wohls gelehrt. Deren Aufgaben (Kriegskunst, Ökonomie, Finanz-
wirtschaft, Politik und Moral) bestimmt Erhard offensichtlich analog zum jakobinischen Wohlfahrtsausschuß (Comité
du salut public). Die Fakultät der Heilkunde umfaßt alle
Gebiete der einheitlichen organischen Natur, also neben
der Medizin auch die Naturwissenschaften und den Ackerbau. Die philosophische Fakultät nimmt bei Erhard eine
Zwitter- oder Vermittlungsfunktion ein: nach Kantschen
Prinzipien gelehrt dient sie der Ausbildung philosophischer Lehrer, unter pragmatischeren Gesichtspunkten ver-
mittelt hat sie eine vorbereitende Funktion für die Fächer
der anderen beiden Fakultäten.
Erhard plädiert für die Auflösung der kleinen Universitäten
zugunsten der großen in Halle, Königsberg und – merkwürdig, weil hier noch keine existierte – Berlin. Damit
spricht er als einer der ersten den Gedanken aus, eine vollständige Universität, nicht nur eine erweiterte Fachschule,
in Berlin zu gründen.

II.

Die ersten praktischen Vorstöße zur Gründung einer größeren Lehranstalt in Berlin gingen 1802 von der Berliner
Spät- und Popularaufklärung aus. Im preußischen Justizminister von Massow, der ab 1801 auch einen Teil der Universitäten verwaltete, hatte sie einen reformwilligen Fürspre-
cher. Massow meinte, „daß die Universitäten in ihrer aus
dem Altertum herrührenden Einrichtung zum jetzigen Bedürfnis der moralischen, scientifischen und praktischen Bildung nicht bloß künftiger spekulativer Gelehrter, sondern
für die dem bürgerlichen Leben in privaten und öffentlichen Verhältnissen ebenfalls brauchbaren Staatsbürgern
nicht passen"[166]. So plant er, „daß statt der Universitäten
nur Gymnasien und Akademien für Ärzte, Juristen usw.
sein sollten"[167]. In Preußen waren Ende des 18. Jahrhunderts zahlreiche Akademien entstanden, die das absolutisti-
sche Repräsentationsbedürfnis vor allem in und um die Residenzstadt konzentriert hatte: die Kriegsakademie, die
Bergakademie (1770), die Bauakademie (1799), zeitweise
Handelsakademien, die Akademie der Künste (1796), die

Tierarzneischule (1790) und das Ackerbauinstitut; zudem existierten die reichen Sammlungen des Naturalienkabinetts, des anatomischen Museums und der Königlichen Bibliothek. Nicht nur die deutsche Spätaufklärung strebte die Auflösung der Universitäten in Fachschulen und Akademien an: auch im nachrevolutionären, napoleonischen Frankreich wurden die 22 ehemaligen Universitäten 1806 zu staatlichen Fach- oder Spezialschulen (für technische Disziplinen wie Brückenbau zum Beispiel), isolierten Rechtsfakultäten und medizinischen Schulen.

Massows konkrete Pläne richteten sich auf Ausbau und Reform des bereits 1724 gegründeten Collegium medico-chirurgicum. Die theoretische medizinische Ausbildung wollte er an den Universitäten Halle und Königsberg konzentrieren und das Berliner Collegium zu einer über den Universitäten stehenden Schule der ärztlichen Praxis ausbauen. Doch die vom Minister eingeholten Gutachten des in Halle lehrenden Mediziners Johann Christian Reil und des Direktors des Collegiums Christian Wilhelm Hufeland widersprachen seinen Plänen: sie wünschten eher eine engere Einheit von Theorie und Praxis in der ärztlichen Ausbildung und sahen in Ärzten ohne Theorie nur Handwerker.

Ein zweiter Reformvorstoß ging im gleichen Jahr von K. F. von Beyme, dem Chef des Königlichen Zivilkabinetts aus. Er beauftragte J. J. Engel mit der Ausarbeitung eines Planes für eine „große Lehranstalt" in Berlin.

Auch Engel wollte in Berlin keine eigentliche Universität gründen, sondern die bereits existierenden, praxisorientierten Akademien und Fachschulen um einige Fächer ergänzen und zu einer eher losen „eklektischen" (in der Aufklärung ein Wort noch ohne pejorativen Klang), aber repräsentativen Institution zusammenfügen. Gemessen an der realisierten Humboldtschen Universität war Engels Konzept radikaler: alle feudalen Relikte, die ganze zunftmäßige Organisation der alten Universität wie eigene Gerichtsbarkeit, akademische Würden (einschließlich der Doktorgrade), den „Rektor mit seiner eingebildeten hohen Würde" (S. 15) und die Disputationen verwarf er. Unüberhörbar ist die Indolenz gegenüber der Theologie. Charakteristisch für die praxisorientierte, sensualistische common-

sense Philosophie ist Engels Maxime, daß „die fabrik-
reichste Stadt des Landes" (S. 6) mit ihren Maschinen, ihrer
Kunst und Architektur, ihrem Handwerk und ihrem reichen bürgerlichen Leben „durch die Sinne" (S. 7) Kenntnisse vermittle, die dem theoretischen und durch Bücher
vermittelten Wissen überlegen seien. Wissenschaft als
Theoriebildung oder systematisches Denken treten bei Erhard zurück.
Engel erörtert ausführlich, ob Berlin der richtige Ort für
eine höhere Lehranstalt sei. Hinter dieser, die zeitgenössische Öffentlichkeit am meisten bewegenden, Frage verbarg
sich das Problem, ob die Verbürgerlichung der Universität
(die Alternative zu ihrer zunftmäßigen Organisation) im
großstädtischen Berlin dem Studium und der Wissenschaft
günstig oder hinderlich sei. Engels Argumentation ist ganz
merkantilistisch: durch reiche ausländische Studenten flös-
sen beträchtliche Summen ins Land, während der Zufluß
der Armen – bei formaler Chancengleichheit – dadurch re-
guliert sei, daß sie zum Nebenberuf gezwungen wären. Soziale Stützungen lehnt er ab, „da es nicht Absicht sein kann,
gerade die Armen hierher zu ziehen".

III.

Alle Reformvorstöße von 1802 blieben unausgeführt; wie
andere Reformen in Politik, Ökonomie und Verwaltung
scheiterten sie an der Macht des Adels und der reaktionä-
ren Hofpartei. Erst die Erschütterung der feudalen Macht
nach der Niederlage des preußischen Heeres bei Jena und
Auerstädt veränderte die Situation. Durch Gebietsverluste
an das napoleonische Frankreich im Tilsiter Frieden vom
Juli 1807 verlor Preußen außer der Königsberger und der
unbedeutenden Frankfurter alle Universitäten: Duisburg,
Paderborn, Erlangen, Erfurt, Münster und vor allem die
Hallische Universität, die mit Schleiermacher, dem Altphi-
lologen F. A. Wolf, dem Mediziner Reil und dem Naturphi-
losophen Henrik Steffens zu neuer Blüte gelangt war. Mit
der Stadt nun dem Königreich Westfalen zugehörig, war sie
von den Franzosen wegen patriotischer Kundgebungen der
Studenten bereits im Oktober 1806 geschlossen worden;
„ein rechtes Miniaturbild unserer Nationalvernichtung",
kommentierte Schleiermacher ihr Ende.[168]

Unter ganz anderen Vorzeichen wurde nun die Idee einer Universität in Berlin wieder lebendig. Eine Abordnung der Hallenser Universität, an der Spitze ihr ehemaliger Rektor T. A. H. Schmalz, fuhr im August 1807 zu dem nach Ostpreußen geflüchteten Friedrich Wilhelm III., um die Übersiedelung der ehemaligen Universität nach Berlin zu erbitten. Der König, unentschlossen zwischen Frankreich und Rußland lavierend, zog eine Neugründung in Berlin vor, um Verwicklungen mit Napoleon zu umgehen. Überliefert ist die Antwort, die er den Hallensern gegeben haben soll: „Das ist recht, das ist brav! Der Staat muß durch geistige Kräfte ersetzen, was er an physischen verloren hat."[169] Doch das Königswort war wohl nicht – wie seither die preußische Geschichtslegende hartnäckig verkündet – die monarchische Geste einer großzügigen Versöhnung von Macht und Geist, sondern – vergleichbar dem später ebenso halbherzig verkündeten Verfassungsversprechen – eher der Versuch, die patriotischen, teils insurrektionellen Reformbekundungen unter Professoren und Studenten zu besänftigen und für eigene Interessen zu gewinnen. Die Liberalen interpretierten das „Königswort" auch sogleich akzentuiert, bot die erschütterte Macht doch endlich die Chance einer Erneuerung. Während Wolf an Beyme schrieb, „daß sich aus der *Not* ein ganzer Chor von *Tugenden* machen ließe" (womit er die Bildung mündiger Staatsbürger meinte, S. 43), fürchtete Schleiermacher sogar, „die Erschütterung (hätte) noch nicht tief genug gegriffen"[170]. Alles Politische sei wie leerer Schein, „denn die Trennung des einzelnen vom Staat und der Gebildeten von der Masse ist viel zu groß"[171]. So beherrschte der Gegensatz zwischen der liberalen Gründungserwartung der Wissenschaftler und dem Interesse des preußischen Hofes die Universitätsgründung von Beginn an.[172]

Zunächst schien die Universitätsgründung sogar zügig voranzugehen; man rechnete mit der Eröffnung Ostern 1808. Am 4. Oktober 1807 wurde Freiherr von Stein zum ersten Staatsminister berufen; in schneller Folge wurden nun die Edikte und Gesetze erlassen, die Friedrich Engels als Beginn der bürgerlichen Revolution in Preußen ansah:[173] das „Oktoberedikt" zur Agrarreform, die Reformen der Verwaltung und des Militärs und der Ausbau einer städtischen Repräsentation und Selbstverwaltung. Und Anfang September hatte der König durch Kabinettsorder auch die Errichtung einer „allgemeinen Lehranstalt" in Berlin angewiesen. Darauf sandte Beyme erste Berufungen und Aufträge für Gutachten aus: Schmalz bat er um einen Plan für die künftige juristische Fakultät, Reil, J. C. Loder und Hufeland für die medizinische und L. F. Froriep für deren Verbindung mit der école vétérinaire; die Gesamtentwürfe vertraute er Wolf und Fichte an. Von den Gelehrten selbst, nicht von der Bureaukratie administriert sollte die Universität entworfen werden. Eine breite literarische Diskussion begleitete den offiziellen Gang, und Anfang 1808 erschienen auch die „Gelegentlichen Gedanken" von Schleiermacher, der sich von Beyme übergangen fühlen mußte.

Doch als seine Schrift erschien, war die Universitätsgründung ins Stocken geraten. Der König hatte ihre Eröffnung vom Abzug der französischen Truppen aus der Residenzstadt und der Rückkehr des Hofes nach Berlin abhängig gemacht. Das Universitätsprojekt geriet in Gefahr: während die Hofcamarilla die Gefahr studentischer Unruhen in der Residenzstadt beschwor, ließ Jerôme in Westfalen bereits im Dezember 1807 die Wiedereröffnung der Universität Halle verkünden.[174] Die Reformer mußten befürchten, daß die vorgesehenen Professoren nun die sichere Anstellung in Halle der ungewissen in Berlin vorzögen. In dieser Situation forderte Schleiermacher Nolte im Kultusministerium auf, inoffiziell – und dies hieß gegen den Willen des Königs – die Eröffnung der Universität einfach bekanntzugeben. (S. 255f.); hielten doch ohnehin mehrere Gelehrte hier bereits privatim ihre Vorlesungen: Fichte seine „Reden an die deutsche Nation", Schleiermacher über Ethik und theologische Enzyklopädie, Schmalz über römisches Recht und Froriep über Anatomie.

Jedoch erst Anfang 1809 wurde der Plan erneut ernsthaft aufgegriffen. Stein konnte bei seiner vom Adel lancierten Entlassung noch durchsetzen, daß Wilhelm von Humboldt zum Chef der neugebildeten „Sektion des Cultus und öffentlichen Unterrichts" ernannt wurde. Zwar war dem freisinnigen Humboldt, dessen Kompetenzen ohne eigenes Vortragsrecht beim König sehr begrenzt waren, jede abhängige Beamtentätigkeit zuwider. Doch als er am 8. Februar

1809 sein Amt antrat, leitete er mit Weitblick und energi-
scher Tatkraft in nur gut einem Jahr eine unumkehrbare Reform des gesamten Bildungswesens ein.

IV.

Bei der Errichtung der Universität hoffte Humboldt zunächst auf Wolfs[47] Mitwirkung, folgte dann aber im wesentlichen Schleiermacher. Fichtes Plan, den Humboldt aus
Beymes Akten kannte, blieb dagegen weitgehend ungenutzt.

Stimmten Fichte, Schleiermacher und Humboldt in der Ab-
lehnung sowohl der tradierten scholastischen Universität
als auch der spätaufklärerischen Konzepte ihrer Auflösung
in bourgeois-etatistische Fachschulen überein, so trafen
hier zwei gegensätzliche, wenn auch gleichermaßen bürger-
lich-emanzipatorische Konzeptionen aufeinander: grob gesehen entwickelte Fichte ein kleinbürgerlich-demokrati-
sches, aber antiliberales Modell einer egalisierenden
„Erziehungsanstalt", während Schleiermacher und Humboldt in ihren liberalen, neuhumanistischen Programmen,
Wissenschaft – frei von fremden Zwecken – als Bildung
zur Individualität verstanden.

Die Gegensätze zwischen Fichtes „Deduziertem Plan" und
Schleiermachers „Gelegentlichen Gedanken" (fast möchte
man bezweifeln, daß Schleiermachers treffsichere Polemik
gegen Fichtes Gedanken – wie hier in der zur Persiflage ge-
ratenen Titelwahl – wirklich nur zufällig entstand[175]) treten
schon in der Herleitung ihrer Universitätsmodelle hervor.
Fichte „deduziert" seine „Kunstschule des wissenschaftlichen Verstandesgebrauchs" zwar als historischen Prozeß,
doch stutzt die transzendentale Vernunft – paragraphisch
wie ein Gesetzeskodex geordnet – die widersprüchlichen
Realverhältnisse (bis ins Alltagsleben hinein) allzu glatt zu-
recht. Schleiermacher zeichnet – Romantisches und Liberales eigentümlich verschmelzend – nur behutsam die Kontu-
ren des organisch Gewachsenen nach, geht eher von den
bestehenden Formen und Institutionen aus, sondiert sie,
um ihre Besonderheit frei als Selbstzweck entfalten und die
Widersprüchlichkeit als Movens der Entwicklung in ihrer
Ganzheit wieder herstellen zu können. Scheinbar konserva-
tiv, weil ihm das individuell Gewachsene wertvoller als ein

allgemeines Vernunftgesetz ist, findet er den dialektischen Punkt, wo vordergründig Überlebtes, punktuell modifiziert, erneut lebendig wird. Humboldt hatte zwar, wie er rückblickend schreibt, „einen allgemeinen Plan gemacht, der von der kleinsten Schule an bis zur Universität alles umfaßte und in dem alles ineinander griff"[176]. Doch nicht in Plänen, schon gar nicht in spekulativ begründeten, sah Humboldt seine Aufgabe, sondern vor allem in der praktischen Sicherstellung der geistigen und finanziellen Unabhängigkeit der Universität und der Auswahl der richtigen Ordinarien: „Man beruft eben tüchtige Männer und läßt die Universität sich allmählich encadrieren."[177]

Fichtes Akademie (die – als gleichsam esoterische Universität – sich im Schoße der alten erst emanzipieren muß) soll zur Quelle des sozialen und kulturellen Fortschritts überhaupt werden. Sie soll den „Gelehrten" hervorbringen, den Fichte in früheren Vorlesungen als den „Lehrer und Erzieher des Menschengeschlechts" konstruiert hatte und der die „oberste Aufsicht über den wirklichen Fortschritt des Menschengeschlechts im allgemeinen, und die stete Beförderung dieses Fortgangs" als Mission hat.[178] Marx' ironische Frage an die Aufklärung, wer denn die Erzieher erzöge, ohne daß sich die Gesellschaft wiederum in zwei Teile spalte, von denen der eine über den anderen erhaben sei, trifft auch Fichte.[179] Um die zukünftigen Regenten (denn das, meint Fichte mit Plato, sei neben dem Lehrberuf die vorzüglichste Bestimmung des Gelehrten) vor den lockenden Anfechtungen im „Zeitalter ... einer beinahe allgemeinen Verbürgerung" (S. 72) zu schützen, die reine Vernunft also wirklich ganz rein zu halten, geht Fichte nicht zufällig auf Lebensformen und Begriffe des mittelalterlichen, weltflüchtigen Klosterlebens zurück. Streng abgeschieden von der bürgerlichen Welt leben die „Lehrlinge" in einer geistig-elitären Hierarchie. Die Studenten, insbesondere die „regulares", werden von den Lehrern „fortdauernd erforscht und in ihrem Geistesgang beobachtet" (S. 101) und sind schon äußerlich durch Uniformen, „Einheitsbänder", sogar „metallne Nummern" kenntlich (S. 137). Am Ende soll dann der Gelehrte herausgefiltert sein, der doch eher dem nivellierten Einheitsmaß eines preußischen Kadettenschülers entspräche. Fichtes „Erziehungsanstalt", in der jede wirkliche, weil individuelle Entwicklung durch Reglementierung abgeschliffen sein wird, widerspricht den aufklärerischen Idealen, die er erzeugen will: Selbsttätigkeit, verantwortliche Sittlichkeit und republikanische Gesinnung.

Schleiermacher hatte sich gegenüber einem ähnlichen aufklärerischen Programm schon in einer Rezension zu Zöllners „Ideen über Nationalerziehung" (1804) skeptisch geäußert. Sobald von etwas wirklich Politischem die Rede sei, könne Erziehung allein nur wenig ausrichten. Standesdenken könne nur abgebaut, eine patriotische Vorliebe nur erzeugt werden, wenn sich die „Sitte" (und darunter faßt Schleiermacher die sozialen Verhältnisse insgesamt) verändere und „wenn der Zusammenhang des Einzelnen mit dem Ganzen, in welchem und für welches diese Taten geschehen, zuvor deutlich geworden ist …"[180].

Humboldts und Schleiermachers liberale Bildungstheorien wurzeln in anderen philosophisch-kulturellen Traditionen als Fichtes Plan. Fichtes „Erziehungsanstalt" ist gleichsam der nach außen gewendete transzendentale Subjektbegriff, der von der notwendigen Bändigung und Negierung der menschlichen Natur durch (eine abstrakte) Vernunft und Wissenschaft ausgeht und damit letztlich den christlichen Gedanken vom Urbösen zum „Zeitalter der vollendeten Sündhaftigkeit" (oder der „allgemeinen Verbürgerung") säkularisiert und historisiert. Schleiermachers und Humboldts sublimere humanistische Bildungsbegriffe stehen eher in der pantheistischen Tradition der Einheit und wechselseitigen Spiegelung von menschlichem Mikrokosmos und makrokosmischer Welt, der Erweiterung des Subjekts zur Welt durch freie und harmonische Entfaltung aller Kräfte, der Selbsterlösung des Individuums aus naturhafter Befangenheit durch Bildung. „Objektive Wissenschaft und subjektive Bildung" (letztere als Einheit von theoretischer und praktisch-sittlicher Tätigkeit verstanden) schließen „Ich und Welt", Subjekt und Objekt im Subjekt zusammen; der Neuhumanismus orientiert sich am idealisierten Bild der Antike, um die Einheit und Sozialität des Menschen in einer äußerlich zerrissenen Welt zu wahren.

Prononciert liberal sieht Schleiermacher in der akademischen Freiheit die Entwicklung von wissenschaftlicher Individualität und Selbsttätigkeit begründet. Scharf zieht Schleiermacher die Grenze zwischen Schule und Universität: der Student sei keiner äußeren Autorität, außer der Wissenschaft selbst, auch keinen Lehrplänen, sondern seiner eigenen Verantwortung zu unterwerfen. Gerade die akademische Freiheit für alle Studierenden trenne die „Brotstudenten" von den wissenschaftlichen Köpfen. Provozierend auf seine Zeitgenossen[181] wirkte Schleiermachers nahezu romantisch-anarchische Gelassenheit gegenüber der viel beklagten „Sittenlosigkeit", der gefürchteten Korpsbildung und der Duelle unter Studenten. Tatsächlich ist auch Schleiermachers Liberalismus nicht frei von der Illusion, daß die bürgerliche Gesellschaft sich in einer geradezu prästabilierten, naturhaften Harmonie entwickele.

Bildung durch Wissenschaft (und diese verstanden als philosophisch begründete Einheit des Wissens) und akademische Freiheit hieß weder bei Schleiermacher noch bei Humboldt ästhetischer Bildungsindividualismus oder Rückzug in einen Elfenbeinturm, sondern gerade Öffnung zur Welt und zur Gesellschaft.

Gefährdet sehen Schleiermacher und Humboldt die Entfaltung der Wissenschaften einzig durch die äußeren Einwirkungen des Staates. Die „Gelegentlichen Gedanken" heben mit dem Interessenantagonismus zwischen Wissenschaft und Staat an und begründen deren notwendige Trennung: zum einen kollidierten die Wissenschaften, die an die einheitliche Sprache und Nation gebunden seien, mit dem Staat, weil dessen historische Grenzen von den nationalen abwichen; deutlich ist hier Schleiermachers Affront gegen kleinstaatliche Zersplitterung und napoleonische Fremdherrschaft (vgl. auch S. 164–166). Zum anderen – so Schleiermacher mit Kant – fördere der Staat aus praktisch, utilitaristischen Interessen zwar einzelne, unmittelbar verwertbare Kenntnisse und Fakten, zerstöre und mißtraue damit aber gerade dem Wesen von Wissenschaft, der inneren Einheit des Wissens nach Gesetzen.

Die Selbstverwaltung der Universität (unter staatlicher Rechtsaufsicht) durch finanzielle Autonomie gegenüber dem Staat war auch für Humboldt das Kernstück. Die Nation – hier greift Humboldt einen Gedanken Fichtes auf – nehme nur Anteil am Bildungswesen, „wenn es auch in pekunärer Hinsicht ihr Werk und ihr Eigentum ist und sie selbst aufgeklärter und sittlicher, wenn sie zur Begründung der Aufklärung und Sittlichkeit in der heranwachsenden Generation tätig mitwirkt" (S. 271). Universitätseigene, aus säkularisierten Gütern stammende Domänen sollten die Unabhängigkeit vom Staat sichern. Trennung von Staat und Universität, das hieß aber auch: die Lehr- und Zensurfreiheit der Professoren; das (durch das Berufungsrecht des Ministers eingeschränkte) Selbstergänzungsrecht der Fakultäten; der freie, nur durch die Abitursforderung eingeschränkte Zugang zum Studium und die Abtennung der Staatsprüfung von den unabhängigen akademischen Prüfungen.[182]

V.

Bei allen Gegensätzen waren sich Fichte, Schleiermacher und Humboldt auch darin einig, daß an der neuen Universität die philosophische Fakultät das einigende Band zwischen den Wissenschaften bilden sollte. Schleiermacher sah sogar „die eigentliche Universität ... lediglich in der philosophischen Fakultät enthalten, und die drei anderen dagegen sind die Spezialschulen ...". (S. 198) Hatte die Philosophie diesen Anspruch schon in Kants „Streit der Fakultäten" angemeldet, so ließ sich das Konzept erst durch die Entwicklung klassisch bürgerlicher Philosophie von Fichte bis Schelling institutionalisieren. In Fichtes Wissenschaftslehre war bereits eine begrifflich-genetische Einheit des Wissens (und Handelns) sowie der unendliche Progress der Wissenschaften philosophisch angestrebt. Indem Wissenschaft und Philosophie nun im unendlichen Prozeß als selbsttätige Erzeugung von Wissen angesehen wurden, konnte auch die Einheit von Lehre und Forschung tiefer begründet werden. Auch Humboldt betonte, daß „... alles darauf beruht, das Prinzip zu erhalten, die Wissenschaft als etwas noch nicht ganz Gefundenes und nie ganz Aufzufindendes zu betrachten, und unablässig sie als solche zu suchen". (S. 275). Nur das Forschen ist lehrbar, nur das Selbstgedachte auch begriffen. Auch die Vorlesung – als Medium bloßer Tradierung von Wissen im Zeitalter des Buchdrucks schon von Salzmann bezweifelt – erhielt dadurch einen neuen Rang. Gleichsam als fiktiver sokratisch-mäeutischer

Dialog soll das Wissen, so Schleiermacher, durch den Kathedervortrag im Hörer erzeugt werden; für den Lehrenden wird damit die Lehre selbst zur Forschung. Alles muß auf Mitteilung und Dialog eingestellt sein, denn keiner kann *die* Wahrheit für sich beanspruchen; die starre Grenze zwischen Lehrer und Schüler fällt: denn, so Humboldt, beide sind für die Wissenschaft da. Die Vorlesung ist durch das Medium Buch nicht überflüssig geworden. Beide jedoch erhalten eine neue Funktion; einen breiten Teil seines Planes widmet Fichte so der Neuordnung des wissenschaftlichen Buchwesens.

Neben Fichtes Philosophie wurde vor allem diejenige Schellings, seine 1804 gedruckten „Vorlesungen über die Methode des akademischen Studiums" insbesondere, für die Universitätsidee wichtig. Fichte hatte in seiner Wissenschaftslehre der Natur nur einen negativen Platz eingeräumt und seine Vermittlung zwischen Transzendentalphilosophie und positivem Wissen, zwischen der Einheit und der Vielheit der Erscheinungen blieb unvollkommen. Beide Probleme schien Schelling lösen zu können: einerseits ergänzte er Fichtes genetische Transzendentalphilosophie durch eine historische Naturphilosophie, andererseits vermittelte er durch den platonischen Begriff der Idee zwischen der ewigen Unendlichkeit des Geistes und ihrer individualisierenden Brechung in den einzelnen Erscheinungen der Natur und Gesellschaft. „Indem nun Schelling diese Momente mit den von Fichte übernommenen verband, wurde ihm die Wissenschaft zu einem *Organismus* im Reiche des Idealen, den er dem realen Organismus der Welt als sein Spiegelbild gegenüberstellte, und die Universität oder Akademie bedeutete ihm das Realwerden dieser idealen Einheit."[183] Freilich zog Schelling auch antiaufklärerische Konsequenzen, so wenn er die Fakultäten einer geradezu theokratischen Einheit von Theologie und Staat unterwarf.

Schelling beeinflußte mit seinem Philosophiebegriff insbesondere Schleiermacher, wohl aber auch den späten Fichte und Humboldt (so in dessen an Schellings Potenzlehre erinnernden Wissenschaftsprinzipien, S. 276). Schleiermacher hatte schon 1804 Schellings Idee hervorgehoben, „daß auch die äußeren Organisationen zum Behuf der realen Wissenschaften ein getreuer Abdruck ihres inneren und natürli-

chen organischen Zusammenhanges sein sollten.“[184] In den
„Gelegentlichen Gedanken“ kritisierte er die Trennung zwischen leerer Spekulation und realem Wissen. In den Wissenschaften selbst, in der Geschichte und den Naturwissenschaften liege die Einheit des Wissens. Alle Wissenschaftler
sollten auch philosophische Vorlesungen halten, die das
Kolleg frei wechselnden Studenten in der Philosophie und
in den Wissenschaften selbst die Einheit des Wissens auf-
spüren. In diesem Sinne hatte auch Hegel 1816 sein Credo
über den philosophischen Unterricht an Universitäten for-
muliert: „Eine wissenschaftlich ausgebildete Philosophie
läßt dem bestimmten Denken und gründlicher Erkenntnis
schon innerhalb ihrer selbst Gerechtigkeit widerfahren, und
ihr *Inhalt*, das Allgemeine der geistigen und natürlichen
Verhältnisse *führt* für sich unmittelbar *auf die positiven Wissenschaften*, die diesen Inhalt in konkreter Gestalt, weiterer
Ausführung und Anwendung zeigen, so sehr, daß umgekehrt das Studium dieser Wissenschaften selbst sich als notwendig zur gründlichen Einsicht der Philosophie beweist.“
(S. 288f.)
Gedachte die Spätaufklärung die tradierten Universitäten in
Gymnasien und Akademien aufzulösen, so erscheint bei
Schleiermacher und Humboldt die Universität als Mittel-
glied in der notwendigen Stufenfolge wissenschaftlicher
Bildung. Für Schleiermacher ist die Universität Mittel- und
Durchgangspunkt zwischen der Schule, die vorbereitend,
übend und kenntnisvermittelnd ist, und der Akademie, in
der die philosophische Einheit des Wissens bei ihren Mitgliedern allemal vorausgesetzt werden sollte, jedoch hinter
die Erforschung einzelner, noch unbekannter Gegenstände
zurücktritt.[185] Humboldt will Universität und Akademie dergestalt miteinander verbinden, „daß obgleich ihre Tätigkeit
abgesondert bleibt, doch die einzelnen Mitglieder nicht immer bloß ausschließlich der einen oder anderen gehören“.
(S. 281)

VI.

Die Prinzipien der neuen Universität, insbesondere ihr li-
beraler Anspruch, der – zum Teil im Wortlaut von Schleiermachers „Gelegentlichen Gedanken“ – noch in den ersten
Statutenentwurf eingegangen war, konnten nicht kompro-

mißlos realisiert werden. Schon ein Vergleich des redigierten, zweiten „Antrages auf Errichtung einer allgemeinen Lehranstalt" mit Humboldts ursprünglichem Text zeigt die notwendigen Zugeständnisse: den Begriff „Universität" mußte Humboldt durch „Lehranstalt" ersetzen, der progressive Gedanke von der Beziehung zwischen Universität und Nation weicht dem von der preußischen Vormachtsstellung auf geistigem Gebiet.

Der eigentliche Rückschlag für die Universität trat noch vor ihrer Eröffnung 1810 ein. Als der liberale Flügel der Reformpartei durch die Berufung des Staatskanzlers K. A. Hardenberg seinen Einfluß zunehmend verlor und an die Stelle der von Stein angestrebten kollegialen Zusammenarbeit aller Ressortminister ein autoritär-bureaukratisches System trat, wurde Humboldt praktisch politisch entmachtet. Am 9. April 1810 reichte er sein Demissionsgesuch ein. Daß die Universitätsgründung im Oktober wenigstens formal stattfand, war wohl der noch von Humboldt eingesetzten Einrichtungskommission zu verdanken, in der vor allem Schleiermacher die Arbeit im Geiste Humboldts fortsetzte.

Im November 1810 trat Friedrich Schuckmann Humboldts Nachfolge an: ein Mann ausgesprochen antiliberaler Gesinnung, ohne viel Einsicht in die Eigenart wissenschaftlicher Arbeit, der die Universität kleinlich reglementierte. Der Hauptschlag gegen die Universität gelang Schuckmann, als er mit der Schenkungsurkunde der Domänen die von Humboldt angestrebte Selbstverwaltung der Universität beseitigte. Zynisch hatte er beim König angefragt, ob es ratsam sei, „die höchsten wissenschaftlichen Zentralinstitute des Staates nicht etwa bloß in ihrem freien wissenschaftlichen Streben und Wirken, sondern auch mit ihrer Subsistenz auf Dauer vom Oberhaupt des Staates unabhängig zu machen und sie von dieser Seite gegen das Bestehen der jetzigen Verfassung, des Königs und seiner Dynastie in den Zustand der Gleichgültigkeit zu versetzen"[186]. Als Schuckmann bald darauf auch die Zensurfreiheit für Professoren untergrub, konnte freilich auch von „freiem wissenschaftlichen Streben" keine Rede mehr sein. Letztlich wurde nur ein geringer Teil der liberalen Grundsätze in den Universitätsstatuten von 1817 verankert.

Dennoch entfaltete die Universität zeitweise ihre produktiven Potenzen: neben anderen namhaften Wissenschaftlern arbeitete Hegel hier sein philosophisches System aus. Gegen die nach 1813 verstärkt einsetzende Restauration in Preußen existierte an der Universität eine wirkliche Opposition. Von der Demagogenverfolgung bis zum Vormärz radikalisierte sich die liberale und demokratische Bewegung praktisch und theoretisch wesentlich auch an dieser Universität.

Zugleich stießen die neuhumanistischen Grundprinzipien der Humboldtschen Universität mehr und mehr an die Grenzen einer veränderten Wissenschafts- und Gesellschaftssituation. Das die Wissenschaften einigende Band der Philosophie, war es zunächst auch gar nicht als systemhaft abgeschlossen konzipiert, erwies sich für die weitere Entwicklung der Wissenschaften bald als zu eng; die empirisch-experimentelle Naturwissenschaft war im geisteswissenschaftlich ausgerichteten Humboldtschen Universitätstypus von Beginn an ausgegrenzt. Sie emanzipierte sich außerhalb der Universitäten; so wurde die methodische Trennung zwischen Natur- und Geisteswissenschaften zusätzlich institutionalisiert.

Die weitere Verbürgerlichung der Universität untergrub die Idee der zweckfreien Ausübung der Wissenschaften. Wissenschaft wurde zum Beruf, der forschende und lehrende Gelehrte ein bürgerliches Laufbahnziel. Forschung depravierte zur wissenschaftlich-technischen Innovation. Privatisierte und ästhetisierte Lebensphilosophie einerseits, entgeistigter hochspezialisierter Positivismus andererseits führten zu politischer Abstinenz und letztlich in die Widerstandslosigkeit gegenüber dem Faschismus.

Die Universitätsdiskussion von Kant bis Hegel erscheint in ihrem theoretischen Überschuß noch heute als Provokation: in einer Zeit, in der die Gefährdung des humanistischen Ursprungs von Wissenschaft durch verfestigte Arbeitsteilung und wachsenden Positivismus anhält, die einseitige Orientierung auf unmittelbare ökonomische Verwertbarkeit und Effektivität die Naturgrundlage menschlicher Existenz in Frage stellt und die soziale Verantwortlichkeit des Wissenschaftlers beschnitten ist. Die gegenwärtige wissenschaftlich-technische Innovation, die sich nur über die reiche Entfaltung der Individualität vollziehen kann, die selbständiges Denken an Stelle jeder Verschulung des Denkens fordert, läßt heute andere Aspekte der Humboldtschen Universitätsidee in den Vordergrund treten, als es in der Phase der Demokratisierung zunächst notwendig war.[187]

Dabei drängt die veränderte Wissenschafts- und Gesellschaftssituation heute zu anderen als den neuhumanistischen Lösungen: Streben heute die Wissenschaften selbst zu einer neuen interdisziplinären Einheit und zur Überwindung der methodischen Trennung von Natur- und Gesellschaftswissenschaften, so wird das einigende Band nicht mehr in einer (idealistischen) Philosophie, sondern nur in den Wissenschaften selbst aufzufinden sein. Nicht die zweckfreie Ausübung der Wissenschaften kann das Ziel sein, sondern nur die wissenschaftliche Kritik ihrer Zwecke und Mittel. Das kritische Potential von Wissenschaft realisiert sich nicht im „ganz Anderen", sondern in der positiven Kritik der Wissenschaften selbst. Von Staat und Gesellschaft getrennte institutionelle Formen von Wissenschaft sind nicht nur illusionär; die damit verbundene Politikabstinenz führt zu fatalen Konsequenzen. Nur in der öffentlichen Kritik der Wissenschaften und der wissenschaftlichen Kritik der Öffentlichkeit wird Wissenschaft zu ihren humanistischen Ursprüngen zurückkehren.

Anmerkungen

1 Johann Jakob Engel (1741–1802), Professor am Joachimsthaler Gymnasium in Berlin 1776 bis 1787, Leiter des dortigen Nationaltheaters, popularisierte aufklärerische Ideen durch theaterwirksame Lustspiele und vor allem durch die 1775 bis 1777 erschienene Aufsatzsammlung „Der Philosoph für die Welt". Die „Denkschrift über Begründung einer großen Lehranstalt in Berlin" sowie der Begleitbrief an K. F. von Beyme wurden erstmals von Rudolf Köpke (Die Gründung der Königlichen Friedrich Wilhelms Universität zu Berlin, Berlin 1860, S. 147–153) veröffentlicht. Köpke nahm an, daß neben dem von ihm abgedruckten Entwurf von 1802 noch eine frühere, unaufgefundene Denkschrift existieren müsse (S. 20f.). Max Lenz weist jedoch überzeugend nach, daß es sich bei Köpkes Edition um den einzigen und damit ältesten Entwurf Engels handelt (Max Lenz, Geschichte der Königlichen Friedrich-Wilhelms-Universität zu Berlin, Bd. 1, Halle 1910, S. 35).

2 Karl Friedrich von Beyme (1765–1838), Chef des königlichen Zivilkabinetts und Kabinettsrat für persönlichen Vortrag bei Friedrich Wilhelm III. seit 1798 und damit formell in der Schlüsselstellung im feudalabsolutistischen Preußen. Seine liberalen Reformbestrebungen scheiterten am Adel und der Hofpartei, die angestrebten Reformen der Verwaltung und des Bildungswesens blieben erfolglos, die Befreiung der Bauern konnte nur auf den Domänen, nicht auf den Adelsgütern durchgesetzt werden. Stein verlangte zwar 1807 die Entfernung Beymes aus dem Kabinett, doch empfahl er dessen Rückkehr als Justizminister bei seinem Rücktritt 1808.

3 Johann Erich Biester (1749–1816), führender Popularaufklärer in Preußen, 1777 Sekretär des an der Spitze der Unterrichtsverwaltung stehenden K. A. von Zedlitz, Mitarbeiter an der „Allgemeinen Deutschen Bibliothek", mit F. Gedike Herausgeber der „Berlinischen Monatsschrift".

4 Christoph Friedrich Nicolai (1733–1811), einflußreichster Vertreter der Berliner Popularaufklärung, bestimmte als Verleger, Buchhändler, Schriftsteller und Kritiker (vor allem als Herausgeber der „Allgemeinen Deutschen Bibliothek"; ab 1765 wichtigste Zeitschrift der deutschen Aufklärung) den aufklärerisch-absolutistischen Zeitgeist besonders in der Regierungszeit Friedrich II. mit. Den neuen Bestrebungen in

Philosophie (Kants Transzendentalphilosophie) und Kunst (Goethe, Schiller, vor allem der Romantik) stand er ablehnend gegenüber.

5 In der Zeit des Feudalabsolutismus, zumeist auf merkantilistischer Grundlage betriebene Finanz-, Wirtschafts- und Verwaltungslehre im Interesse kleinstaatlicher Fürsten.

6 Gemeint sind farbig ausgemalte Kupferstiche.

7 Weichtierschale.

8 (lat.) sinngemäß: sich mit den Augen überzeugen.

9 (lat.) sinngemäß: vom Hörensagen.

10 Gemeint ist die 1710 gegründete Charité.

11 Das anatomische Theater (der praktischen Demonstration anatomischer Versuche dienend) in Berlin, war 1723 der neu gegründeten medizinischen Fachschule, dem Collegium medicochirurgicum angeschlossen worden; es diente insbesondere der Weiterbildung von Militärärzten zu Stabs- und Regimentschirurgen.

12 Botanischer Garten der Königlichen Realschule (1753 angelegt), wurde ab 1786 von Karl Ludwig Willdenow (1756–1812) geleitet.

13 Unter Johann Elert Bode (1747–1826), Direktor der Berliner Sternwarte bis 1826, Verfasser zahlreicher, die Astronomie auf wissenschaftlicher Basis untersuchender Schriften und Sternkarten und Herausgeber des Berlinerschen astronomischen Kalenders, gelangte die Sternwarte wieder zu Ansehen.

14 Hütten, in denen Salz gesotten wird.

15 Eine Art Vergnügungslokale mit künstlicher Beleuchtung.

16 Im Mittelalter bildeten ausländische (d. h. aus anderen deutschen Landschaften, „Nationen" stammende) Studenten Landsmannschaften, um sich mit solchen zunftähnlichen Korporationen Schutzvereine (z. B. zur Erwerbung gerichtlicher Privilegien) in den Bürgergemeinden der Universitätsstädte zu schaffen. Erneut entstanden Landsmannschaften zu Beginn des 18. Jahrhunderts. Als sich mit den Befreiungskriegen die betont patriotisch-deutschen Burschenschaften formierten, lösten sich die meisten Landsmannschaften zunächst auf, um sich dann in der Restaurationszeit als ständische Korps erneut zu bilden und zu „schlagenden" Verbindungen mit Mensurpflicht und dem Prinzip unbedingter Satisfaktion zu depravieren.

17 Den Landsmannschaften zu vergleichende studentische Korporationen, z. T. mit geheimen Statuten und Namensverzeichnissen. In Jena, wo es zu gewalttätigen Ausschreitungen kam, hielt Fichte 1794 gegen die Ordensverbindungen „Einige Vorlesungen über die Bestimmung des Gelehrten" und gründete

die „Gesellschaft der freien Männer", um deren Auflösung zu befördern.

18 Christian Fürchtegott Gellert (1715–1769) hielt ab 1744 als Privatdozent, nach 1751 als Professor mit großer Resonanz Vorlesungen an der Leipziger Universität über Poesie, Beredsamkeit, Moral und Pädagogik. Der Philologe und Theologe Johann August Ernesti (1707–1781) las ab 1742 über Philologie, Geschichte, Theologie und Beredsamkeit.

19 Kirchliches Internat für Theologiestudenten.

20 Gemeint sind die anatomischen Präparate der englischen Ärzte William Hunter (1718–1783) bzw. seines Bruders John Hunter (1728–1793) und der Berliner Anatomen Johann Gottlieb Walter (1734–1818) bzw. seines Sohnes Friedrich August Walter (1764–1826).

21 Gemeint ist das Collegium medico-chirurgicum (1724 gegründet) bzw. die 1795 erschaffene militärärztliche Fachschule, die Pepinière (lat. Pflanzschule). Beide Fachschulen, nur lose miteinander verbunden, boten nicht nur medizinische Fächer an, sondern auch sog. Hilfswissenschaften, d. h. Sprachen, Chemie, Physik, Mathematik, Botanik, Zoologie und durch den Kantianer J. G. Kiesewetter sogar Philosophie. Vorrangig sollten hier Militärärzte ausgebildet werden, die Vorlesungen konnten jedoch von jedem besucht werden.

22 Arnold Heeren (1760–1842), seit 1801 Professor für Geschichte in Göttingen, fand zeitweilig mit seinem Hauptwerk „Ideen über Politik, den Verkehr und den Handel der vornehmsten Völker der Alten Welt", das den Blick auf die politische und ökonomische (merkantile) Seite der alten Geschichte richtete, Resonanz.

23 Julius August Remer (1738–1803), Professor für Geschichte und Statistik in Helmstedt seit 1787; „Geschichte der französischen Konstitution" (1795) und sein universalgeschichtlich angelegtes Hauptwerk: „Handbuch der allgemeinen Geschichte" (ab 1771).

24 Friedrich August Wolf (1759–1812).

25 (bei Köpke fälschlich Schulz), Gottlob Ernst Schulze (1761–1833), der sog. Änesidemus-Schulze nach seinem anonym erschienenen „Änesidemus oder über die Fundamente der von dem Hrn. Prof. Reinhold in Jena gelieferten Elementarphilosophie, nebst einer Verteidigung des Skeptizismus gegen die Anmaßungen der Vernunftkritik" (1792). Schulze, seit 1788 Philosophieprofessor in Helmstedt, wirkte mit seiner skeptizistischen Kritik der transzendentalen Konzeption des Dinges an sich bei Kant indirekt auf dessen Überschreitung (Einfluß auf Fichte) ein.

26 (bei Köpke fälschlich Plank), Gottlieb Jakob Planck (1751–1833), protestantischer Theologe und Kirchenhistoriker, ab 1775 in Tübingen, 1780 in Stuttgart, 1784 Göttingen, verstand sich als Vermittler zwischen Rationalismus und Supranaturalismus. Seine kirchengeschichtlichen Schriften (z. B. „Geschichte des protestantischen Lehrbegriffs", 2 Bde, 1781–1783) galten als Versuch einer deskriptiven, unpolemischen Geschichte der Reformation.

27 Heinrich Philipp Konrad Henke (1752–1809), evangelischer Theologe und Kirchenhistoriker in Helmstädt; Verfasser dogmatischer Schriften im Geiste des deistischen Rationalismus. – Christoph David Martini (1761–1815), protestantischer Theologe in München, seine Berufung an die Berliner Universität scheiterte 1810.

28 Neben seiner Predigertätigkeit an der französischen Gemeinde las Johann Peter Friedrich Ancillon (1767–1837) als Professor für Geschichte an der Berliner Militärakademie (ab 1792). Als offizieller preußischer Historiograph (ab 1803) verteidigte er die ständische Verfassung. Der überzeugte Anhänger Metternichs betrieb insbesondere als Mitglied des Ministeriums für auswärtige Angelegenheiten (ab 1814), dessen Leiter er 1832 bis 1837 war, eine feudalreaktionäre Politik.

29 Johann Friedrich Ferdinand Delbrück (1772–1848), Schüler von F. A. Wolf, 1797 an Gedikes Lehrerseminar, „Über die Humanität" (1796), 1809 ao. Professor in Königsberg.

30 Johann Friedrich Wilhelm Thym (1768–1803), ab 1796 Professor für Kirchengeschichte am königlich reformierten Gymnasium Halle, dann am Joachimsthaler Gymnasium in Berlin.

31 Johann Gottfried Kiesewetter (1766–1819), Kantschüler und zeitweilig Kants wichtigster Briefpartner in Berlin, einflußreicher Kantpopularisator in Berlin, der ab 1792 am Collegium medico-chirurgicum Logik, ab 1795 an der Pepinière und vor breitem Berliner Publikum in verschiedenen Gesellschaften las.

32 Lazarus Bendavid (auch Ben David) (1762–1832), hielt und veröffentlichte in Wien Vorlesungen über Kants Kritiken (1795/96), daneben auch eigenständige philosophische Schriften wie „Über den Ursprung der Erkenntnis" (1802) oder Aufsätze in den „Horen" Schillers, von dem er neben Goethe und später Heine geschätzt wurde. Setzte sich publizistisch und praktisch (ab 1806 als Direktor der Berliner jüdischen Schule) für die Emanzipation der Juden ein.

33 In Berlin unter Aufsicht der städtischen Gemeinde stehende Gerichte.

34 Altertümlich für aburteilen.

35 (lat.) Doktor beider Rechte (des weltlichen und kirchlichen).

36 (lat.) die christlichen Lehrer.

37 (lat.) die Lehrer der Heiligen Theologie.

38 Ernst Friedemann Freiherr von Münchhausen (1724–1784) war ab 1764 Chef des staatlichen Departements für lutherische und reformierte Kirchen- und Schulsachen in Preußen. Gerlach Adolf Freiherr von Münchhausen (1688–1770) war Begründer der von aufklärerischen Grundsätzen bestimmten Universität Göttingen (1737).

39 (bei Engel fälschlich Brun) Friedrich Leopold Brunn, „Versuch einer Lebensbeschreibung J. H. L. Meierotton“, Berlin 1802, bezieht sich wohl auf S. 256 f. Johann Heinrich Meierotto (1742–1800), war Direktor des Joachimsthaler Gymnasiums, das Karl Friedrich Abraham von Zedlitz (1731–1793), Chef des geistlichen Departements in lutherischen Kirchen- und Schulsachen unter Friedrich II. von 1770 bis 1788, als Musterschule seiner Schulreformen diente. 1787 bildete er ein Oberschul-Kollegium als zentrale Immediatbehörde des preußischen Schul- und Universitätswesens.

40 Johann Benjamin Erhard (1766–1821); entstammte als Sohn eines Nürnberger Scheibenziehermeisters sehr armen Verhältnissen; 1788 bis 1790 Medizinstudium in Würzburg; las 22jährig als Autodidakt Kants „Kritik der reinen Vernunft“ und blieb seither begeisterter Kantianer, der die Transzendentalphilosophie ins Politisch-Revolutionäre wendete; nach halbjährigem Studium bei K. L. Reinhold in Jena im Sommer 1791 Bekanntschaft mit Kant, der Erhard hoch schätzte; Erhard gehörte zu den wenigen deutschen Intellektuellen, die auch die radikal-demokratisch, jakobinische Phase der Französischen Revolution bejahten; unterstützte vermutlich Streiks und Aufstände in Nürnberg (1792–1795) und verfaßte auf dem Höhepunkt der „Schreckensherrschaft“ sein wirkungsreichstes Buch: Über das Recht eines Volkes zu einer Revolution, Jena 1795; ab 1799 wohl politisch resigniert und zurückgezogen lebend, unterhält er in Berlin eine Arztpraxis und tritt öffentlich fast nur noch mit Arbeiten zur Medizin auf. „Über die Einrichtung und den Zweck der Höhern Lehranstalten von D. Johann Benjamin Erhard, ausübenden Ärzte in Berlin“ wurde nach Erhards eigener Angabe schon 1798 geschrieben und erschien 1802 in Berlin. Aus der heute nur noch selten auffindbaren und im Auszug hier erstmals wieder nachgedruckten Schrift wird der überwiegende Teil des zweiten Abschnittes „Entwurf einer völlig zweckmäßigen Universität und Mittel die jetzt bestehende nach und nach dieser Idee zu nä-

hern." ediert (im Original S. 216–237 und 255–278). Das hier nicht edierte 2. Kapitel „Über die Einführung einiger Gesetze" des 2. Abschnitts enthält Erhards Überlegungen zur Abschaffung der studentischen Duelle.

41 Im ersten, hier nicht publizierten Abschnitt entwickelte Erhard eine „ideale" Universität. An Stelle der ehemaligen medizinischen und juristischen Fakultäten will er die Fakultät des öffentlichen Wohls und die Fakultät der Heilkunde stellen; die theologische Fakultät will Erhard auflösen.

42 Gemeint ist Petrus (nach Joh. 21).

43 Unfehlbar; Infallibilität (Unfehlbarkeit) ist nach katholischer Lehre eine dem Papst zugesprochene Eigenschaft.

44 (lat., urspr. griech.) Erhard geht in seiner Kirchenkritik auf die ursprüngliche Bedeutung: Volksversammlung zurück. Im christlichen Verständnis ist ecclesia die Kirche als Gemeinschaft aller Christen.

45 Erhard rezipiert hier den reformatorischen Gegensatz (vor allem Luther) gegen die (katholische) Lehre, nach der die guten Werke eine Vermehrung von Gnade und Gerechtigkeit vor Gott erwirken können. Die reformatorische Theologie setzt dagegen, daß die guten Werke Frucht des Glaubens seien, aber die Gerechtigkeit vor Gott nicht unmittelbar vermehrten.

46 (lat.) Der Kaiser hat über Grammatiker nicht zu gebieten.

47 Friedrich August Wolf (1759–1824), Begründer der klassischen Altertumswissenschaften und bedeutendster Altphilologe unter den Wegbereitern des Neuhumanismus, 1783 Professor in Halle; durch seine „Prolegomena ad Homerum" leitete er die moderne Homer-Kritik ein; seine Rückwendung zur Antike, die sich auch gegen utilitaristisch-praktizistische Züge der philantropischen Aufklärung richtete, diente ihm zur Begründung einer humanen, ästhetisch ausgerichteten Bildungskonzeption. Sowohl Beyme als auch später Wilhelm von Humboldt hatten Wolf, der schon mit der Gründung eines philologischen Seminars in Halle 1787 reformerisch gewirkt hatte, auch eine maßgebliche Rolle bei der Gründung der Berliner Universität zugemessen; doch scheiterten ihre Bemühungen, so Wolfs Ernennung zum Direktor der wissenschaftlichen Deputation für die Sektion des öffentlichen Unterrichts (eine Stellung, die dann Schleiermacher übernahm) und später sogar die Aufnahme der Lehrtätigkeit Wolfs, an seinem schwierigen, von Eitelkeit und Ehrgeiz nicht freien Charakter. Blieb so sein Einfluß auf Gründung und Ausbau der Universität gering, war seine Wirkung auf die neuhumanistische Umgestaltung der preußischen Gymnasien desto nachhaltiger.

Von Wolf existieren zwei Gutachten zur Universitätsreform. Hier kommen seine ersten „Vorschläge einer völlig zweckmäßigen Universität" vollständig nach Wilhelm Körte, „Leben und Studien F. A. Wolfs", Band 2, Essen 1833, S. 230–245, und der begleitende Brief an K. F. von Beyme vom 3. August 1807 nach Rudolf Köpke, a. a. O., S. 153, zum Druck. „Fernere Vorschläge das neue Institut betreffend" schrieb Wolf am 19. September 1807 (Köpke, a. a. O., S. 166–180).

48 Nach der Niederlage des preußischen Heeres bei Jena und Auerstädt befand sich die Universitätsstadt Halle in dem von Preußen abgetrennten Gebiet, das das neu gegründete Königreich Westfalen umfaßte. König Jérôme, Bruder Napoleons, ließ die Hallische Universität ab Oktober 1806 auf Grund patriotischer Kundgebungen der Studenten zeitweise schließen. Neben anderen Hochschullehrern kam Friedrich August Wolf im Mai 1807 nach Berlin.

49 August Christian Stützer (1765–1824), Professor der Kriegsgeschichte und Militärgeographie an der Königlichen Kriegsschule in Berlin; Vertrauter Beymes.

50 Vgl. Anm. 39. Teil des von v. Zedlitz ausgeführten Reformprogramms war auch die Errichtung eines philologischen Seminars zur Schulung von Gymnasiallehrern, das unter großer Anteilnahme Wolfs und seiner Schüler 1788 zustande kam und für andere deutsche Universitäten zum Muster wurde.

51 Julius Eberhard Wilhelm Ernst von Massow (1750–1816), 1798 Justizminister und damit Chef über das geistliche und weltliche Schulwesen (bis 1807).

52 (lat.) ordentliche Professoren.

53 (lat.) außerordentliche Professoren.

54 (lat.) die Beigeordneten.

55 Dietrich Ludwig Karsten (1768–1810), Mineraloge und Geologe.

56 Martin Heinrich Klaproth (1743–1817), Pharmazeut, Chemiker, 1782 am Collegium medico-chirurgicum, 1787 Professor an der Kriegsakademie, 1788 Mitglied der Akademie, 1810 von Humboldt als erster Chemieprofessor berufen.

57 Christoph Wilhelm Hufeland (1762–1836), einer der berühmtesten Ärzte seiner Zeit, Direktor des Collegium medico-chirurgicum, erster Arzt der Charité, beschäftigte sich im Zuge der preußischen Reformen mit der Erneuerung des Medizinalwesens und entwarf einen Universitätsplan für Berlin (1867), 1810 als Professor für spezielle Pathologie und Therapie berufen.

58 Wahrscheinlich J. P. F. Ancillon (vgl. Anm. 28) gemeint.

59 Johann Gottlieb Walter (1734–1818), berühmter Anatom, er-

richtete ein anatomisches Museum, das 1803 vom Staat ange-
kauft und nach ihrer Gründung von der Universität genutzt
wurde.

60 Karl Ludwig Willdenow (vgl. Anm. 12), Botaniker und Professor für Naturgeschichte am Collegium medico-chirurgicum, arbeitete bei der Erforschung der Pflanzengeographie eng mit
Alexander von Humboldt zusammen. 1810 an die Berliner
Universität berufen.

61 Alexander von Humboldt (1769–1859).

62 Sigismund Friedrich Hermbstädt (bei Körte fälschlich Hermstädt) (1760–1833), als Technologe und Chemiker Professor
am Collegium medico-chirurgicum seit 1791, 1810 an die Berliner Universität berufen.

63 Paul Erman (1764–1851), Physiker, richtete seine empirische
Forschung (elektrischer Erscheinungen insbesondere) gegen
die Naturphilosophie, 1791 Professor an der allgemeinen
Kriegsschule, 1810 von Humboldt berufen.

64 Johannes von Müller (1752–1809), bedeutender schweizeri-
scher Historiker, „Geschichte der Schweizer Eidgenossen-
schaft", 5 Bde, 1786–1808, hielt sich von 1804 bis 1807 in Berlin auf und sollte als preußischer Historiograph eine
Geschichte Friedrichs II. schreiben; war niemals akademischer
Lehrer.

65 Johann Albert Eytelwein (1764–1848), Ingenieur und Mathematiker, Gründer und erster Direktor der Berliner Bauakademie, Deichinspektor des Oderbruch, 1810 an die Universität
berufen.

66 Johann Georg Tralles (1763–1822), 1804 Akademiemitglied,
1810 als Professor für angewandte Physik und Mathematik berufen.

67 Aloys Hirt (1759–1836), Archäologe und Kunsthistoriker,
lebte lange in Italien und war u. a. Begleiter und Berater von
Goethe und Herder, Mitglied der Akademie der Wissenschaften und der Akademie der Künste, 1810 als Universitätslehrer
berufen.

68 Ernst Gottfried Fischer (1754–1831), Physiker, Astronom und
Mathematiker, Professor am Grauen Kloster und Akademiemitglied, setzte sich mit der Schrift „Über die zweckmäßige
Einrichtung der Lehranstalten für die gebildeteren Stände"
(1806) für ein naturwissenschaftlich orientiertes Schulwesen
ein.

69 Georg Ludwig Spalding (1762–1811), Philologe und Sprach-
lehrer am Grauen Kloster, Akademiemitglied.

70 Philipp Buttmann (1764–1829), Philologe, Direktor der Königlichen Bibliothek, 1810 von Humboldt berufen.

71 Johann Ludwig Formey (1766–1823), königlicher Leibarzt, 1798 Professor am Collegium medico-chirurgicum, 1809 an der neu gebildeten medizinisch chirurgischen Akademie.

72 Karl Ludwig von Woltmann (1770–1817), Historiker 1795/97 Professor für Geschichte in Jena, nach 1800 in Berlin, eine Berufung an die Berliner Universität scheiterte, „Geschichte des westfälischen Friedens" 2 Bde. 1808/09 und „Geschichte der Reformation" 3 Teile, 1800–1809.

73 Christian Ludwig Mursinna (1744–1823), Militärarzt, Professor an der medizinisch-chirurgischen Pepinière und für Chirurgie an der Charité.

74 Christian Heinrich Ernst Bischoff (1781–1826), 1804 Physiologieprofessor am Collegium medico-chirurgicum; seine Schriften waren stark durch Schellings Naturphilosophie bestimmt.

75 Ludwig Ernst von Koenen (1770–1853), 1797 Professor der medizinischen Enzyklopädie am Collegium medico-chirurgicum.

76 August Friedrich Hecker (1763–1811), ab 1805 am Collegium medico-chirurgicum.

77 Karl Johann Christian Grapengießer (1773–1813), seit 1803 Anatom am Collegium medico-chirurgicum.

78 Christoph Knape (1747–1831), seit 1783 Anatom am Collegium medico-chirurgicum, ab 1810 an der Universität.

79 Jakob Andreas Konrad Levezow (1770–1835), Kunsthistoriker, Schüler von F. A. Wolf, Lehrer am Friedrich-Werderschen Gymnasium und gleichzeitig Professor der Altertümer an der Akademie der bildenden Künste.

80 Ludwig Friedrich Heindorf (1774–1816), Philologe, Schüler von F. A. Wolf, Platonforscher- und Herausgeber, zunächst am Kölnischen Gymnasium, 1810 als Professor berufen, aber schon 1811 nach Breslau versetzt.

81 Christian Ludwig Ideler (1766–1846), Schüler F. A. Wolfs, Lehrer an der königlichen Realschule, arbeitete zur Geschichte der Astronomie und Technik, ab 1794 Berechnung der astronomischen Kalender, Hauptwerk: „Handbuch der mathematischen und technischen Chronologie", 2 Bde, 1825/26.

82 Christoph von Goßler (1752–1817), Oberrevisions- und Kammergerichtsrat, Mitglied der Gesetzeskommission, hielt öffentlich Vorlesungen über das preußische Landrecht.

83 Albrecht Daniel Thaer (1752–1828), Kameralist und Modernisator der Landwirtschaft, Mitglied der Akademie, ab 1804 als Staatsrat des Ministeriums des Innern an der Agrargesetzgebung beteiligt, Direktor der königlichen Akademischen Lehr-

anstalt des Landbaus in Möglin und ab 1810 gleichzeitig in den Wintersemestern Professor der Kameralwirtschaft an der Universität Berlin, 1812 „Grundsätze der rationellen Landwirtschaft".

84 Johann Philipp Hobert (1759–1826), Professor der Mathematik an der Artillerieakademie.

85 Hans Christian Genelli (1763–1823), Architekt und Altertumswissenschaftler, ab 1791 an der Berliner Porzellanmanufaktur, 1795 Mitglied der Kunstakademie.

86 Paul Ferdinand Friedrich Buchholz (1768–1843), seit 1800 privatisierender Schriftsteller in Berlin, Mitarbeit an Kotzebues vor allem gegen die Romantik gerichteter Zeitschrift „Der Freimütige und Ernst und Scherz".

87 vermutlich Heinrich Gentz (bei Körte fälschlich Genz) (1766–1811), klassizistischer Architekt, projektierte unter anderem die Berliner Münze und gemeinsam mit Goethe die Ausstattung des Weimarer Schlosses.

88 Johann Georg Naumann, ab 1787 Professor, später Direktor der Tierarzneischule in Berlin.

89 Nicht ermittelbar.

90 Carl Friedrich Zelter (1758–1832), Musiker und Komponist, 1800 Leiter der Berliner Singakademie, Organisator der Kirchen- und Schulmusik, vertrauter Freund Goethes, dessen Lyrik er vertonte.

91 (franz.) Nationalinstitut – ursprünglich die im Institut de France zusammengefaßten Akademien zu Paris. Als königliche Einrichtungen wurden die Akademien durch Dekret des Konvents vom 8. August 1793 aufgehoben, aber durch das Direktorium am 25. Oktober 1795 als Institut national wiederhergestellt (ab 1806 wird unter Napoleon der Name Institut de France verliehen).

92 (franz.) polytechnische Schulen – 1794 als école centrale des travaux public (Zentrale Schule des öffentlichen Handels) gegründet und unter Napoleon (1804) zu militärisch organisierten Spezialschulen für den Staatsdienst ausgebaut (z. B. Schule für Bergbau oder für Brücken und Straßen).

93 (franz.) Korpsgeist

94 Christoph Meiners (1747–1810), Historiker, Mitglied der Göttinger Sozietät der Wissenschaften.

95 Die Residenz von Prinz Heinrich von Preußen (1726–1802) wurde 1810 zum Hauptgebäude der Berliner Universität.

96 Wie J. J. Engel und F. A. Wolf hatte Johann Gottlieb Fichte seinen Universitätsplan nicht publiziert, sondern als vertrauliche Denkschrift Karl Friedrich von Beyme übergeben. Erst 1817 erschien der „Deduzierte Plan einer zu Berlin zu errich-

tenden höhern Lehranstalt" aus dem Nachlaß Fichtes. Der vorliegende Abdruck folgt der Ausgabe von Eduard Spranger, „Fichte, Schleiermacher, Steffens über das Wesen der Universität", Leipzig 1910, S. 1–104. Die dem ersten bzw. zweiten und dritten Abschnitt bei der Übersendung an Beyme beigelegten Briefe wurden entnommen: Brief vom 29. September 1807, Max Lenz, „Geschichte der Königlichen Friedrich-Wilhelms-Universität zu Berlin", Vierter Band, Halle 1910, S. 44–45; Brief vom 3. Oktober 1807, Rudolf Köpke, Die Gründung der Königlichen Friedrich-Wilhelms-Universität zu Berlin, Berlin 1860, S. 180–181.

97 Johann Christian August Ferdinand Bernhardi (1769–1820), Philologe, studierte bei F. A. Wolf, ab 1808 Direktor, vorher Lehrer des Friedrich-Werderschen Gymnasiums. Durch seinen Schwager L. Tieck kam er in Beziehung zu dem frühromantischen Kreis in Berlin. In seiner „Sprachlehre", 2 Bde. 1801–1803, faßte er die sprachtheoretischen Erkenntnisse des 18. Jahrhunderts unter Verwendung von Begriffen Kants und Fichtes systematisch zusammen.

98 Gemeint ist Friedrich Gedike (1754–1803).

99 (lat.) Hüter und strenger Begleiter.

100 Auf Vermutung beruhende Kritik (z. B. bei der Erschließung der Lesart eines Textes).

101 Übungen zur Gestaltung einer Predigt.

102 Zusatz oder auch aus einem anderen Satz abgeleiteter Satz.

103 Gemeint ist wohl Johann Heinrich Pestalozzi (1746–1827). Beeinflußt von Rousseau und dem deutschen Idealismus (Kant und Fichte), versuchte er praktisch und theoretisch die Kindererziehung zu reformieren, wobei er sich auf die sittliche Vervollkommnung und harmonische Ausbildung aller Fähigkeiten (auch der Armen) konzentrierte und eine polytechnische Ausbildung anregte. Hauptwerke: „Lienhard und Gertrud", 4 Bde, 1781–87; „Meine Nachforschungen über den Gang der Natur in der Entwicklung des Menschengeschlechts" 1797 u. a.

104 (lat.) Arzneimittel.

105 (lat.) ohne Zorn und Eifer (nach Tacitus, Annalen I, 1).

106 Prophet im alten Testament.

107 Gemeint ist der neutestamentliche Schriftsteller, dem Johannesevangelium, Johannesbriefe und die Offenbarung des Johannes zugeschrieben werden.

108 (lat.) mit Prüfungen.

109 (lat. von regula – Regel) – nach einer Regel lebend; Regulare sind die Mitglieder des eigentlichen Ordens, die Gelübde abgelegt haben.

110 (lat.) die Regelwidrigen, im Kirchenrecht: dauernder Mangel, der den Empfang der Tonsur und der Weihen verhindert.

111 (lat.) eigentlich Beachtung, Beobachtung; in religiösen Orden die Ordensregel, die von der regulären und strengen bis zur strengsten Observanz reicht (z. B. bei den Franziskanern).

112 (lat.) Gefährten.

113 (v. Lat. novitius – Neuling), wenigstens ein ununterbrochenes Jahr dauernde Probezeit, die der Gelübdeablegung in einem Orden vorausgehen muß, mit der Verpflichtung auf die Regel und Möglichkeit des Rücktritts.

114 (franz.) Ehrenpunkt, hier besser Ehrgefühl.

115 Verweisung wegen Abwesenheit.

116 (lat.) die vorangegangenen Paragraphen.

117 Einbürgern (zum unsrigen machen)

118 (lat.) unauslöschbares Merkmal.

119 (lat.) totes Haupt.

120 Vor- oder Zwischenprüfung.

121 (lat.) Lehrer der Künste.

122 (lat.) wörtl. Lehrerrang.

123 Zur Finanzierung der Akademie der Wissenschaften wurde bei ihrer Gründung (1701) das Kalendermonopol eingeführt. Durch den Verkauf des durch einen Astronomen der Akademie berechneten Kalenders bzw. durch Geldstrafen, (von denen die Akademie ein Viertel bekommen sollte), wenn das Monopol durch Fremddruck gebrochen wird, sollten die Fonds zur Unterhaltung gebildet werden.

124 Der älteste der geistlichen Ritterorden, zunächst zur Krankenpflege in Hospitälern gebildet, machte sich zunehmend den militärischen Schutz der Pilger nach Jerusalem und den Kampf gegen die Ungläubigen zum Zweck.

125 (lat.) gemeinschaftlicher Diener.

126 Gelehrtenschüler, der öffentliche Unterstützung empfängt (Stipendiat)

127 (lat.) Gesetzbuch.

128 (lat.) damit der Staat keinen Schaden leide.

129 Friedrich Daniel Schleiermacher (1768–1834), protestantischer Theologe und Philosoph; gehörte zum engeren Kreis der Frühromantik (Über die Religion 1799, Monologen 1800). 1804 auf Vermittlung Beymes an die Universität Halle berufen, las er neben theologischen Fächern auch über philosophische Ethik. Die „Gelegentlichen Gedanken über Universitäten" (hier nach: Eduard Spranger: Fichte, Schleiermacher, Steffens über die Idee der Universität, Leipzig 1910, S. 105–203) schrieb er zwischen Oktober und Anfang Dezember 1807. Zwar war Schleiermacher von Beyme für eine Beru-

fung nach Berlin vorgesehen, jedoch nicht um ein Gutachten gebeten worden. Deswegen hatte er es anonym veröffentlichen wollen, doch verzichtete er, seinem Verleger Reimer zuliebe, auf die Anonymität. Wohl durch Wolf hatte Schleiermacher sowohl Kenntnis vom Inhalt des Engel-Planes als auch von Beymes Verhandlungen mit den Hallenser Kollegen. Parallel zur Universitätsschrift verfaßte Schleiermacher Rezensionen zu: „Zwey Schreiben die Errichtung einer akademischen Lehranstalt in Berlin betreffend. 1807" (Jenaische Allgemeine Literaturzeitung 1807, Nr. 294 vom 17. Dez., Sp. 535f.); „Sendschreiben an Herrn G. S. über die Verlegung der Universität Halle nach Berlin. 1807" und „Soll in Berlin eine Universität seyn? Ein Vorspiel zur künftigen Untersuchung dieser Frage. 1808" (JALZ 1808, Nr. 23 v. 27. Jan., Sp. 183f.) Die Briefe werden gedruckt nach: Schleiermacher an J. W. H. Nolte vom 3. Januar 1808, aus: Schleiermacher als Mensch. Familien- und Freundesbriefe, Band 2, hrsg. von H. Meisner, Stuttgart und Gotha 1923, S. 97–99; Schleiermacher an G. Brinckmann vom 1. März 1808, aus: Aus Schleiermachers Leben, Briefe hrsg. von L. Jonas und W. Dilthey, Band 4, Berlin 1863, S. 149

130 Wahrscheinlich eine Anspielung auf Napoleon.

131 Hier: übend.

132 Anspielung auf die französischen Fachschulen, vergleiche Schleiermacher an G. Brinckmann, vorl. Ausgabe, S. 257.

133 Aus dem franz.: roturier – nicht adlig, bürgerlich; hier eher in der allgemeineren Bedeutung: roh, gemein.

134 Gemeint ist der Plan J. J. Engels (vorl. Ausgabe S. 6–17); vgl. auch Schleiermachers Brief an Brinckmann (vorl. Ausgabe S. 257).

135 Johann Wilhelm Heinrich Nolte (1767–1832); Lehrer, später Professor am Pädagogium der königlichen Realschule und ab 1804 Assessor des „Departments der Kirchen-, Schul- und Erziehungs- auch milden Stiftungsangelegenheiten" und Oberkonsistorialassessor des kurmärkischen Oberkonsistoriums in Berlin.

136 Am 29. Dezember 1807 hatte der Justiz- und Innenminister des Königreichs Westfalen Siméon den Deputierten des Landes die Erlaubnis gegeben, die Wiedereröffnung der Universität Halle öffentlich bekanntzumachen. Schleiermacher fürchtete, daß die Mehrzahl der Hochschullehrer, die in Berlin auf die Eröffnung der Universität warteten, nun wieder nach Halle zurückkehren würden. Deswegen drängte er auf eine schnelle Eröffnung der Berliner Universität.

137 Georg Christian Knapp (1753–1825), Theologieprofessor in

Halle seit 1777, letzter Repräsentant des Pietismus und alten Supranaturalismus an dieser Universität.

138 August Hermann Niemeyer (1754–1828), Theologe und Pädagoge, leitete seit 1787 das pädagogische Seminar in Halle und war seit 1785 Mitdirektor der Frankeschen Stiftung.

139 Johann Severin Vater (1771–1826), protestantischer Theologe und Orientalist, zunächst in Jena, ab 1799 in Halle. Vater arbeitete im Anschluß an Henke zur Kirchengeschichte, zur Exegese des Alten Testaments und veröffentlichte später auch ethnographische Schriften. 1809 übersiedelte er nach Königsberg.

140 Johannes Ernst Christian Schmidt (1772–1831), 1793 Privatdozent, ab 1798 o. Professor in Gießen. Schmidt vertrat eine rationalistische Theologie mit Einflüssen von Kant und Fichte. „Grundlinien der Kirchengeschichte" 1800, „Lehrbuch der Kirchengeschichte" 1803, „Handbuch der Kirchengeschichte" (unvollendet), Darmstadt und Gießen 1801–1820 in 6 Tln., „Historisch-kritische Einleitung ins Neue Testament" 1804/05.

141 Henrik Steffens (1773–1845), Naturforscher, Philosoph und Dichter, einer der engsten Freunde und Schüler Schellings. Steffens versuchte, Natur und Geschichte in ihrer Einheit und die Natur als stufenweise schaffend (bei anorganischen Prozessen beginnend bis zur freien menschlichen Persönlichkeit) zu denken. 1804 o. Prof. für Naturphilosophie in Halle, wo er in enger Gemeinschaft mit F. A. Wolf, J. C. Reil und insbesondere Fr. Schleiermacher lehrte. (Schleiermacher sah seine eigene philosophische Ethik aufbauend auf Steffens' naturphilosophischer Konzeption). Während der Zeit der napoleonischen Herrschaft gehört er zu den tatkräftigsten Reformpatrioten. Seine Berufung nach Berlin scheiterte, 1811 übersiedelte er nach Breslau. 1832 wurde er nach Berlin berufen und hielt Vorlesungen über Naturphilosophie, Religionsphilosophie sowie über Anthropologie, die noch der junge Marx in seiner Studienzeit 1836/37 belegte. „Beiträge zu einer Naturgeschichte der Erde" 1801, „Anthropologie", 2 Bde. 1822.

142 Johann Christian Reil (1759–1813), bedeutender Mediziner, Hauptvertreter des sog. Vitalismus (Lehre von der Lebenskraft), näherte sich unter dem Einfluß von H. Steffens der Naturphilosophie an. Hatte 1807 für Beyme ein Gutachten über die Umbildung der medizinischen Fakultät verfaßt und erhielt 1810 den Lehrstuhl für klinische Medizin an der Berliner Universität. Machte sich mit anatomischen Arbeiten über den Bau des Gehirns und der Nerven verdient.

143 Schon vor Eröffnung der Universität las Schleiermacher in Berlin.

144 F. Schleiermacher „Herakleitos der Dunkle von Ephesos", in: Museum der Altertumswissenschaft, hrsg. von F. A. Wolf und Ph. Buttmann, Bd. 1, Berlin 1908.

145 Als die Universität in Halle wieder eröffnet werden sollte (vgl. Anm. 136), wurde von der westfälischen Regierung erklärt, wer am 1. Oktober 1807 nicht in Halle gewesen sei, solle nicht als Mitglied der Universität angesehen werden. Dies betraf neben Steffens und Wolf auch Schleiermacher (vgl. Schleiermacher an Brinckmann, Brief vom 26. 1. 1808, in: Aus Schleiermachers Leben, Briefe hrsg. von L. Jonas und W. Dilthey, Band 4, Berlin 1863, S. 143). Für Schleiermacher war das ein Anlaß, sowohl seine patriotische Gesinnung als auch sein Verständnis akademischer Freiheit öffentlich zu vertreten. Mit dem Datum vom 1. Februar 1808 ließ er zusammen mit dem Mediziner D. L. F. Froriep in die Nr. 27 vom 16. Februar der „Staats- und Gelehrten Zeitung des Hamburgischen unpartheyischen Correspondenten" eine Anzeige einrücken, die in ihrem letzten Satz das „getadelte Bild" enthält: „Unterzeichnete wünschen, in Hinsicht ihrer, jede Mißdeutung eines Halle betreffenden Artikels in No. 18 der Allg. Zeitung zu vermeiden, und erklären deshalb, daß sie nicht den geringsten Schritt gethan haben, um, nach Wiederherstellung der Universität, ihre Anstellung in Halle zu erhalten. Wer könnte sich auch wol, um anderer Verhältnisse hier nicht zu erwähnen, der Ansicht fügen, ein Professor habe durch seine interimistische, bey den damaligen Behörden nachgesuchte Entfernung von einem Orte, wo er weder sein Geschäft ausüben durfte, noch ihm die äußern Mittel des Lebens dargereicht wurden, rechtlich seinen Anteil an der nachher erfolgten Auferstehung der Universität verwirkt, so daß er nun erst, zurückgekehrt, wegen seiner Wiedereinsetzung suppliciren müsse. So kommt ein Hund, der davon gelaufen, zu seinem Herrn zurückgekrochen, und erwartet, auf dem Bauche liegend, ob er werde geschlagen werden, oder freudig an ihm hinaufspringen dürfen; ein Gelehrter, der nichts solches gesündiget, thut dergleichen nicht." zitiert nach H. Patsch, Ein Gelehrter ist kein Hund, in: Schleiermacherarchiv, hrsg. von H. Fischer u. a., Band I.1., Internationaler Schleiermacherkongreß Berlin 1984, Berlin/New York 1985, S. 133

146 Friedrich von Savigny (1779–1861), Jurist, später Staatsmann, Begründer der historischen Rechtsschule, die gegen Naturrechtsauffassungen eine konservativ-romantische Theorie entwarf und damit die Restauration wissenschaftlich legitimierte;

1803 ao., 1808 o. Professor in Landshut, wurde von Humboldt 1810 an die Berliner Universität berufen und löste 1812 Fichte als Rektor ab; später Lehrer von Friedrich Wilhelm IV., 1817 Staatsrat in der Justizabteilung und 1841 bis 1848 reaktionär eingestellter Minister des Gesetzgebungsministeriums. Savignys Rezension der „Gelegentlichen Gedanken" wurde zuerst in den „Heidelberger Jahrbüchern für Philologie, Historie, Literatur und Kunst", Jahrgang 1, 1808, Heft 3, S. 296–305, gedruckt. Vorliegender Nachdruck folgt: K. F. Savigny, Vermischte Schriften, Band 4, Berlin 1850, S. 256–269.

147 Vorl. Ausgabe, S. 193

148 Vorl. Ausgabe, S. 200

149 Vorl. Ausgabe, S. 216

150 Vorl. Ausgabe, S. 234

151 Wilhelm von Humboldt (1767–1835), Sprachwissenschaftler, Staats- und Kunsttheoretiker, liberal orientierter Staatsmann. Humboldt, vorher preußischer Gesandter in Rom (1801–1809), wurde im Februar 1809 zum Chef der neu gebildeten „Section des Cultus und öffentlichen Unterrichts" ernannt. Bis zu seinem im April 1810 erzwungenen Rücktritt legte Humboldt nicht nur die Grundlagen für die Berliner Universität, sondern begründete auch das humanistische Gymnasium. An Plänen von Humboldt sind überliefert der erste Entwurf (geschrieben vom 1.–14. Mai 1809) und der überarbeitete, am 24. Juli dem König vorgelegte „Antrag auf Errichtung der Universität", der hier zusammen mit dem später (bis Mai 1810) entworfenen, fragmentarisch gebliebenen Programm „Über die innere und äußere Organisation der wissenschaftlichen höheren Anstalten" nachgedruckt wird: Wilhelm von Humboldt, Werke in fünf Bänden, Bd. IV, Schriften zur Politik und zum Bildungswesen, Berlin 1964, S. 113–121 und 255–266.

152 Von dominium (lat.) – herrschaftliches Grundeigentum; mit dem Allgemeinen preußischen Landrecht (1791) wurde die Herrschaft des Adels über die Güter (zumindest auf dem Papier) eingeschränkt. Domänen oder Kammergüter waren Eigentum der Krone, sei es, daß das Oberhaupt die ausschließliche Benutzung in seiner staatlichen Eigenschaft hat oder daß die Einkünfte zum Unterhalt der Familie des Landesherrn dienen. Eine weitere Unterminierung des feudalen Rechtsstatus trat im Zuge der Steinschen Reformen mit dem Gesetz vom 17. Dezember 1808 über die Veräußerung der königlichen Domänen in Kraft, wodurch nur die Bedürfnisse des Staates und die Zweckmäßigkeit für die Staatswirtschaft darüber entscheiden sollten, ob die Veräußerung der Domänen notwendig sei.

Der Ertrag der Domänen floß nun den Staatskassen zu. Das Edikt vom Oktober 1810 bestimmte die Einziehung sämtlicher geistlicher Güter in der Monarchie.

153 G. W. F. Hegels Brief an Raumer wird abgedruckt nach: Briefe von und an Hegel, hg. von Johannes Hoffmeister, Bd. II, Berlin 1970, S. 96–102. Friedrich von Raumer (1781–1873), Historiker, aus früherer Zeit mit Hardenberg und anderen Kabinettsmitgliedern bekannt, war mit Wissen Friedrich von Schuckmanns, Nachfolger Humboldts als Chef des Unterrichtsministeriums, auf der Durchreise in Nürnberg mit Hegel zusammengetroffen. Raumer sollte Hegels Fähigkeiten für den philosophischen Vortrag prüfen. Zwar hatte der Berliner Universitätssenat bereits mehrheitlich die Berufung Hegels beschlossen, doch Schuckmann versuchte offensichtlich, die Berufung zu verzögern. Den hier abgedruckten Brief ließ Raumer Schuckmann übergeben.

154 John Brown (1735–1788), schottischer Mediziner, der Ende des 18. Jahrhunderts in Deutschland starke Resonanz fand. In den „Lementae medicae" 1780 stellte er eine Theorie der Wechselwirkung von Reizen auf und leitete therapeutische Methoden ab.

155 Franx Xaver Baader (1765–1841), katholischer Philosoph, der gegen den deutschen Idealismus eine mystische Offenbarungsphilosophie auf vorwissenschaftlicher Grundlage entwickelte.

156 Clemens Brentano, Universitati Litterariae, Kantate auf den 15ten Oktober 1810, Berlin.

157 Über die Protestantischen Universitäten in Deutschland neues Raisonnement von einigen Patrioten, Strasburg 1769, S. 139.

158 Immanuel Kant, Der Streit der Fakultäten, hg. von Steffen Dietzsch, Leipzig 1984, S. 18.

159 Ebenda, S. 25.

160 Ebenda, S. 33.

161 Denkwürdigkeiten des Philosophen und Arztes Johann Benjamin Erhard zusammengestellt von Varnhagen von Ense, Berlin 1830, S. 42.

162 Während Köpke, a. a. O., S. 12 f. Erhards Schrift noch referiert, fehlt in Max Lenz' voluminöser Universitätsgeschichte jeder Hinweis. Den Beginn der verzerrten Rezeption wird man vielleicht in Varnhagens, Hegel gewidmeter, Briefausgabe finden. Briefauswahl und Kommentar lassen Erhards revolutionäre Biographie kaum erkennen.

163 Zur politischen Biographie Erhards vgl. das Nachwort zu: Johann Benjamin Erhard, Über das Recht des Volkes zu einer Revolution und andere Schriften, hg. v. Hellmut G. Haasis, München 1970.

164 „Die Idee der Gerechtigkeit als Prinzip einer Gesetzgebung betrachtet", Schillers Horen, 1798, St. 7, sollte den ersten Teil der „Theorie der Gesetzgebung" bilden. Neben der Universitätsschrift gehören dem Themenkreis auch die „Apologie des Teufels", „Niethammers philosophisches Journal", 1795, Heft 2 und „Über das Prinzip der Gesetzgebung, insofern der Inhalt der Gesetzgebung dadurch bestimmt wird", ebenda, Heft 8, an.

165 J. B. Erhard, Über die Einrichtung und den Zweck der höhern Lehranstalten, a. a. O., S. 78.

166 Bericht an Minister Schulenburg vom 16. Februar 1801, zitiert nach: Rudolf Köpke, a. a. O., S. 14.

167 J. W. von Massow, Ideen zur Verbesserung des öffentlichen Schul- und Erziehungswesens mit besonderer Rücksicht auf die Provinz Pommern, 1800 (geschrieben 1799), zitiert nach: ebenda, S. 12.

168 Schleiermacher an Brinckmann, Brief ohne Datum (Frühjahr 1807), in: Aus Schleiermachers Leben, a. a. O., Bd. 4, S. 136.

169 Zitiert nach Köpke, a. a. O., S. 37.

170 Schleiermacher an G. Reimer, Brief 12. Dezember 1806, in: Aus Schleiermachers Leben, a. a. O., Bd. 4, S. 83.

171 Schleiermacher an G. Reimer, Brief v. November 1806, in: Schleiermacher als Mensch, a. a. O., S. 72.

172 Vgl. Gerd Irrlitz, Das vielberufene Königswort. Gegensatz zwischen frühbürgerlicher aufklärerischer Gründungsidee und preußischem Königshaus, in: Wissenschaftliche Zeitschrift der Humboldt-Universität zu Berlin, Gesell.wiss. Reihe XXXIII (1984) I, S. 15.

173 Friedrich Engels, Ergänzung der Vorbemerkung von 1870 zu „Der deutsche Bauernkrieg", in: MEW, Bd. 18, S. 513.

174 Gegen die Auflösung der Universität bzw. deren Ersetzung durch napoleonische Fachschulen hatte sich auch Charles de Viller in einer deutsch und französisch erschienenen Schrift eingesetzt: Über protestantische Universitäten und öffentliche Lehranstalten im protestantischen Deutschland insbesondere im Königreich Westfalen, Lübeck 1808.

175 Schleiermacher und Fichte kannten ihre Universitätspläne wohl gegenseitig nicht. Fichte las Schleiermachers Schrift erst 1812, Schleiermacher konnte Fichtes Plan frühestens aus den 1817 erschienenen Werken zur Kenntnis nehmen.

176 W. von Humboldt an Caroline, Brief vom 22. Mai 1810, zitiert nach Max Lenz, a. a. O., Bd. 1, S. 219.

177 Zitiert nach: ebenda.

178 J. G. Fichte, Einige Vorlesungen über die Bestimmung des Gelehrten (1794), in: Über den Gelehrten, a. a. O., S. 76, 79.

179 Karl Marx, Thesen über Feuerbach, in: MEW, a. a. O., Bd. 3, S. 5.

180 Friedrich Schleiermacher, „Zöllner. Ideen über Nationalerziehung 1804", in: Aus Schleiermachers Leben, a. a. O., S. 603.

181 Schleiermachers Gedanken zur akademischen Freiheit wurde noch 1812 zum Gegenstand eines Streites mit Fichte. Fichte hatte sich – als erster gewählter Rektor der Universität – für die Relegierung von Studenten eingesetzt, die einen jüdischen Mitstudenten beleidigt hatten. Fichte beschuldigte Schleiermacher, ständische Verbindungen auf Universitäten, die Fichte in seiner Rektoratsrede als „einzig mögliche Störung der akademischen Freiheit" bezeichnet hatte, durch seine Schrift gefördert zu haben. Da Fichte sich vom Senat gegenüber dem Minister Schuckmann im Stich gelassen fühlte, trat er von seinem Amt zurück.

182 Zu den Prinzipien der Humboldtschen Universität vgl. die konzise Darstellung von Herbert Schnädelbach, Philosophie in Deutschland 1831–1933, Frankfurt am Main 1983, S. 35–45.

183 Eduard Spranger, a. a. O., (Einleitung), S. XVI.

184 Rezension von: J. W. F. Schelling. Vorlesungen über die Methode des akademischen Studiums. 1803, in: Aus Schleiermachers Leben, a. a. O., S. 580.

185 Aus dieser Funktionsbestimmung der Akademie – weniger aus persönlichen Differenzen oder gar dem Gegensatz zwischen dem Theologen und Philosophen – läßt sich erklären, warum Schleiermacher zwar 1816 im Universitätssenat für Hegels Berufung als Nachfolger Fichtes gestimmt hatte, aber dessen Aufnahme in die Akademie hintertrieb. Die Akademie sollte von spekulativen Systembauten und Auseinandersetzungen freibleiben.

186 Zitiert nach Max Lenz, a. a. O., S. 315.

187 Zur Aktualität der Universitätsdebatte für die Hochschulpädagogik vgl. Lothar Sonntag, Die Auffassungen der klassischen deutschen Philosophie über Ziel und Methoden des Universitätsstudiums, in: Aus Theorie und Praxis der Hochschulpädagogik 1979/4, S. XII.

Auswahlbibliographie

1. Veröffentlichte Schriften, die Reform der Universität betreffend (1800–1812)

Ludwig Wachler, Aphorismen über die Universitäten und über ihr Verhältnis zum Staat. Nebst einem Anhang über den gegenwärtigen Zustand der Universität zu Marburg, Marburg 1801

Christoph Meiners, Über die Verfassung und Verwaltung deutscher Universitäten, 2 Bände, 1801/06 (Neudruck Aalen 1973)

Johann Benjamin Erhard, Über die Einrichtung und den Zweck der höhern Lehranstalten, Berlin 1802

Friedrich Wilhelm Schelling, Vorlesungen über die Methode des akademischen Studiums, Jena 1803

(anonym), Ideen zu einer sittlichen Verbesserung der Universität mit besonderer Rücksicht auf die Universität Halle von einem genauen Kenner des Studentenwesens, Berlin 1803

(anonym), Die Universität in Berlin, in: Morgenblatt, 12. Oktober 1803, S. 1057–1059

(anonym), Sendschreiben an Herrn J. S. über die Verlegung der Universität Halle nach Berlin, Leipzig 1807

(anonym), Zwei Schreiben, die Errichtung einer akademischen Lehranstalt in Berlin betreffend, Berlin und Leipzig 1807

Friedrich Daniel Ernst Schleiermacher, Gelegentliche Gedanken über Universitäten in deutschem Sinn. Nebst einem Anhang über eine neu zu errichtende. Berlin 1808

Ludwig Wachler, Über Universitäten, nach Schleiermacher, Viller und Tittmann, Neue theologische Annalen 1808

Karl Friedrich Savigny, Rezension von: F. Schleiermacher, Gelegentliche Gedanken über Universitäten in deutschem Sinn, in: Heidelberger Jahrbücher für Philologie, Historie, Literatur und Kunst, Jahrgang 1, 1808, Heft 3, S. 296–305

Charles de Villers, Coup-d'œil sur les universités et le mode d'instruction publique de l'Allemagne protestante; en particulier du royaume de Westphalie, Kassel 1808; Übersetzung aus dem Französischen: Carl Viller, Über protestantische Universitäten und öffentliche Lehranstalten im protestantischen Deutschland insbesondere im Königreich Westfalen, Lübeck 1808

(anonym), Soll in Berlin eine Universität sein? Ein Vorspiel zur künftigen Untersuchung dieser Frage. Berlin 1808

August Friedrich Hecker, Über die Natur und Heilart der Faulfieber, nebst Bemerkungen über einige Verschiedenheiten, Einteilungen und Kurmethoden der Fieber überhaupt. Zweite Einladungsschrift zu seinen Vorlesungen im Sommer 1808. Voran ein Beitrag zur Beantwortung der Frage: Soll in Berlin eine Universität sein?, Berlin 1809

Henrik Steffens, Über die Idee der Universitäten. Vorlesungen. Berlin 1809

J. C. F. Meister, Auch ein Paar Worte zu dem Tagesgespräch über Universitäten. Und beiläufig ein Wort für die Universität Frankfurt a. d. Oder, Frankfurt a. d. Oder 1809

Castillion, Über die Begriffe einer Akademie und einer Universität und über den wechselseitigen Einfluß, welchen beide Anstalten aufeinander haben können. Eine Vorlesung gehalten in der Akademie der Wissenschaften, Berlin 1809

Johann Gottlieb Fichte, Über die einzig mögliche Störung der akademischen Freiheit. Eine Rede beim Antritt seine Rektorats an der Universität zu Berlin den 19. Oktober 1811 gehalten, Berlin 1812

2. Dokumentationen zeitgenössischer unveröffentlichter Schriften, Gutachten und Briefwechsel zur Gründung der Berliner Universität

Rudolf Köpke, die Gründung der königlichen Friedrich-Wilhelms-Universität zu Berlin, Berlin 1860, S. 147 ff.

Eduard Spranger (Hg.), Fichte, Schleiermacher, Steffens über das Wesen der Universität, Philosophische Bibliothek Band 120, Leipzig 1910

Max Lenz, Geschichte der Königlichen Friedrich-Wilhelms-Universität zu Berlin, Vierter Band: Urkunden, Akten und Briefe, Halle 1910

Wilhelm Weischedel (Hg.), Idee und Wirklichkeit. Dokumente zur Geschichte der Friedrich-Wilhelms-Universität zu Berlin, Berlin (West) 1961

Personenregister

In den Anmerkungen genannte Personen wurden in das Register nur dann aufgenommen, wenn deren Verifizierung dort erörtert oder im Textteil indirekt genannte Personen ausgewiesen werden.

Inhalt

PHILOSOPHIE · GESCHICHTE
KULTURGESCHICHTE

ANTONIO GRAMSCI

Gedanken zur Kultur

Aus dem Italienischen
Herausgegeben von G. Zamiš unter Mitarbeit
von S. Siemund
Mit einem Nachwort von G. Zamiš
Band 1162 · Broschur 2,50 M

Kultur ist für Gramsci (1891–1937) nicht angelesenes Bildungsgut, sondern ein höheres Bewußtsein schlechthin, das im Familienleben, in der Schule, der Lektüre, im Theater, im Zusammenleben der Menschen überhaupt zum Ausdruck kommt. Gramsci, der nicht nur die italienische Geschichte, sondern auch die internationale Kulturentwicklung und die literarischen und kulturellen „Moden" kannte, beobachtete genau, wie die Massen in Italien leben und reagieren. Sein Werk gibt Anregungen für die Gestaltung einer sozialistischen Kultur; zugleich finden sich darin Elemente einer nationalen und Klassenpsychologie.

Reclam
Bibliothek

PHILOSOPHIE · GESCHICHTE
KULTURGESCHICHTE

Deutschland

Eine Zeitschrift

Herausgegeben von Johann Friedrich Reichardt

Auswahl

Herausgegeben und mit einer Studie „Die Zeitschrift ‚Deutschland' im Kontext von Reichardts Publizistik" von G. Heinrich.
Band 1293 (Sonderreihe) · Broschur 3,50 M

J. F. Reichardt (1752–1814), Musiker, Komponist, Musikkritiker und -theoretiker, auch Schriftsteller und Publizist, war Herausgeber und Spiritus rector dieser Zeitschrift, die ab 1796 für kurze Zeit erschien. Das Magazin, ein Organ der späten Aufklärung und zugleich der frühen Romantik, verband sich den praxisorientierten preußischen Reformern, öffnete sich aber auch Wackenroder und dem jungen Friedrich Schlegel.
„Politischer Zustand von Deutschland", „Chronik großer Städte", „Kleine Reisen durch deutsche Länder", „Das deutsche Theater", „Deutsche Literatur", „Deutsche Kunst", „Notizen von deutschen Journalen" – so lauten die wichtigsten Rubriken.

Reclam
Bibliothek

BELLETRISTIK

HUGO VON HOFMANNSTHAL
Blicke

Essays

Herausgegeben und mit einem Nachwort von Th. Fritz
Band 1177 · Broschur 3,– M

Das Schreiben über Bücher, Bilder, Inszenierungen war für
Hofmannsthal (1874–1929) integraler Bestandteil seiner
schriftstellerischen Arbeit, die Kunst war sein Thema. Bei
leidenschaftlich vorgetragener Reflexion, die die Intimität
des individuellen Kunsterlebens bewahrt, identifiziert er
sich mit dem Publikum, immer auf der Suche nach der besonderen, durch Poesie voll erleuchteten Wirklichkeit, die
in den Kunstwerken steckt – so beim Schreiben über:
D'Annunzio, Balzac, Beethoven, Goethe, Grillparzer, Les-
sing, C. F. Meyer, Molière, O'Neill, Jean Paul, Max Reinhardt, Shakespeare, Stifter, die Salzburger Festspiele, das
Wiener Burgtheater u. v. a.

Reclam
Bibliothek

KUNSTWISSENSCHAFTEN

Von der Freien Bühne zum Politischen Theater

Drama und Theater im Spiegel der Kritik

2 Bände

Band 1: 1889–1918
Band 2: 1919–1933

Herausgegeben und mit einer Vorbemerkung
von H. Fetting
Band 1140 und 1141 · Broschur zusammen 10,– M

44 Jahre Berliner Theaterleben, geprägt durch Inszenierungen von Otto Brahm, Max Reinhardt, Leopold Jessner, Er-
win Piscator u. a., werden durch Rezensionen aus der zeit-
genössischen Tagespresse überliefert. Jeweils drei der
damals einflußreichsten Kritiker äußern sich zu Urauffüh-
rungen von Gegenwartsautoren (Ibsen, Shaw, Hauptmann,
Wedekind, Sternheim, Zuckmayer, Toller, Bronnen, Brecht
u. a.) bzw. zu Neuinszenierungen des literarischen Erbes.
Ergänzt durch Vorbemerkungen und einleitende Kommen-
tare des Herausgebers sowie eine umfangreiche Biobiblio-
graphie der Kritiker entsteht eine einzigartige Dokumentation, ein Beitrag zur Theater-, Presse-, Kultur- und
Berlingeschichte.